YOGI

YOGI

mewn deg eiliad
HUNANGOFIANT BRYAN DAVIES

gydag **Elfyn Pritchard**

Diolch yn fawr i Elfyn am ei amser
a'i amynedd yn ystod y misoedd diwethaf
Teulu Tŷ Ni

Mae cyfran o werthiant y gyfrol hon yn mynd i Gronfa Apêl Bryan Davies.
Am fwy o wybodaeth am y gronfa, ewch i'r wefan:
www.bryandavies.org.uk

Argraffiad cyntaf: 2009

Dymuna'r cyhoeddwyr gydnabod cymorth ariannol
Cyngor Llyfrau Cymru

Llun y clawr: Llinos Lianini
Cynllun y clawr: Alan Thomas

Rhif Llyfr Rhyngwladol: 9781847711854

Cyhoeddwyd, rhwymwyd ac argraffwyd yng Nghymru
gan Y Lolfa Cyf., Talybont, Ceredigion SY24 5HE
gwefan www.ylolfa.com
e-bost ylolfa@ylolfa.com
ffôn 01970 832 304
ffacs 832 782

1
Yn y Sgrym

i

DYDD SADWRN, 21 EBRILL 2007, y diwrnod a newidiodd fy mywyd i, diwrnod na wna i na neb o'r teulu fyth ei anghofio. Diwrnod braf o wanwyn. Diwrnod oedd i'w nodi mewn penawde breision yn y papure newydd:

Rugby dad's horror injury in final match

Rugby dad has suspected broken back

Crippled by scrum

Ac fel hyn y cofnodwyd y digwyddiad yn y papur lleol, *Y Cyfnod*, yr wythnos ganlynol:

Anaf difrifol i chwaraewr rygbi lleol

Mae amheuaeth fod chwaraewr rygbi oedd wedi addo chware un gêm arall cyn ymddeol wedi torri ei gefn. Roedd Bryan Davies ('Yogi' fel yr adnabyddir ef) 49 oed wedi chware i Glwb Rygbi'r Bala ers dros 20 mlynedd...

'Digwyddodd y ddamwain yn y sgrym gynta, yn y pum munud cynta,' meddai Gwyndaf Hughes, ysgrifennydd y clwb. 'Dwi'n meddwl bod Bryan wedi sylweddoli be oedd wedi digwydd – ei eiriau cynta oedd – "peidiwch â symud fi, dwi mewn trafferth".'

Roedd y papure Saesneg yn fwy dramatig fyth. Dyma bennawd a rhan o adroddiad y *Daily Post*:

Player's injury horror in last game for club

A rugby playing dad suffered a suspected broken back during his last match for the club he represented for more than 20 years. Bryan Davies told team mates he was playing his last ever game for Bala Rugby Club in the dressing room before Saturday's match. And to mark the occasion the 49 year old was handed the captaincy.

But within minutes of the Asda League Four North clash against Nant Conwy getting under way a scrum collapsed and the dad-of-two was left with serious back injuries.

… It is understood Mr Davies has no feeling in the lower part of his body and doctors fear he may never walk again. '… They have more or less said the chances of him walking again are slim.

He is on life support, but only because he has trouble breathing. He is conscious. But it's difficult to understand what exactly he is telling us. He has done so much for the club and helped so many people.'

Y dydd Mercher cynt roedden ni'n deulu llawen o bedwar yn dychwelyd adre o wylie yn y Caribî, gwylie yn yr haul, y fi a Susan fy ngwraig a'r plant, Ilan a Teleri. Tra oedden ni yno roeddwn i wedi gneud un penderfyniad pwysig – dim rhagor o chware rygbi i dîm cynta'r Bala, roedd hi'n hen bryd i mi roi'r gore iddi. Wel, dim rhoi'r gore iddi'n hollol falle; tase'r ail dîm yn gofyn imi chware iddyn *nhw*, mae'n siŵr y baswn i'n gneud, ond y tîm cynta? Na, yn bendant, hwn fydde'r tymor ola, gan 'mod i'n mynd yn rhy hen i frwydre caled y prif dîm. Roeddwn i ar drothwy fy hanner cant mewn gêm lle mae tri deg pump yn cael ei gyfri'n hen!

Ond roedd un gêm ar ôl, a honno'n erbyn yr hen elynion – Nant Conwy. Roedden ni wedi cael sawl brwydr gofiadwy yn eu herbyn nhw dros y blynyddoedd, gan eu bod yn debyg iawn i dîm y Bala, yn galed ac yn ddigyfaddawd, neb yn fodlon rhoi dim nac ildio modfedd. Gêm wedi'i gohirio o ddyddiad ynghynt yn y tymor oedd hon. Y noson cyn y gêm honno mi laddwyd un o chwaraewyr Nant Conwy mewn damwain ar drofeydd Padog rhwng Pentrefoelas a Betws y Coed ac yn naturiol mi ohiriwyd y gêm tan Sadwrn ola'r tymor, yr unig ddyddiad hwylus oedd ar gael i'r ddau dîm.

Mae blode yn nodi mangre'r ddamwain honno hyd heddiw.

Y fi oedd bachwr y tîm cynta, ac roeddwn i cyn hynny wedi bod yn brop, a chyn dod yn brop, coeliwch neu beidio, yn ganolwr. Dau Brian yn ganolwyr tîm y Bala: Brian Lloyd, y gof o Lanfor, a finne, a'r ddau ohonon ni'n perthyn. Doedden ni'n dau mo'r cyflyma ar y cae, ond roedd yn anodd iawn rhedeg drwyddon ni. Roedden ni'n well yn amddiffyn nag yn ymosod am wn i.

Ar ôl chware felly am dri neu bedwar tymor, gan fod props yn brin mi symudes i i'r rheng flaen ac yno y bues i am bymtheg tymor, ar y pen rhydd. Yna yn nhymor 2004–05 mi adawodd Geraint Llwyn Brain, y bachwr, am Aberystwyth a doedd gan y clwb neb i gymryd ei le, neu doedd neb yn ddigon gwirion i gynnig ei hun. Ond mi roeddwn i, felly dyma folyntirio, dim ond am gêm neu ddwy oeddwn i'n meddwl. Ond yno y bues i

wedyn, yn y safle berycla ar y cae. Yn y sgrym does gan
y bachwr ddim dwylo i'w amddiffyn ei hun, maen nhw
wedi eu clymu o gwmpas sgwydde'r ddau brop. Mae
gan bawb arall o leia un fraich yn rhydd.

Roeddwn i'n ceisio rhoi o 'ngore bob amser, ond
mae'n well i rywun arall ddeud hynny nag imi ganmol
fy hun. Dyma a sgrifennwyd amdana i gan rywun o
glwb rygbi'r Bala:

> Yn ystod y tymhorau yma datblygodd i fod yn wrthwynebydd
> ffyrnig oedd yn hawlio parch ym mhob maes rygbi yng Ngogledd
> Cymru a thu hwnt. Roedd Yogi yn rhoi ei oll ym mhob gêm
> ac yn amal roedd ei wrthwynebydd yn dioddef o'r herwydd.
> Roedd ganddo awch anhygoel am y gêm ac roedd yn chware â
> brwdfrydedd a chalon gan wrthod cymryd cam yn ôl o'i wirfodd.
> Roedd yn arwain y 'pack', yn ysgogi ei gyd chwaraewyr ac yn
> ofalus o chwaraewyr ifanc.

Beth bynnag am hynny, pan oedden ni'n newid ar gyfer
y gêm, mi ddwedes i 'mod i wedi penderfynu rhoi'r
gore iddi, ac mai hon fydde 'ngêm ola i yn y tîm cynta.
Roedd y capten ar y pryd wedi'i wahardd rhag chware
yn y gêm hon, ac yn y fan a'r lle mi wnaed fi'n gapten
am y diwrnod, a fi arweiniodd y tîm allan i heulwen
Maes Gwyniad. Hwn oedd y tro cynta imi fod yn gapten
– roeddwn i wedi llwyddo i osgoi'r dyletswydd hwnnw
ar hyd y blynyddoedd!

Roedd tyrfa dda wedi dod i wylio – am ei bod yn
gêm ola'r tymor ac am mai Nant Conwy oedd y
gwrthwynebwyr. Ar ôl rhai munudau o chware caled
mi gafwyd y sgrym gynta, ar ochor bella'r cae oddi wrth
y gwylwyr, a dyna pryd y digwyddodd y ddamwain.

Doedd dim sgôr wedi bod ond roedd pethe'n argoeli'n dda, a phob arwydd y galle'r Bala ennill er bod y ddau dîm yn eitha cyfartal.

Sgrym i'r Bala oedd hi ac Euros Jones, ein mewnwr ni, oedd yn rhoi'r bêl i mewn, a Tom Hughes a Meilir Vaughan Evans oedd y ddau brop oedd yn fy nghynnal yn y rheng flaen.

Fel y gŵyr pawb, mae pethe du a dirgel iawn yn digwydd yn y sgrym, ambell i ddwrn, ambell i wthiad anghyfreithlon, pawb wrthi a'r awdurdode'n ceisio'u gore i lunio rheole fydd yn atal pob mistimanars. Mi fydden ni, aelode'r pac, yn siarad yn amal am y posbilrwydd y galle damwain ddigwydd, yn enwedig pan fydde'r ddau bac wyneb yn wyneb, yn sefyll rhyw lathen oddi wrth ei gilydd cyn hyrddio at ei gilydd. Yn yr hyrddiad hwnnw'n amal roedd damweinie'n digwydd. Ond mae hynny wedi newid erbyn hyn a rhaid mynd drwy'r broses o glymu ac o gyffwrdd cyn gwthio.

Wrth gwrs, mae pawb yn y sgrym i fod i wthio'n syth, ond dydi hynny ddim yn digwydd. Mi fydd prop pen tyn y gwrthwynebwyr yn trio gwthio i fyny dan ysgwydd bachwr y tîm arall er mwyn rhoi mantais i'w bachwr nhw, a dyna ddigwyddodd y tro yma. Ar yr un pryd, tra oedd fy ysgwydd chwith yn cael ei chodi gan y prop roedd fy ysgwydd dde yn cael ei chodi gan y bachwr, ac wrth gwrs roedd fy mhen i'n sownd, i lawr rhwng fy nghoese. Fy mhen i i lawr a'm sgwydde i'n cael eu codi a'r gwthio caled yn digwydd o'r ddwy ochor. Dyna'n syml – os mai syml 'di'r gair – ddigwyddodd. Mi glywes i glec fel clec gwn twelf bôr ac mi wyddwn yn yr amrantiad hwnnw 'mod i wedi torri 'ngwar. Chlywodd neb arall y glec, wrth gwrs, gan mai drwy esgyrn 'y mhen roedd y sŵn yn trafaelio.

Mi ddigwyddodd y cyfan mor sydyn. Ail reng y Bala sylweddolodd gynta fod rhywbeth o'i le ac mi geision nhw dynnu'n ôl ac, wrth gwrs, gan fod y pwyse o'n hochor ni'n llacio mi ddaeth pac Nant Conwy droston ni ac mi ddymchwelodd y sgrym. Bryd hynny, mi chwythodd y reff i roi stop ar bethe, a phan gododd pawb ar ei draed roeddwn i'n gorwedd ar y llawr yn methu symud ond yn gwybod beth oedd yn digwydd.

Roedd Tony Parry, cadeirydd y Bala, ar y lein ac Alwyn Ambiwlans, un o barafeddygon y Bala, yn digwydd bod ymhlith y dorf. Mi ruthrodd y ddau ar y cae ar unwaith ac mi osododd Alwyn 'y mhen i'n iawn rhag i ragor o niwed gael ei neud ac mi ddaliodd Geraint Fedw Arian 'y mhen nes daeth yr ambiwlans.

Tri chwarter awr gymerodd hi i'r ambiwlans gyrredd, gan ei bod wedi'i galw allan ar alwad arall a doedd yr un ambiwlans yn y Bala ar y pryd. Mi gyrhaeddodd yr un pryd â helicopter yr Ambiwlans Awyr. Roedd y reff wedi stopio'i wats pan stopiodd o'r gêm, dyna sut mae pawb mor siŵr o'r amser.

Mi dwi'n cofio deud wrth Ger 'mod i wedi torri 'ngwar a dwi'n cofio teimlo bod fy mreichie i wedi eu croesi ar draws fy mrest. Mi ofynnes iddo fo lle roedd 'y mreichie i. 'Lawr wrth dy ochor di,' medde fo. Yn rhyfedd iawn, pan fydda i'n cael ambell i blwc, ambell i 'spasm', mi fydda i'n cael poene ofnadwy yn 'y mreichie ac yn teimlo eu bod ar draws fy mrest, er nad ydyn nhw yno. Poene neu deimlade ffug maen nhw'n galw peth felly.

Er na wyddwn i hynny ar y pryd, doeddwn i ddim yn gallu anadlu drwy fy sgyfaint, dim ond drwy fy stumog a chan mai aer o'r stumog nid o'r frest oeddwn i'n gael roedd llai o ocsigen a mwy o garbon deiocseid ynddo fo a hynny'n effeithio ar y sgyfaint. Mi ddwedodd un o'r doctoried yn yr ysbyty y base pethe wedi bod yn well tase 'ne ocsigen ar y cae, ond doedd 'ne ddim, a dene fo. Mae fy sgyfaint wedi lleihau a'r cyhyre wedi dirywio, dyna pam nad ydw i, hyd heddiw, yn gallu anadlu heb gymorth.

Ddrwg gen i fanylu am yr hyn oedd wedi digwydd i mi, ond mi dwi'n cofio wrth orwedd yn y fan honno ar y cae fod y weithred o anadlu'n boenus ofnadwy am 'mod i wedi malu rhan o 'ngwar – y drydedd, y bedwaredd a'r bumed *vertebrae*, a'r bumed wedi malu'n ddarnau mân a llinyn y cefn wedi'i ddal, wedi'i drapio, rhwng y drydedd a'r bedwaredd *vertebrae*.

Mi gliriwyd y ddau dîm oddi ar y cae ac mi ddaeth y reff yn ei ôl ata i ac mi ddwedes wrtho fo 'mod i wedi torri 'ngwar. Ond doedd neb yn coelio hynny ar y pryd. Mi ganslodd y reff y gêm yn y man ond mi roedd pobol yn dal o gwmpas ac roedd hi'n job eu cadw nhw draw gan fod pawb isio dod ata i i holi oeddwn i'n iawn.

Mi ffoniodd rhywun Susan ac mi ddaeth hi i'r cae. Cyn iddi ddeall mor ddifrifol oedd pethe roedd hi'n chware'r diawl am fy sgidie gan fod golwg mawr arnyn nhw. Fyddwn i byth yn meddwl prynu rhai newydd dim ond trwsio'r hen rai efo tâp masgio, ac roedd mwy o dâp arnyn nhw nag o sgidie. Fydde Susan byth yn eu gweld am 'mod i'n eu cadw ym mŵt y car. Mi holodd hefyd oedd 'y nhrons i'n lân!

Ond wedyn pan ddwedes i wrthi 'mod i wedi torri 'ngwar roedd hi wedi ypsetio'n ofnadwy, yn enwedig gan ei bod yn cofio imi ddeud unwaith, tase rhywbeth yn digwydd i mi a 'mod i'n methu iwshio 'nghoese na fyddwn i isio byw.

Pan ddaeth yr helicopter mi lapiwyd fi a 'nghario iddi ac i Ysbyty Maelor yn Wrecsam a Susan yn dilyn yn y car efo Tony Parry. I'r adran A&E yr aed â fi ac roedd y doctor yno'n gwrthod deud wrtha i be oedd wedi digwydd, felly mi ddwedes i wrtho fo: 'My neck's broken.' Yn wahanol iddo fo falle, roeddwn i wedi fy magu'n galed.

ii

Mi ges i 'ngeni mewn tŷ cyngor yn Uwchydre, Corwen – 'top town' fel roedd o'n cael ei alw gan y plant – ac roedd Mam yn arfer deud ei fod o'n lle tebyg iawn i Sgubor Goch, Caernarfon, nid 'mod i'n gwybod dim byd am y fan honno. Ond mi ddaru ni symud yn fuan iawn i waelod y dre – 'bottom town' – i dŷ yn Stryd Llunden neu London Road ar yr A5, y tŷ gosa at ysgol yr eglwys, a'r cof cynta sy gen i ydi pan oeddwn i'n dair oed, am ryw hen foi o'r enw Tanat – wn i ddim be oedd ei enw llawn – fydde'n dod heibio'n tŷ ni tua dau o'r gloch bob pnawn. Cipar afon oedd o dwi'n meddwl ac roedd ganddo fo dri neu bedwar o deriars efo fo, dau wrth ei sodle ac un yn ei fag! Roedd o'n byw mewn tŷ cyngor bychan dros y ffordd i ni ac efo fo yn y tŷ y bydde'r cŵn. Mi fyddwn i'n eu clywed yn crafu'r drws yn amal. Mi fydde'n dod â chwningen neu sgwarnog neu ffesant i Mam i'w rhoi yn y pot yn amal, a'r unig beth dwi'n 'i gofio amdano fo oedd bod ganddo fo wallt hir, brith, blêr. Fo oedd yn torri 'ngwallt i ac yn gneud hynny drwy osod powlen ar 'y mhen a thorri o'i chwmpas hi.

Yn y tŷ yn London Road y ganwyd fy chwaer, Joyce,

felly roedd 'ne bedwar ohonon ni: Dad a Mam a fi a'm chwaer. Gan ein bod yn byw drws nesa i'r ysgol mi fyddwn i, bob amser chware, pan fydde'r plant allan, yn dengid drwy dwll yn y ffens er mwyn mynd i chware efo'r plant ar fuarth yr ysgol. Ond roedd 'ne hogyn, Dafydd, dwi ddim yn cofio faint oedd ei oed o, yn fy ngwthio i'n ôl bob tro byddwn i'n dringo drwy'r ffens, ac mi roedd 'ne grïo mawr bob amser cinio pan oeddwn i'n methu mynd i chware at y plant.

Ond un diwrnod dyma Ewyrth Berwyn yn dod heibio ac mi welodd o Dafydd yn fy ngwthio i'n ôl drwy'r ffens, a dyma fo'n dod ata i a deud: 'Tro nesa bydd o'n gneud hyn'na i ti, dangos di dy ddwrn de iddo fo, a rho smacen yng nghanol ei wyneb efo'r dwrn chwith. Dene be sy'n brifo.'

Dyma fi 'nôl drwy'r ffens yn gogyn i gyd a dyma Dafydd ata i i drïo 'ngwthio i 'nôl. A dyma fi'n deud 'Ti'n gweld hwn?' a dangos y dwrn de iddo fo. 'Ond hwn sy'n brifo,' a rhoi slap iddo fo yng nghanol ei wyneb efo'r dwrn chwith nes ei fod o'n fflat owt ar fuarth yr ysgol a finne wedi cael cymaint o fraw nes imi redeg adre'n ôl yn reit sydyn drwy'r bwlch yn y ffens yn crïo. Ac roedd Ewyrth Berwyn yn sefyll yn nrws y tŷ yn chwerthin. Wedyn dyma fo'n deud wrtha i: 'Paid byth â chychwyn paffio efo neb, ond os 'di rhywun arall yn mynnu paffio efo ti, gwna di'n siŵr dy fod yn 'i orffen o!'

Wn i ddim be ddigwyddodd i Dafydd, dwi ddim yn cofio'i weld o yn yr ysgol gynradd na'r ysgol uwchradd, rhaid ei fod o wedi symud i ffwrdd i rywle. Ond mi alla i weld 'i wyneb o rŵan!

Gwas ffarm yn Wernddu, Gwyddelwern, oedd Dad ac roedd Mam yn aros adre i edrych ar fy ôl i a'm chwaer.

Yn y blynyddoedd cynnar roedd Nain, mam Dad, efo
ni hefyd, a dwi'n cofio meddwl ei bod hi'n hen ddynes
greulon iawn, bob amser yn deud nad oedd plant ddim
i fod i gael eu clywed na'u gweld. Mi fydde hi wastad yn
ein pinsio ni er mwyn inni gau'n cege.

Pan oeddwn i rhwng pedair a hanner a phump oed
mi ddaru ni symud ar ddydd Calan o'r tŷ drws nesa i'r
ysgol, yn London Road, i dŷ cyngor ar stad Maesafallen
– stad o ryw gant o dai yr ochor draw i'r afon – i rif
74. Yno y ganwyd 'y mrawd, Arwyn, ac mi fuo fo yn
yr ysbyty am fisoedd gan mai hanner stumog oedd
ganddo fo.

Efo tractor a trelar ddaru ni symud, gan na fuo gen
Dad rioed leisens dreifio car, ac ar ôl rhai blynyddoedd
yn was ffarm mi aeth i weithio iddo fo'i hun a gneud
amryw o bethe fel gwerthu coed tân.

Mi ddois yn ffrindie efo amryw o blant y stad, efo Ian
yn arbennig, mab J Selwyn Lloyd, awdur llyfre plant.
Roedd ei dad yn athro yn Ysgol Corwen ac oherwydd
hynny doedd neb isio bod yn ormod o ffrindie efo Ian,
ac mi fydde'r plant erill yn pigo arno fo yn yr ysgol a
phan fydde hynny'n digwydd mi fyddwn i'n mynd yno
i fusnesa!

Ychydig dwi'n ei gofio am yr ysgol, dim ond cofio
mynd yno ar y bws o Faesafallen, cofio mai Mr Griffiths
oedd y prifathro a chofio meddwl nad dyma'r lle i mi.

Dwi ddim yn cofio pwy oedd fy athrawon yn Ysgol
Corwen – 'ysgol top' fel roedd hi'n cael ei galw gan fod
ene ysgol arall yng Nghorwen yr adeg honno, ysgol yr
eglwys, yr un y bues i'n byw drws nesa iddi. Na, dwi
ddim yn cofio'r athrawon yno, dim ond mai merched
oedd y rhan fwya ohonyn nhw ac mai J Selwyn Lloyd,

tad fy ffrind, Ian, oedd yn dysgu Standard 5.

Doeddwn i ddim yn hoff o'r ysgol o gwbwl. A deud y gwir roeddwn i'n ei chasáu â chas perffaith, ac yn casáu pob diwrnod y bues i ynddi. Doeddwn i ddim yn hoffi'r prifathro, Mr Griffiths, bydde'n fy slapio efo riwler, er 'mod i'n haeddu hynny, mae'n siŵr; ddim yn hoffi'r athrawon; ddim yn hoffi 'run wers ar wahân i chwaraeon ac ymarfer corff.

A lle gwael oedd ene i ymarfer corff ac yn enwedig i chwaraeon. Doedd dim cae'n agos i'r lle, dim ond iard, a'r iard isa'n arbennig yn un efo rhediad ynddi a rhediad yn y tir oddi tani wedyn fel bod peli'n mynd drosodd i erddi pobol ac ar goll o hyd. Yn amal, ar ddiwedd y gwasanaeth yn y bore, mi fydde'r prifathro'n darllen rheole'r ysgol i ni, yn Gymraeg ac yn Saesneg. Dwi'n cofio un rheol yn y Saesneg yn iawn – yr unig un roedd gen i ddiddordeb ynddi mae'n debyg:

'Games should be played in such a way that balls do not go over the walls.'

Ie, haws deud na gneud.

Roedd darllen a sgwennu yn fwganod mawr i mi, a doedd y llythrenne a'r geirie ddim yn gneud unrhyw sens o gwbwl. Erbyn heddiw dwi'n gwbod be oedd o'i le efo'r darllen, roeddwn i'n dyslecsic, ond doedd dim sôn am beth felly pan oeddwn i yn yr ysgol. Na, ddim yn trïo oeddwn i, yn ddiog, yn ddiffeth, ddim yn canolbwyntio, ddim yn gwrando.

A'r sgwennu wedyn, roedd hwnnw cyn waethed os nad yn waeth na'r darllen. Roeddwn i'n naturiol law chwith, ond mi ges fy ngorchymyn i sgwennu efo'r llaw dde, ac mi fyddwn i'n gorfod eistedd ar fy llaw chwith yn nosbarth y babanod pan fyddwn i'n reddfol, wrth gwrs, yn cydio mewn pensel efo'r llaw honno. Ac roedd y riwler yn erfyn handi i athrawon bryd hynny!

Roeddwn i'n gneud popeth arall yn llaw chwith, ac felly ar hyd fy oes – chware criced, dartiau, taflu, popeth ond sgwennu. Llaw chwith yn naturiol ydw i, ond mi orfodwyd fi gan yr ysgol i ddefnyddio fy llaw dde i sgwennu. Maen nhw'n gallach mewn ysgolion erbyn hyn, gobeithio, a ddim yn meddwl bod sgwennu efo'r llaw chwith yn dal rhywun yn ôl.

O gofio cymaint roeddwn i'n casáu'r ysgol does dim rhyfedd 'mod i'n ei hosgoi bob cyfle gawn i. Yn yr ysgol ei hun, mi fyddwn i, yn ystod pob gwers, yn gofyn am gael mynd i'r toilet, ac yn diflannu yno ar ddiwedd pob amser chware. Mi fyddwn yn cau'r drws, yn eistedd ar y sedd ac yn rhoi fy nhraed yn erbyn y drws fel na allai neb ei agor. Yr adeg honno y bydde'r prifathro'n dod ar fy ôl efo riwler.

Mi fyddwn i hefyd yn amal yn rhedeg o'r ysgol ac i lawr i'r dre. Yno, mi fydde'n rhaid imi ofalu am 'y mywyd rhag i Sarjant Hughes fy nal gan ei fod o gwmpas y sgwâr o hyd a bod y polîs stesion yng nghanol y dre. Mi ddaliodd fi fwy nag unweth a mynd â fi 'nôl i'r ysgol. Roedd Sarjant Hughes yn byw dri drws oddi wrthon ni yn Maesafallen, ac roedd o'n gwybod yn iawn amdana i ac fel roeddwn i'n casáu'r ysgol ac yn dianc bob cyfle gawn i. Mi fydde'n dod ar ein hole ni blant efo'r *truncheon* pan oedden ni'n chware'n wirion ar y stad. Dwi'n cofio y bydde Mrs Hughes, ei wraig, yn eistedd yn nrws ei thŷ a phan fydden ni blant yn chware pêl a'r bêl yn mynd drosodd i'r ardd ac i ganol y delias, fydde hi ddim yn gadel i ni ei chael yn ôl.

Ond mi ffindies i ffordd o flacmelio Jumbo, un o'r

meibion – sef Neville, oedd yn bostmon ac yn dreifio'r fan bost o gwmpas y wlad. Un o'r llefydd roedd o'n mynd iddyn nhw oedd ffarm Botegir, cartre Mam, yn Llanfihangel. Yno roedd Taid a Nain yn byw, ac yno, bob bore'n ddiffael, mi fydde'n cael clamp o frecwast.

Mi es i at Jumbo a deud wrtho fo os na chaen ni'n pêl yn ôl pan fydde hi'n mynd i'r ardd na châi o ddim brecwast ym Motegir. Dwi ddim yn cofio a wnaeth y blacmel weithio ai peidio.

Roedd Dad yn gwerthu coed tân ac mae'n debyg mai dene lle ces i'r syniad o neud yr un peth. Pan fydde'r bws yn dod i Maesafallen i 'nôl ni i fynd i'r ysgol mi fyddwn i'n amal yn dengid i lawr i ffarm Trewyn ar draws y ffordd neu i gefn y stad lle'r oedd hen lein y trên, neu i fyny'r ffordd i gyfeiriad Clawddponcen. Mi fydde Dad wedi mynd i weithio ar y coed erbyn hynny a Mam wedi mynd â fy chwaer fach efo hi i Plas Isa i lnau, felly doedd neb ond fi o gwmpas. Mi es i i Trewyn unweth, rhoi brics o dan y cwt ieir a llifio'r coese i neud coed tân a'u gwerthu am geiniog y pecyn.

Wrth yr hen lein roedd darne o ffens a'r rheini wedi eu creosotio, ac yn dda am losgi. Mi fyddwn i'n gneud bwndeli o'r coed rheini hefyd ac yn eu gwerthu. Rhyw saith oed oeddwn i ar y pryd ond yn ddigon call i werthu'r coed i hen bobol.

Pan gyrhaeoddodd hi ei phump oed bydde'n chwaer yn dod ar y bws hefyd, ond doedd fiw iddi ddeud wrth Mam pan oeddwn i'n dojio.

Bob gwylie mi fyddwn i'n mynd i Botegir at Taid a Nain. Roeddwn i wrth fy modd yno a phan oeddwn i'n hogyn rhyw naw oed mi ddysgodd Taid fi sut i dynnu ŵyn. Ond mi fydde fo'n gwylltio efo fi am 'mod i'n gneud popeth yn groes iddo fo am 'mod i'n llaw chwith, wrth gwrs.

Pan oeddwn i'n un ar ddeg a'r 11+ wedi dod i ben dyma'i chychwyn hi am Ysgol y Berwyn, y Bala. Roedd gan blant Corwen ddewis – mynd i Langollen i Ysgol Dinas Brân, i Ruthun i Ysgol Brynhyfryd neu i'r Bala. Am fod y rhan fwya'n mynd i Ysgol y Berwyn, gan gynnwys fy ffrindie, Barry Williams a David Hughes, yno yr es inne, ac aros yno am ddau fis a hanner a chasáu'r lle gymaint ag roeddwn i wedi casáu Ysgol Corwen.

Roedd gen i losg eira ar fy nghlustie, mi fydden nhw'n gwaedu ac yn andros o ddolurus. Bydde'r athro Daearyddiaeth, wrth gerdded rownd y dosbarth i weld bod pawb yn gweithio, yn arfer rhoi slap, ddim yn eger iawn, ar fy nghlust wrth basio, ond oherwydd y llosg eira roedd pob cyffyrddiad fel cyllell. Un diwrnod mi ddwedes wrtho fo tase fo'n gneud hynny eto y baswn i'n ei hitio fo'n ôl.

Wel, un diwrnod dyma fo heibio – wedi anghofio'r bygythiad mae'n siŵr, a rhoi slap ysgafn imi ar 'y nghlust. Ond doeddwn i ddim wedi anghofio! Mi waeddes, 'Syr' arno, ar ôl iddo basio, ac mi droiodd rownd ac mi hities i o yng nghanol ei wyneb.

Mi gwadnais hi'n syth o'r dosbarth ac allan o'r ysgol ac i lawr i'r dre tan oedd hi'n amser mynd adre. A dene'r tro ola imi fynd i'r ysgol honno. Mi fyddwn i'n mynd i lawr i Gorwen efo'r plant erill bob dydd ond wedyn yn mynd efo Wil Llaeth, neu 'Bill the Milk' fel y bydden ni'n ei alw, ar ei rownd – i Garrog a Llidiart y Parc, ac o gwmpas Corwen a Chynwyd. Chwe cheiniog yr wythnos oedd fy nhâl am ei helpu ac mi wydde y dylswn i fod yn yr ysgol, ond roedd o'n well imi fod efo fo nag yn crwydro o gwmpas y lle, medde fo, gan fod hynny'n 'y nghadw i allan o drwbwl.

Mi fydde'r rownd laeth yn para tan amser cinio ac wedyn yn y pnawn mi fyddwn i'n helpu i olchi'r poteli. Roedd Dad a Mam yn meddwl 'mod i yn yr ysgol.

Doedd pethe ddim yn hapus iawn adre. Gan fod Arwyn, fy mrawd, yn symol ar adege, wedi cael triniaethe mawr yn yr ysbyty ac efo dim ond hanner ei stumog, y fo fydde'n cael y sylw i gyd. Roedd gan Dad ei fusnes ei hun ond bob tro roedd hi'n glawio mi fydde'n mynd efo'i fêts i'r dafarn ac yn meddwi, tra bydde Mam yn gweithio yn Plas Isa.

Roedd Dad yn meddwi o hyd, efo giang o rei drwg yng Nghorwen. Roedd Corwen ar nos Sadwrn yn chwedege'r ganrif dd'wetha fel y Wild West. Ieuan Owen, Arthur Wyn ac Arthur Davenport oedd tri o'i fêts. Mi fydde gwraig hwnnw, Dilys Davenport, yn dod allan o'r tŷ i weiddi ar y plant yn amal ac mi allech chi ei chlywed hi o Faesafallen i Gorwen! Doedd pethe ddim yn dda adre. Mi fydde Dad yn dod adre ar nos Sadwrn efo pen mawr a Mam yn flin efo fo, ac mi fydde'n diodde drwy'r dydd Sul. Mi fyddwn i'n mynd allan am wyth o'r gloch bob bore Sul ac yn aros allan tan tua wyth y nos rhag ofn imi gael cweir gan fod pawb yn flin.

Rywbryd yn ystod y cyfnod hwn, yn fuan ar ôl i mi roi dwrn dan ên yr athro daearyddiaeth yn Ysgol y Berwyn, mi gafodd Dad waith ar ffarm yn Nyffryn Clwyd ac mi ddaru o a Mam benderfynu symud yno a fydde dim rhaid i mi boeni am yr ysgol yn y Bala byth wedyn. Roedd Mam yn meddwl y bydde ailddechre mewn lle newydd, ymhell oddi wrth hen fêts Dad, yn rhoi ailgychwyn i'w perthynas a'u priodas nhw hefyd. Ond, yn anffodus, wnaeth hynny ddim gweithio, a wnaeth Dad ddim newid. Mor wahanol i fywyd Dad a Mam mae 'mywyd i a Susan wedi bod.

iii

Sue mae pawb yn 'y ngalw i – pawb ond Bry. Susan ydw i iddo fo, a wnaiff o byth 'y ngalw i'n ddim byd arall.

Roedden ni wedi cael gwylie da, y pedwar ohonon ni, y fi a Bry a'r plant – Ilan oedd yn un ar ddeg a Teleri yn naw. Hedfan o Fanceinion i'r Caribî a threulio pythefnos yno ar long yn hwylio'r moroedd a galw mewn sawl man. Pythefnos yn yr haul.

Chydig wydden ni fod yr haul hwnnw'n mynd i fachlud mor ddisymwth ar ein bywyde ni.

Flwyddyn ynghynt, yn 2006, roedd y pedwar ohonon ni wedi bod yn Efrog Newydd yn dathlu 'mhen-blwydd i'n ddeugain oed. Gan fod Bry yn bum deg y flwyddyn ddilynol roedd yn rhaid gneud rhywbeth arbennig i ddathlu hynny hefyd. A chan fod Teleri wedi deud fwy nag unwaith yr hoffai hi wylie ar long, y fordaith yn y Caribî oedd y rhywbeth arbennig hwnnw. Mi fuo'n rhaid inni fynd yn ystod tymor y mordeithie i wireddu'r freuddwyd a dathlu'r pen-blwydd felly cyn iddo ddod!

Roedden ni'n cyrredd adre ar y dydd Mercher cyn Sadwrn gêm ola'r tymor, y gêm oedd wedi cael ei haildrefnu yn erbyn Nant Conwy. Dwi wedi meddwl llawer a ddylsai'r gêm honno fod wedi cael ei chware, gan fod damwain angeuol wedi achosi ei gohirio yn y lle cynta. On'd oedd hynny'n ddigon o arwydd na ddylsai'r gêm fod wedi cael ei haildrefnu? Am fisoedd mi fu'r syniad yna'n troi yn fy mhen – damwain cyn y gêm gyntaf a damwain erchyll yn ystod yr ail gynnig. Eironi neu ffawd neu beth, tybed? Erbyn hyn dwi'n gallu derbyn, am wn i, mai damwain ydi damwain, ac mai bod yn y lle anghywir ar yr amser anghywir sy'n amal yn gyfrifol bod damwain yn digwydd.

Beth bynnag am hynny, adre y daethon ni ar y dydd Mercher a theithio yn y car o Fanceinion gan alw yn Tesco, Rhuthun, i siopa. Gan 'mod i'n swyddog cyswllt ysgolion efo'r heddlu roeddwn i'n gweithio ar y dydd Iau a'r dydd Gwener, ac rydw i'n cofio mai yn Ysgol Talsarnau roeddwn i ar y pnawn dydd Gwener cyn y gêm.

Roedd gen i gyswllt efo rygbi erioed gan i Nhad fod yn chware i glwb Rhuthun cyn fy ngeni i. Ac mi fyddwn i, cyn cael y plant, yn mynd i wylio Bry yn chware mewn gêmau, gartre ac oddi cartre – yn wir, un flwyddyn, mi enillais wobr am fod y person mwya gweithgar yn y clwb, yn gneud pob math o orchwylion gan gynnwys casglu arian.

Ond doeddwn i bellach ddim yn mynd i wylio'r gêmau. Yr un oedd y patrwm bob Sadwrn: Bry yn mynd o'r tŷ drwy ddrws y garej, finne'n rhoi cusan iddo a deud 'Paid â brifo', a 'Paid â boddro dod adre os nad wyt ti wedi ennill'.

Roedd Teleri wedi mynd i nofio efo rhai o'i ffrindie, roedd Ilan yn ei lofft ac roeddwn inne'n syrffio'r we pan ganodd y ffôn. Tony Parry, cadeirydd clwb rygbi'r Bala, oedd ar y ffôn. 'Mae Bry wedi brifo,' medde fo. Mi wyddwn y foment honno fod pethe'n ddrwg. Doedd

Bry byth yn brifo, doedd 'ne byth alwad ffôn. Hyd yn oed pan fu'n rhaid iddo fo gael pwythe ar ôl anaf yn Llandudno, doedd dim galwad ffôn i ddeud. Na, doedd Bry byth yn brifo.

Mi neidiais i mewn i'r car ar unwaith a'i chychwyn hi am y cae ar ôl gofyn i Marian, drws nesa, gadw golwg ar y plant. Dwi'n cofio bod Teleri yn fy nghyfarfod ar ei ffordd adre pan oeddwn i'n troi'r gornel i adael y stad.

Ar Heol Tegid roedd yna lori'n blocio'r ffordd a finne ar bigau'r drain. Ond mi ddaeth Steve Wood allan o'i dŷ a dangos ffordd i mi oedd yn mynd heibio cefn y tai i'r cae ac addo y bydde fo'n cadw golwg ar y car. Dwi'n cofio trïo ffonio Dad a Mam hefyd a methu cael y rhife iawn. O'r diwedd cael gafel arnyn nhw a deud wrthyn nhw am ddod draw ar unweth gan fod Bry wedi brifo.

Pan gyrhaeddais i'r cae roedd Bry yn gorwedd ar ei gefn a Geraint Fedw Arian yn dal ei ben, ac mi allwn i weld ei fod o mewn andros o boen. Dwi'n cofio bod ene lawer iawn o bobol o gwmpas, ond mi allech chi glywed pin yn disgyn gan fod pobman mor dawel.

Teimlo'n chwerw? Do, amal i waith. Chwerwi? Naddo. Tydi chwerwder yn y diwedd yn lladd neb ond chi'ch hun. Roedd gen i ddigon o reswm dros deimlo'n chwerw. Hyn wedi digwydd i Bry. I Bry o bawb! Yr ambiwlans yn hir y dod a'r meddyg yn y *control room* yn datgan nad oedd yr achos yn *life threatening*. Os nad oedd damwain Bry yn *life threatening* wn i ddim beth sydd 'te. Be fydde wedi digwydd iddo fo pe na bai Alwyn Ambiwlans, un o barafeddygon y Bala, yn digwydd bod ymhlith y dorf? Be fydde wedi digwydd pe na bai Ger Fedw Arian wedi dal ei ben heb symud am dros hanner awr? Roedd gweithred Ger yn un arwrol. Sut llwyddodd o i ddal, wn i ddim. Ond roedd bywyd Bry yn dibynnu ar iddo neud, ac mi wnaeth.

Mae'n rhyfedd be mae rhywun yn ei gofio. Dwi'n cofio sylwi ar ei sgidie a deud y drefn am y golwg oedd arnyn nhw, dwi'n cofio gofyn oedd ganddo fo drons glân. Roedd pethe fel hyn yn bwysig. Cyn inni briodi doedd o'n malio dim am ei ddillad, am ei *kit*, dim ond stwffio popeth yn ôl i'r bag fel roedden nhw – yn fwd yn amal, yn wlyb yn amal, a'u gwisgo y tro wedyn cyn iddyn nhw sychu'n iawn. Ond, ar ôl priodi, mi wnes i roi fy nhroed i lawr, ac roedd yn rhaid iddo ddod â'r *kit* adre bob tro er mwyn i mi gael ei olchi.

Pan gyrhaeddodd yr helicopter a'r ambiwlans bron yr un pryd aeth Tony â fi yn y car i Wrecsam gan mai i Ysbyty Maelor roedden nhw'n mynd â Bry. Dwi'n cofio wrth fynd drwy Stryd Fawr y Bala sylwi ar ambell un o gwmpas nad oedd wedi codi bys i helpu neb na gneud dim erioed, a deud wrth Tony: 'Drycha ar hwnna, da i ddim i neb ac eto mae o'n fyw ac yn iach. Dydi bywyd ddim yn deg.' A finne'n dychmygu y bydde Bry mewn cader olwyn am weddill ei oes. Cofio hefyd, wrth deithio, amdano fo'n deud fwy nag unweth na fydde fo isio byw tase fo'n colli iws ei goese, a finne'n synhwyro bod rhywbeth llawer mwy difrifol na hynny wedi digwydd iddo fo.

Roeddwn i wedi ffonio Joyce, chwaer Bry, oedd yn byw yng Nghorwen, ac mi ddaeth hi i'r uned yn yr ysbyty ac mi lewygodd pan welodd hi ei brawd. Pan ddaeth hi ati'i hun mi ddwedodd ei bod am ganslo ei hymweliad â Las Vegas, lle roedd hi a'i gŵr yn bwriadu mynd y diwrnod wedyn i ddathlu ei ben-blwydd o'n hanner cant. Mi ddwedodd Bry wrthi am beidio â bod yn wirion, am fynd ac ennill pres iddyn nhw i gyd yn y casinos yn Las Vegas. Roedd o'n gallu siarad bryd hynny.

Mi ddaeth ffrind i ni, Annest, yno o rywle hefyd. Doedd Bry ddim isio gweld y plant. Roedd o mewn poen mawr a'r doctoriaid o'i gwmpas o, a ninne – Tony, fi, Joyce ac Annest – yn cael ein rhoi mewn stafell fach gerllaw i aros i gael gwybod be oedd yn digwydd. Roedd rhywun mewn gwely cyfagos yn sgrechian dros y lle ac mi gawson ni wybod yn nes ymlaen mai plismon wedi cael damwain ar ei foto beic oedd o. Ond doedd o ddim wedi brifo'n ddrwg. Y fo oedd yn mynd i fod yn iawn er yr holl sgrechian, a Bry, oedd mor ddifrifol wael, yn dawel. Roedd hi'n anodd ymlid ymaith hen feddylie fel yna.

Mi ddaeth nyrs i mewn a deud eu bod yn aros i gael gwybod a oedd gwely ar ei gyfer yn Walton. 'Walton?' meddwn i. 'Walton?!' Trin anhwylderau'r pen maen nhw yn fan'no. 'Gobowen dwi'n feddwl,' medde hithe gan gywiro'i hun. Ond roedd hi'n gwybod mwy nag oedd hi'n cymryd arni.

Roedd Bry angen fentilator i'w helpu i anadlu am fod lefel y carbon deiocseid yn uchel a gallai hynny niweidio'i sgyfaint, a hyd yn oed ei ladd. Felly mi roddwyd tiwb drwy ei geg i'w sgyfaint a doedd o ddim yn gallu siarad wedyn. Mi esboniodd y nyrs na fydde Gobowen yn barod i'w dderbyn o dan yr amgylchiade hynny. Doedd yr uned yn Wrecsam erioed wedi gweld y fath anaf ac roedd unrhyw symud yn risg, ond i Walton roedd yn rhaid iddo fynd.

Cyn ei symud mi aed ag o i'r uned gofal dwys yn yr ysbyty a chefais inne ddefnyddio stafell fach gerllaw.

Rywbryd ganol nos mi gysgais am ychydig a deffro yn meddwl mai breuddwyd oedd y cyfan. Roedd Bry yn iawn ac roeddwn inne adre. Ond yna mi wawriodd, a minne'n sylweddoli, ac roedd o'n deimlad o siom aruthrol, fel dŵr oer ar yr ymennydd. Digwyddodd hyn am ryw bythefnos. Bob tro y byddwn i'n deffro ar ôl cael cwsg, mi fyddwn i'n meddwl mai wedi breuddwydio'r cyfan roeddwn i.

Ac roedd rhywbeth arall yn llenwi fy meddwl hefyd. Mi fyddwn i o hyd ac o hyd yn meddwl, bedair awr ar hugain yn ôl roedd Bry yn gallu cerdded, wythnos yn ôl roedden ni'n dal ar ein gwylie. Bythefnos yn ôl doedd yr un cwmwl yn ein ffurfafen. A rŵan, y cyfan yn deilchion.

Fore Sul mi siarades i efo Bry. Erbyn hynny roedd o wedi cael y beipen i'w sgyfaint a fedre fo ddim deud gair, er ei fod o'n clywed ac yn deall pob dim. Mi eglurais iddo be oedd wedi digwydd, ac mi ddwedes ei fod wedi colli defnydd ei gorff o'r gwddw i lawr. Ers inni briodi, a chyn hynny, roedd yna gytundeb rhyngon ni y bydden ni'n hollol agored efo'n gilydd, a doedd dim pwrpas codi gobeithion di-sail beth bynnag.

Roedd o'n ceisio deud rhywbeth ond allwn i mo'i ddeall. Yr unig beth alle fo'i neud oedd blincio. Mi ddwedes wrtho am flincio unwaith am 'ie' a dwywaith am 'na'. Yna mi ofynnes iddo: 'Wyt ti isio gweld y plant?' Un blinc. Er mwyn gneud yn siŵr mi ofynnes iddo'r eildro: 'Wyt ti isio gweld y plant?' Un blinc eto. Felly roedd yn rhaid trefnu ar unwaith cyn iddo fynd i Walton.

Aeth Joyce â fi i'r Bala ac mi deflais ddillad rywsut rywsut i fag a chael y plant yn barod, Tra oeddwn i yn y tŷ mi ffoniodd Tony Parry. Roedd rhywun o un o'r papure newydd wedi cysylltu ynglŷn â'r ddamwain ac isio llun o Bry a manylion am y plant. Mi ddwetson nhw os na faswn i'n rhoi llunie y basen nhw'n cael gafael ar rai beth bynnag. Mi wylltiais i bryd hynny; Bry yn ddifrifol wael, yn ymladd am ei fywyd, a'r cyfan roedd y papur newydd yn malio amdano oedd cael stori, llun o Bry a manylion enwau ac oedran y plant.

Fuo pethe ddim yn dda rhyngof fi a'r papure am hir, ond yna daeth Hywel Trewyn, gohebydd y *Daily Post* ar y pryd, i gysylltiad, ac mae pethe wedi gwella'n arw. Mae Hywel wedi bod yn andros o dda a'r papur hwnnw wedi bod yn gefnogol tu hwnt i bob ymdrech ar ein rhan i godi arian i'r gronfa.

I ffwrdd â ni am Wrecsam, y plant efo fi, a Mam a Dad yn dilyn mewn car arall. Ar y ffordd mi ddwedes wrth Ilan a Teleri be oedd wedi digwydd i'w tad. Mi ddwedes i ddechre na fydde fo'n gallu cerdded eto ac y bydde'n rhaid iddo fo fynd o gwmpas mewn cader olwyn. Yna, mi ddwedes fod yna bosibilrwydd na fydde fo'n gallu rhoi *hugs* iddyn nhw ddim rhagor, ond am iddyn nhw beidio poeni gan y gallen nhw roi *hugs* iddo fo. Mi dderbyniodd y plant y newyddion yn rhyfeddol o dda, fel y bydd plant yn amal pan fydd rhywun wedi ofni'r gwaetha.

Yn fuan wedyn mi ddaeth y newydd fod gwely ar gael yn Walton, ac felly, orie'n unig ar ôl i'r sgrym ddymchwel ar bnawn braf o wanwyn ar Faes Gwyniad yn y Bala, roedd Bry ar ei ffordd, ar daith dyngedfennol i Lerpwl.

2
Wynebu'r gwynt

i

MI GES FY SYMUD o Wrecsam i Walton a'r peth cynta dwi'n ei gofio yno ydi'r doctor yn dod i weld oedd gen i lais. Roeddwn i'n gorwedd ar wely sbesial efo ffrâm haearn yn gorffwys ar 'y mrest ac wedi'i gosod o gwmpas 'y mhen ac wedi'i sgriwio i 'mhen i i'w ddal o'n sownd, a chylch fel *halo* uwch fy mhen. Y syniad oedd cadw 'mhen yn llonydd a bob yn ail ddiwrnod mi fydde rhywun yn dod ac yn tynhau'r sgriws fel roedd y chwydd yn 'y mhen yn lleihau a'r ffrâm yn llacio. Roedd 'ne rywbeth tebyg i flanced o wlân dafad ar fy mrest a'r ffrâm yn gorffwys ar honno.

Mi dynnodd y doctor y beipen o 'nghorn gwddw i weld oeddwn i'n gallu siarad, a dwi'n cofio deud 'mod i'n caru Susan, cyn iddyn nhw gau'r twll yn ôl. Wnes i ddim siarad wedyn am dri mis a hanner – roeddwn i'n cael fy *sedatio* i 'nghadw'n dawel ac yn llonydd. Roeddwn i'n cael pigiad yn fy mol bob pedair awr i stopio'r spasms yng nghyhyrau'r stumog, ac yn gorfod cymryd deunaw o dabledi bob dydd, rhai i ladd y boen, rhai i ladd y bacteria yn y gwddw, a rhai i stopio'r dŵr rhag hel.

Trwy beipen i fy stumog roeddwn i'n cael 'y mwydo – *peg fed* ac roedd y bwyd yn hongian mewn potel uwch 'y mhen. Yr unig flas roeddwn i'n ei glywed oedd blas

27

halen – chwys mae'n siŵr, ond doeddwn i ddim yn cael yfed dŵr. Roeddwn i fel taswn i yng nghanol y môr a ddim yn cael yfed, er bod gen i syched mawr.

Roedd 'ne bedwar arall yn y ward yr un ochor â fi, ac roedd 'ne ryw foi pen moel yn gweithio'r nos ar y ward. Fo fydde'n dod i roi morphin imi. Doeddwn i ddim yn gallu siarad ond roedd fy meddwl i'n hollol glir. Ac roeddwn i wedi cymryd yn 'y mhen mai wedi dod yno i'n lladd i roedd o. Roedd arna i ei ofn o drwy 'nhin. Fyddwn i byth yn ei weld o yn y dydd, doedd o byth o gwmpas yr adeg honno, dim ond yn y nos. Un o bobol y nos oedd o. Yn wir, roeddwn i'n dychmygu bod yr holl ddoctoried isio'n lladd i hefyd.

Yn ystod y cyfnod hwnnw doeddwn i ddim yn gallu cysylltu efo neb, dim hyd yn oed drwy flincio, ond byddwn i'n cael hunllefe ofnadwy – effaith yr holl gyffurie mae'n siŵr.

Roedd pump ohonon ni'n eistedd mewn rhes wrth ryw fwrdd, ac roedd cyllell fawr tebyg i *guillotine* yn mynd 'nôl a 'mlaen. Tase un ohonon ni'n syrthio i gysgu mi fasen ni'n disgyn oddi ar y bwrdd ac mi fase'r gyllell yn torri'n penne ni'n glir i ffwrdd. Mi ddigwyddodd hynny i fachgen bach tua phump oed, ac roedd ei ben o'n rowlio ar y llawr, ond mi ddaeth rhyw Indians heibio a chymryd y pen a'i rostio. Wedyn roedd 'y mhlant i, Ilan a Teleri, yn gorfod gneud arch a thrïo cael corff y bachgen i mewn i'r arch, ond roedd y pen yn gwrthod ffitio am ei fod o'n rhy fawr. Wedyn dyma Ilan yn cydio yn y pen ac agor coese'r boi bach a stwffio'r pen rhwng ei goese.

Roedd yr hunlle yn ailymweld â mi o hyd ac o hyd, a'r un peth yn digwydd bob tro.

Ac roedd hunlle arall yn fy stryrbio'n amal hefyd; rhyw foi mawr o Jamaica, dyn du, yn dod i mewn i'r stafell ac yn trïo dwyn fy sgidie i, a fedrwn i ddim dallt pam, achos roedd o'n gwisgo seis 14 a finne'n gwisgo trenars seis 10. Mi ddwedes wrth Susan am ofyn i Aron Bodelith a Tony Parry ddod yno i roi cweir iddo fo am ddwyn fy sgidie i, ac i ymosod ar y dyn pen moel oedd yn dod yn y nos i'n lladd i. Mae Ilan, y mab, yn gwisgo sgidie seis 14 – falle bod hynny'n effeithio mewn rhyw ffordd ar yr hunlle. Wn i ddim.

Roedd Susan yn Walton gydol yr amser y bues i yno, ac mi ges i sawl trinieth. Roedden nhw wedi pasa agor y tu ôl a'r tu blaen i 'ngwar i. Erbyn hyn mae gen i blatie wedi eu sgriwio i'r asgwrn cefn i gymryd lle y bumed *vertebrae*, ac maen nhw wedi ail ffurfio'r drydedd a'r bedwaredd *vertebrae*.

Dwi wedi deall erbyn hyn nad oedd neb yn disgwyl imi fyw rhwng Wrecsam a Walton, ac yn sicir doeddwn i ddim yn mynd i allu dal unrhyw drinieth. Ond roedd yn rhaid mentro. Mi ddigwyddodd yr un ddamwain i fachgen o Gastell-nedd tua'r un adeg â fi ac fel fi, wrth chware rygbi. Mi fuo fo farw am iddo fethu dal y drinieth; mi aeth i goma a ddaeth o ddim allan ohono.

Doeddwn i ddim callach fod Susan yno tan y ddau ddiwrnod ola, cyn imi ddychwelyd i Wrecsam. Ond roeddwn i'n dal yn fyw ac wedi goroesi'r trinieithe. Falle bod fy magwreth galed a'r holl frwydro yn erbyn yr elfenne wedi bod o help i mi ymladd am 'y mywyd pan oedd angen i mi wneud hynny.

ii

Ddau fis cyn y Nadolig, felly, cyn imi gwblhau tymor yn Ysgol y Berwyn mi symudon ni fel teulu i Rhiwbebyll Ucha, Llangwyfan. Roedd Dad wedi cael gwaith i fod yn bailiff ar y ffarm – ffarm yn perthyn i L E Jones a'i feibion, Trefor ac Elwyn. Roedden nhw'n byw ar ffarm arall, Bryn Lluarth, a ninne'n byw yn Rhiwbebyll Ucha. Roedd ganddyn nhw drydedd ffarm hefyd, sef Penybryn, yn yr un ardal.

Roedd pethe'n gwaethygu rhwng Dad a Mam er mai'r gobeth oedd y bydde eu perthynas yn gwella wrth symud i ardal newydd, a symud Dad i ffwrdd oddi wrth ei fêts.

Ffarm foch a defed oedd Rhiwbebyll Ucha ac roedd yn rhaid bwydo'r moch yn rheolaidd neu mi fydden nhw'n dechre bwyta'i gilydd. Doedd dim magu moch yn digwydd ar y ffarm, dim ond eu pesgi – eu prynu yn chwech wythnos oed a'u cadw nes y bydden nhw'n pwyso dros bum can pwys. Yna eu cludo i ladd-dy Halal yn Henllan – lladd-dy oedd yn perthyn i berchnogion nad oedd yn credu mewn bwyta moch, ond yn ddigon bodlon derbyn arian am eu lladd!

Mi fydde Dad yn codi am chwech i fwydo'r moch ac yna'n mynd ar y tractor glas – y Dexter – i Fryn Lluarth i weithio drwy'r dydd a dod adre tua chwech i fwydo'r moch drachefn. Trefor oedd yn dreifio'r wagen cario moch ac Elwyn yn godro.

I Ysgol Brynhyfryd y bu'n rhaid i mi fynd, gan ein bod yn byw reit ar y terfyn rhwng y rhai fydde'n mynd i Ddinbych a'r rhai i Ruthun. Yn iwnifform Ysgol y Berwyn yr es i i'r ysgol. Roedd Mam wedi cael help rhyw grant i brynu honno, ond doedd dim help i'w gael i brynu'r ail un a 'dalle hi ddim fforddio iwnifform newydd i mi. Roeddwn i'n edrych yn wahanol i bawb arall ac mi ddwedodd rhyw hogyn 'mod i'n debyg i Yogi Bear. Roedd y llythrenne YYB ar fathodyn y wisg ysgol, sef Ysgol y Berwyn. Ond i'r hogie, Ysgol Yogi Bear oedd hi. Er mai dim ond un ar ddeg oeddwn i bryd hynny, Yogi dwi wedi bod byth wedyn!

Fu'r ysgol fawr o dro cyn deall nad oeddwn i'n medru darllen na sgwennu, ac mi ges fy rhoi mewn dosbarth addysg arbennig – dosbarth y 'Dybyl D' fel roedd o'n cael ei alw – drwg a dwl! Y syniad oedd bod pawb yn aros yn y dosbarth hwnnw nes eu bod yn ddigon da i symud oddi yno. Ond yno y bues i gydol fy arhosiad yn yr ysgol.

Roedd dau neu dri o hogie o Fform 3 wedi bod yn tynnu arna i o'r cychwyn cynta, yn gneud hwyl am 'y mhen ac yn 'y ngweld i'n wahanol i bawb arall, am 'mod i'n gwisgo gwisg Ysgol y Berwyn yn un peth. Hefyd, roeddwn i'n wahanol am 'mod i'n dod â brechdanau i'w bwyta amser cinio, gan na alle Mam fforddio imi gael cinio ysgol. Brechdanau sôs coch oedden nhw bron bob dydd ac mi fyddwn i'n eistedd yn y dosbarth ar 'y mhen 'yn hun yn eu bwyta amser cinio.

Un diwrnod, rhyw ddeufis ar ôl imi gychwyn yn yr ysgol, mi gyrhaeddes i ben 'y nhennyn efo'r tri hogyn oedd wedi bod yn fy mwlio. Mi ddaethon nhw i mewn i'r dosbarth pan oeddwn i'n bwyta 'nghinio a dechre gneud hwyl am 'y mhen i a thynnu arna i.

Dyma fi'n gweld y bliws, yn codi ac yn cloi'r drws, ac yna mi golles hi'n llwyr. Mi afaeles mewn cader a tharo un o'r bechgyn – Bryn Jones – efo'r gader nes torri ei ysgwydd cyn troi i ymosod ar y ddau hogyn arall. Pan glywodd rhai o'r athrawon y sŵn mi ddaethon nhw yno ar frys i weld be oedd yn digwydd ac mi fu'n rhaid iddyn nhw fforsio'r drws i'w agor gan 'mod i wedi'i gloi, a finne yn y fan honno wedi colli arna i'n hun ac yn waldio'r bechgyn yn ddidrugaredd. Mi fu'n rhaid i'r bachgen gafodd y gader ar draws ei ysgwydd fynd i'r ysbyty. Ond, ar ôl i'r athrawon glywed fy ochor i i'r stori ches i mo 'nghosbi o gwbwl, gan 'mod i wedi cael fy mhryfocio gymaint – *provocation* 'di'r gair, dwi'n meddwl – ac mi ges i lonydd gan y tri hogyn yna a chan bawb arall o hynny ymlaen.

Doeddwn i ddim yn hoffi'r ysgol newydd ddim mwy nag Ysgol y Berwyn, ac eto doedd popeth ddim yn ddrwg i gyd yno. Dyn bach efo creithiau ar ei wyneb ac yn gwisgo sbectol ddu drwchus oedd Mr Jones, yr athro yn y dosbarth addysg arbennig. Roedd o'n deall plant fel fi yn iawn ac mi fydde'n siarad efo fi i esbonio pam 'mod i'n methu darllen a sgwennu. Roedd popeth yn y dosbarth hwnnw'n Saesneg ac mi fyddwn i'n cael gair newydd i'w ddysgu bob wythnos, dysgu ei ddarllen a dysgu ei sillafu. Dwi'n cofio un gair gan imi gael trafferth mawr efo fo a chymryd wythnose i'w feistroli. Y gair oedd *because*!

Un arall wnaeth lawer i mi oedd Gary Evans, yr athro Ymarfer Corff a Chwaraeon. Roeddwn i wrth fy modd efo'r pwnc hwnnw wrth gwrs ac roedd o'n andros o athro da. Ond doeddwn i ddim yn hoffi'r athro Gwyddoniaeth – 'Flash Harry' fel y bydden ni'n ei alw. Dwi'n cofio ei fod o'n byw yn Gellifor, pentre y bydden ni'n pasio drwyddo fo ar ein ffordd i'r ysgol bob dydd.

Mi fydde fo'n defnyddio'r dystar bwrdd du fel erfyn i'w luchio aton ni – fel mae llawer athro arall wedi'i neud dros y blynyddoedd cyn i bob math o gosbau corfforol gael eu gwahardd o ysgolion a chartrefi. Peth arall fydde fo'n neud oedd eich taro chi yn eich asgwrn cefn efo'i figyrnau. Tase fo'n gneud hynny heddiw faswn i'n teimlo dim byd!

Roeddwn i'n benderfynol o ddial arno fo ac mi wnes ar ôl cynllunio'n ofalus. Un diwrnod dyma fynd â jac car efo fi i'r ysgol a jacio olwynion ôl ei *Beetle Camper* lliw oren a hufen gan osod bricsen i'w ddal fel bod yr olwynion ôl – olwynion y gyrriant – oddi ar y llawr.

Pan ddaeth hi'n ddiwedd y pnawn roedd criw ohonon ni'n gwylio yng nghysgod y coed i weld be fydde'n digwydd. Dyma fo'n rhoi'r car mewn gêr i facio gan ei fod wedi parcio â'i drwyn at y wal. Ond, wrth gwrs, doedd y car ddim yn symud er ei holl refio! Yna mi'i rhoddodd yn y gêr cynta ac wrth ollwng y clyts mi symudodd y car ac mi ddaeth i ffwrdd oddi ar y fricsen oedd yn ei ddal a mynd yn syth i mewn i'r wal.

Roedd y plant erill wrth eu bodde pan welson nhw hyn yn digwydd, gan nad oedd neb yn hoffi'r athro. A wnaeth o rioed ddarganfod pwy oedd wedi chware'r tric arno chwaith.

Doedd dim dyfodol i mi yn yr ysgol – yn nosbarth y dỳns y bues i gydol yr amser. Ar ôl cyrredd fy nhair ar ddeg, fues i ddim yn y lle fawr iawn, er mai digon bylchog oedd fy mhresenoldeb i cyn hynny. Ar y bws *service* y bydden ni'n teithio – y ni, blant Brynhyfryd, yn y tu ôl a bechgyn *Ruthin School* yn y tu blaen. Mi fydden ni'n tynnu coes ac yn gweiddi arnyn nhw gan mai snobs oedden nhw, ac un diwrnod mi daflais i

33

goncyr at un ohonyn nhw ac mi drawodd y concyr y condyctor. Dyma fo'n fy martsio i mewn i'r ysgol ac at y prifathro ac mi ges i gweir efo handlen brwsh fel cosb am fy anfadwaith – chwe slap, roedd hynny'n rhyw fath o reol am wn i, chwe slap fydde hi bob tro.

Prin fod wythnos yn mynd heibio nad oeddwn i'n derbyn y chwe slap am rywbeth neu'i gilydd. Pethe direidus gan fwya a phethe digon diniwed erbyn hyn, fel mynd i ben y to i 'nôl pêl pan fydde wedi mynd yn styc yno – gweithred oedd yn groes i'r rheole, wrth gwrs, ond 'mod i'n ddigon gwirion i'w torri nhw.

Yn ystod y cyfnod yma mi ddois i nabod ffarmwr o'r enw Ifor Roberts oedd yn byw yn Lle ty Fawr, Llangynhafal, ardal roedd y bws yn teithio drwyddi ar y ffordd i'r ysgol. Roeddwn i wedi hen arfer colli'r bws, neu lwyddo i osgoi'i ddal, ond yn Nyffryn Clwyd dyma ddechre arferiad newydd, sef neidio oddi ar y bws cyn iddo gyrredd yr ysgol. Gan ei fod o'n fws oedd yn rhan o'r gwasnaeth i'r cyhoedd roedd o'n stopio'n amal ac mi ddechreues i fynd oddi arno yn Llangynhafal a cherdded i Llety Fawr a gweithio ar y ffarm efo Ifor Roberts.

Roedd Ifor Roberts yn enwog am ei foron – 'King Carrot' oedden nhw'n ei alw, oherwydd y moron a'i fop o wallt coch. Bob dydd Iau a dydd Gwener yn ystod yr hydref mi fydde'n mynd â'r moron i'r farchnad i'w gwerthu. Ac fel y bues i'n helpu 'Bill the Milk' yng Nghorwen dyma ddechre helpu Ifor Roberts efo'r gwerthu ac efo dyletswydde cyffredinol ar y ffarm.

Un caredig iawn oedd o ac roeddwn i'n meddwl y byd ohono fo. Mi fuo'n andros o dda wrtha i. Ond roedd o'n gallu gwylltio, falle am fod ganddo fo wallt coch.

Ar y ffarm roedd hwch ac roedd hi'n beryg bywyd, yn enwedig pan fydde ganddi hi foch bach. Mi fyddwn i'n helpu Ifor i dorri ar y moch bach, a gneud hynny yn y trelar ar y buarth, a'r hwch yn pwnio ochor y trelar gan drïo mynd i mewn atyn nhw. Fel roedden ni'n torri ar y moch roedden ni'n eu gollwng allan fesul un, ond, unweth, mi arhosodd yr hwch amdanon ni, ac mi fuon ni'n dau yn swatio yn y trelar am hydoedd nes iddi flino a mynd oddi yno.

Ond mi gafodd yr hwch ei chymypans yn y diwedd. Mi roddodd Ifor Roberts ddau oen llyweth yn y cae wrth y tŷ un diwrnod, yn yr un cae a'r hwch, ac mi ymosododd hi ar y ddau oen a'u lladd. Mi wylltiodd Ifor ac mi aeth rownd y cae ar ei hôl efo picwarch, a'i lladd, a Mrs Roberts yn gweiddi arno fo o'r buarth i beidio! Mi oedd o wedi gwylltio'n gandryll ac mi alla i ddallt yn iawn sut roedd o'n teimlo.

Mi fues i'n gweithio ar y ffarm am ddwy flynedd ac yn fuan iawn mi ddaeth Dad a Mam i ddallt mai yno roeddwn i'n amal pan ddylswn i fod yn yr ysgol, ond doedd dim y gallen nhw'i neud i 'nghael i fynd i'r ysgol.

Roedd moch yn chware rhan bwysig iawn yn fy mywyd i gan fod moch yn Rhiwbebyll Ucha ac ym Mhenybryn. Pethe rhyfedd ydi moch: maen nhw'n amal yn troi ar y gwana yn eu plith ac yn ei ladd, os cân nhw lonydd i neud hynny. Unwaith y cân nhw flas y gwaed maen nhw'n beryg bywyd. Do, mi ddois i i ddysgu cryn dipyn am foch.

Roedd Dad yn eu bwydo am chwech bob bore yn Rhiwbebyll cyn mynd ar y Dexter i Fryn Lluarth i weithio drwy'r dydd a bwydo'r moch wedyn am chwech y nos ar ôl iddo gyrredd adre. Roedd Dad yn gry ac yn gallu cario bag cant o fwyd moch ar ei gefn i mewn i'r cwt ac mi feddylies i y gallwn i neud yr un peth â fo. Felly i mewn i'r cwt â fi a'r bag ar fy nghefn a syrthio'n fflat ar fy wyneb. A dyma'r moch yn rhuthro am y bwyd ac amdana i ac ymosod arna i, ac roeddwn i'n waed ac yn fwd i gyd, ac yn gweiddi mwrdwr. Mi lwyddodd Mam i'm llusgo i allan o'r cwt a throi'r hospeip arna i ar y buarth i'm llnau cyn imi fynd i mewn i'r tŷ!

Yn fuan iawn roeddwn i'n gorfod gneud y bwydo am chwech y nos fy hun gan i Dad fynd yn ôl i'w hen arferion a galw yn y Golden Lion yn Llandyrnog cyn dod adre, a dod adre wedi meddwi yn amal, o leia ddwywaith neu dair yr wythnos.

Yn ystod y cyfnod yma, a finne'n mynd o gwmpas dipyn o ffarm i ffarm yn helpu hwn a'r llall, mi ddigwyddes weld beic crand 10 spîd yn Burgess yn Ninbych. Raleigh lliw arian oedd o ac mi rois i 'mryd ar ei brynu. Roeddwn i wedi bod yn safio pres ers tipyn ac erbyn hyn roedd gen i £70 ond roedd y beic yn costio mwy. Mi ddwedodd y siop y basen nhw'n ei gadw am dair wythnos i mi, ac mi ddwedodd Ifor Roberts y base fo'n talu'r gweddill a finne i weithio wedyn am ddim i dalu amdano. Syniad da ond pan es i i'r llofft i 'nôl yr arian, roedden nhw wedi mynd – Dad wedi'u dwyn er mwyn cael pres yfed. Wnes i ddim madde iddo fo am hynny, ond mi ges i'r beic wedi'r cwbwl, diolch i Ifor.

Er gwaetha pob ymdrech ar ran yr awdurdode a'r ysgol – llythyre at fy rhieini efo fy chwaer o'r ysgol ac ymweliade gan y plismon plant – ofer oedd yr ymdrech i'm cael i fynychu'n rheolaidd, ac roedd fy wythnos wedi datblygu i ryw fath o batrwm. Fyddwn i ddim yn colli'r ysgol ar ddydd Mercher gan mai dyma ddiwrnod y Chwaraeon a'r Ymarfer Corff, yr unig byncie wrth fy modd gydag un o'r athrawon roeddwn yn ei barchu. Ar ddydd Iau a dydd Gwener mi fyddwn i'n mynd i'r farchnad ac yn cael arian gan y ffarmwrs am eu helpu i ddadlwytho a llwytho'u hanifeilied. Yna, nos Wener, mi fyddwn i'n mynd ar y bws i Lanfihangel ac i Botegir at Taid a Nain, ac yn aros yno tan fore Llun. Ac mi fydde Taid yn ddeddfol yn fy rhoi ar y bws fore Llun, yn llawn hyder y bydde fo'n fy nwyn i Ysgol Brynhyfryd. Ond doedd gan Taid ddim ffordd o sicrhau y byddwn i'n cyrredd yr ysgol, ac wrth gwrs fyddwn i ddim yn cyrredd yno'n amal iawn. Mi fyddwn wedi gadael y bws ymhell cyn iddo gyrredd Rhuthun.

Roedd Botegir yn nefoedd o le; roedd landrofer a tractor yno ac mi roeddwn i wedi dreifio llawer arnyn nhw o gwmpas y ffarm ymhell cyn cyrredd oedran cael trwydded. Un gwylie haf, mi roddodd Taid fi ar y tractor i droi'r gwair yn y cae, ond roeddwn i'n rhy fach i allu cyrredd y clyts a'r brêc, felly'r hyn wnaeth o oedd 'y ngosod i ar y tractor ac yna neidio i ffwrdd a gadel imi fynd rownd a rownd y cae nes y daeth o yn ei ôl cyn amser cinio!

Dwi'n cofio dau oedd yn gweithio yn Botegir: Haydn oedd saith mlynedd yn hŷn na fi, a Bob Jones, ychydig yn hŷn wedyn, yn ddibriod ac yn byw yn Llanfihangel efo'i dad a'i fam. Roedd ganddo fo fotor beic BSA ac mi fyddwn i'n cael reiden ar ei gefn efo fo – sbin i dop y mynydd ac yna rhedeg yn ôl i Botegir ac ynte adre at ei dad a'i fam.

Ond yn fuan ar ôl i mi ddod i'w nabod mi ddigwyddodd trasiedi. Un diwrnod, a Bob Jones yn torri asgell ar un o'r caeau llechweddog, mi drodd ei dractor David Brown drosodd ac mi laddwyd o ar unwaith. Mi effeithiodd hyn yn fawr ar Taid ac mi drodd ei wallt yn wyn bron dros nos. Mi ddaeth yr inspector diogelwch yno i ddarganfod be oedd wedi digwydd. Doedd dim cab diogelwch ar y tractor a phan drodd o drosodd mi geisiodd Bob Jones neidio'n glir drwy'r drws ond mi drodd y tractor arno. Mi fues i'n helpu i godi'r tractor a chlirio'r llanast, ac yn fuan iawn doedd dim o'i olion ar ôl. Ond fuo Taid byth yr un fath efo Haydn a fi wedyn, yn enwedig pan fydde angen defnyddio'r tractor. Tri deg un blwydd oed oedd Bob Jones pan laddwyd o.

Tra oedden ni'n byw yn Rhiwbebyll Ucha mi anwyd fy chwaer ieuengaf, Angela, ac felly roedden ni'n bedwar o blant: fi, Joyce, Arwyn, yr un gwanllyd, ac Angela. Ond ddaru symud o Gorwen ddim gwella perthynas Dad a Mam ac yn raddol mi aeth pethe o ddrwg i waeth. Y broblem oedd, pan fydde Dad yn dod adre ar ôl bod yn yfed, doedd ganddo ddim rheolaeth arno'i hun. Un pnawn Sul mi ddaeth adre wedi meddwi ac mi fwriodd Mam. Mi hities inne fo mor galed ag y medrwn nes iddo ddisgyn dros y soffa. Wedyn dyma ddengid i'r bathrwm a chloi'r drws a dringo allan drwy'r ffenest ac ar fy meic bob cam i Botegir. Es i ddim adre wedyn.

Roedd ffarm Botegir yn perthyn i ddyn o'r enw Mr Glasebrook, dyn cyfoethog iawn efo llawer o dir yn Nyffryn Clwyd ac i gyfeiriad yr Wyddgrug. Mi ddwedodd y baswn i'n cael cyflog llawn ganddo fo os byswn i'n aros efo Taid a Nain a gweithio ar y ffarm. Taid oedd y bailiff, ac roedd hi'n ffarm fawr, yn ddeuddeg cant o aceri efo dros fil a saith cant o ddefed. Roeddwn i wedi rhyw fadel yr ysgol yn answyddogol ers tro byd.

Mi arhosodd Dad a Mam efo'i gilydd am chwe mis wedyn cyn iddyn nhw wahanu. Aeth Dad i weithio i ddyn o'r enw Tom Parry ar ffarm Dregoch rhwng Llandyrnog a Bodfari ac i fyw mewn carafán, a Mam efo'r tri phlentyn i fyw i un o dai Glasebrook yn Aberweeler, Bodfari. Roedd gan Glasebrook amryw byd o dai stad ac mi fydde'i weithwyr yn cael byw ynddyn nhw am ddim. Mi gafodd hi dŷ am 'mod i'n gweithio iddo fo. Roeddwn i'n cael £5 o gyflog a'r gweddill yn mynd i Mam. Mi gafodd hi a Dad ysgariad ond chafodd hi'r un ddime ganddo fo i'w chynnal hi na'r plant. Roeddwn i wedi bod yn cael rhyw gymaint o gyflog gan Taid ers pan oeddwn i'n dair ar ddeg oed ac mi fydde'r rhan fwya ohono'n mynd i Mam yr adeg honno hefyd. Ar ôl iddi symud i Aberweeler mi gafodd hi waith rhan amser yn glanhau yn nhafarn y Downing Arms yn Bodfari, ac yn Llewenni Hall ac yn y siop leol.

Ddwywaith y flwyddyn y bydde Glasebrook yn dod i Botegir, yn ystod tymor y grows ac yn ystod tymor y sgota. Adeg rhyfel y gwnaeth o'i arian, yn y busnes cotwm. Rheolwr y stad oedd William Shaw ac mi fydde fo'n dod i'r ffarm unwaith y mis, i dalu'r cyfloge. Mi fydde'n ffonio Taid bob bore Llun hefyd i drafod be oedd isio'i neud.

Un diwrnod mi ddaeth â ffurflenni yswiriant cenedlaethol i mi eu harwyddo, a thynnu 'nghoes wedi imi neud drwy ddeud y byddwn i yn yr armi yr wythnos wedyn gan 'mod i wedi seinio i fynd, medde fo. Roeddwn inne'n ei goelio ac wedi dychryn am 'y mywyd.

Ym Motegir y bûm i heb symud fawr o'r fan am ddwy flynedd ar ôl imi basio'r pymtheg oed. Doeddwn i ddim yn cael dreifio felly doedd gen i ddim ffordd hwylus o fynd oddi yno i unman, yn enwedig fin nos. Ond pan gyrhaeddes i fy nwy ar bymtheg, mi newidiodd pethe.

Dyma gyfnod mynd i Lysfasi, a chyfnod pasio'r prawf gyrru. Taid a William Shaw gynigiodd imi fynd i Lysfasi, y coleg amaethyddol y tu allan i Ruthun. Mynd ar y bws i'r dre a chael tacsi i'r coleg oddi yno. Ond dim ond am ddeufis y bûm i yno. Mae'n amlwg nad oedd dim dyfalbarhad arna i mewn nac ysgol na choleg. Doeddwn i ddim yn gweld bod fawr o bwrpas yn yr hyn a gâi ei ddysgu i ni gan fod y rhan fwya o'r gwaith yn waith papur a dim ond rhan fach yn waith ymarferol ar y ffarm ei hun, a doeddwn i'n da i ddim efo gwaith papur.

Ond mi gawson ni fel criw lawer o hwyl yno yn chware castie ar ein gilydd. Roedd 'ne Sais yn y criw, Jeremy Stephens, hogyn oedd yn gweithio ar ffarm laeth fawr yn ymyl Wrecsam. Roedd o'n gwybod y cwbwl! Allech chi ddeud dim wrtho nad oedd o'n ei wybod ac mi fydde'n dod i fusnesa'n amal pan oedden ni wrthi efo'r moch. Ie, moch unwaith eto. Dwi ddim fel taswn i wedi gallu eu hosgoi nhw erioed.

Roedd baedd yn Llysfasi, un mawr efo dwy fodrwy yn ei drwyn. Ond creadur digon tawel oedd o, ar wahân i rai adege o'r flwyddyn. Er cymaint ei frolio doedd Jeremy yn gwybod dim am foch gan mai ar ffarm wartheg roedd o'n gweithio, ac un diwrnod dyma ni'n ei 'weindio i fyny' drwy ddangos y gwahanieth iddo fo rhwng y moch oedd yn pori'n dawel yn y cae a'r baedd oedd yn edrych yn anifel peryglus iawn. Dyna pam, medden ni, roedd ganddo ddwy fodrwy yn ei drwyn.

Mi lwyddon ni i gau Jeremy druan yn y cwt efo'r baedd, ac roedd o wedi dychryn am ei fywyd, yn wardio yng nghornel y cwt yn gweiddi mwrdwr ac yn methu dod oddi yno gan fod yr hen faedd yn sefyll yn ddigon tawel wrth y drws. Mi ddychrynodd yn fawr y diwrnod hwnnw, ond wnaeth o ddim drwg iddo fo. Snob oedd o, yn gwisgo welingtons gwyrdd a'r rheini heb sbecyn o faw arnyn nhw, a ninne, hogie cefn gwlad, a'n sgidie a'n welingtons yn fwd ac yn dail i gyd. Ond mi fu Jeremy yn haws ei drin ar ôl bod yn y cwt mochyn.

Yn ystod yr un cyfnod mi basies i 'mhrawf gyrru a doedd dim dal arna i wedyn. Mi brynes i gar bach ail law – Ford Escort glas gole efo streipen werdd – ei brynu yn sêl Huw Goronwy yn Rhuddlan, dyn oedd yn nabod Taid yn iawn ac wedi'i siwriantu y gwnâi o gar iawn i mi. Bob nos Wener, ar ôl imi gael fy nhrwydded, mi fyddwn i'n mynd i lawr i Fodfari i fynd â Mam i siopa, ac wedyn ras i fynd â hi adre er mwyn i mi gael mynd i'r Crown yn Llanfihangel i chware darts.

Doedd Nain ddim yn derbyn pethe newydd yn hawdd, a phan ddaeth dŵr a thrydan i Fotegir a finne ar y pryd tua naw oed, mi gafodd beiriant golchi newydd, ond doedd hi ddim yn ei ddefnyddio, ac mi fyddwn i'n dal i droi'r pren yn y twb mawr wrth ei helpu i olchi. Hi ddysgodd fi i swmddio hefyd efo'r haearn a gâi ei boethi ar ben yr Aga yn y gegin. Pan gafodd hi haearn smwddio trydan mi fydde hi'n dal i ddefnyddio'r hen un a finne'n defnyddio'r un newydd.

Teclyn arall ddaeth i'r tŷ bryd hynny oedd set

deledu. Aeth Taid i Gorwen i siop Astley i brynu un ac mi wnaeth honno lawer o wahaniaeth i fywyd ar y ffarm. Bob pnawn Sadwrn yn ddifeth bydde Taid a Nain yn mynd i Cerrig (Cerrig y Drudion), y hi i siopa a fynte i'r Queens i chware dominos efo'i fêts. Ond mi fydde'n rhaid cyrredd yn ôl adre erbyn pedwar er mwyn i Nain gael gweld y reslo ar y teledu! Do, mi ddaru hi dderbyn y teledu yn gynt na'r peiriant golchi a'r haearn swmddio.

Yn bendant, cael car a phasio'r prawf gyrru oedd un o'r newidiade mawr yn 'y mywyd i; roedd hi fel taswn i wedi cael 'y ngollwng yn rhydd, fel tase'r gwynt oedd wedi bod yn fy wyneb bellach o 'nghefn i. Ac roedd cael car yn help mawr i hogyn yng nghefn gwlad i gael cariad. Roedd hyn, wrth gwrs, flynyddoedd lawer cyn imi gyfarfod Sue yn iawn – neu Susan fel y bydda i, a neb arall bron, yn ei galw.

iii

Erbyn i mi gyrredd yn ôl i Wrecsam efo'r plant roedd o wedi cael tiwb yn ei geg ac wedi cael cyffurie i ladd poen ac i'w gadw'n dawel, ond eto roedd o'n ymwybodol o be oedd yn digwydd ac yn gwybod 'mod i yno. Roedd o mewn coler ac roedd hi'n bwysig ei fod o'n cadw'n llonydd, felly roedd o'n dal yn ei ddillad rygbi, a rheini'n rhacs amdano fo.

Mi ddychrynodd Teleri pan welodd hi o – naw oed oedd hi ar y pryd ac mi gafodd andros o sioc. Mi gafodd sterics a gwrthod rhoi sws i'w thad, ac mi redodd allan o'r stafell heb ddeud gair wrtho. Ond mi safodd Ilan, oedd ddwy flynedd yn hŷn, wrth ei wely yn siarad efo fo fel tase dim wedi digwydd, er ei fod ynte hefyd yn amlwg wedi cael sioc.

Mi es i allan at Teleri i geisio'i chysuro er 'mod inne wedi ypsetio, a deud un o'r brawddege hynny sy'n dod weithie'n ddifeddwl yng ngwres y foment. 'Tase 'ne ffasiwn beth â Duw,' medde fi, 'fase fo ddim wedi gadel i hyn ddigwydd.' A finne'n athrawes Ysgol Sul ar blant wyth i ddeuddeg oed yng Nghapel Tegid.

'Be wyt ti isio deud hyn'ne, Mam?' medde Teleri. 'Oes 'ne ddim Duw?'

'Wrth gwrs bod 'ne Dduw,' medde fi. 'Ffordd o siarad oedd o, a dod allan ffordd anghywir wnaeth o. Mae 'ne Dduw ac mi fydd o'n edrych ar ein hole ni.' A 'ngweddi i bryd hynny oedd y base Bry yn dod trwyddi, er ein mwyn ni i gyd wrth gwrs am ein bod yn ei garu, ond yn arbennig er mwyn Teleri. Mi fase byw efo'r atgof mai'r peth ola wnaeth hi efo'i thad oedd gwrthod rhoi sws iddo wedi bod yn groes drom iddi orfod ei chario drwy'i bywyd.

Mi ddaeth Dad a Mam i weld Bry hefyd – roedden nhw wedi'n dilyn ni yn y car er mwyn mynd â'r plant adre fel y gallwn i aros yn Wrecsam. Dim ond am funud neu ddau yr arhosodd Dad cyn mynd allan yn amlwg wedi ypsetio. Roedd Mam yn well, falle am ei bod yn haws i ferched ddangos emosiwn na dynion. Yn hwyrach y pnawn hwnnw mi drosglwyddwyd Bry i Walton ac roedd doctor a nyrs efo fo yn yr ambiwlans gan fod unrhyw symud yn fenter allai fod yn ddigon amdano. Roedd yna beryg iddo farw bob tro y câi ei symud. Mi ddilynes inne, Joyce, chwaer Bry, a'i gŵr yn y car i Lerpwl, ac er mai dyna'r siwrne hira wnes i erioed dwi'n cofio dim am fanylion y daith – pa dwnnel yr aethon ni drwyddo, yr hen un neu'r un newydd, neu tybed aethon ni dros bont Runcorn. Does gen i ddim syniad.

Wnaethon ni ddim ceisio dilyn yr ambiwlans, er nad oedd hi'n mynd ar gyflymder mawr gan fod yn rhaid i'r daith fod yn un esmwyth. Ond roedd hi'n fflachio ar hyd y ffordd bob cam o Wrecsam i Lerpwl, er nad oedd hi'n cael ei harwain gan yr heddlu.

Yn Fazakerley mae Ysbyty Walton, ac ar ôl inni gyrredd mi arhosais i weld y meddyg. Mi roddwyd Bry yn yr uned gofal dwys, uned fawr efo wyth o welyau ynddi ar siâp C ac roedd Bry ar y chwith yn y pen pella ar gyfer y drws. Roedd pawb yn yr uned, wrth gwrs, yn ddifrifol wael a nyrs bersonol yn edrych ar ôl pob un.

Mae pawb sy'n fy nabod i'n gwybod 'mod i'n hoff iawn o 'mwyd, ond wnes i ddim bwyta yr un tamed o ddydd Sadwrn, pan ddigwyddodd y ddamwain, tan nos Iau. Doeddwn i erioed o'r blaen wedi cael y fath brofiad o fethu bwyta a gorfod byw ar goffi a dŵr.

Roedd rheole pendant ynglŷn ag ymweld â'r uned: neb yn cael mynd i mewn rhwng dau a phedwar y pnawn a neb ar ôl deg y nos tan ddeg o'r gloch y bore. Y fi oedd y cynta wrth y drws bob bore, a'r ola i adel bob nos. Mi gefais stafell yn yr ysbyty, un o bedair neu bump oedd yno ar gyfer teuluoedd y rhai oedd yn wael, ac mi fydde fy ffrindie'n dod draw i 'ngweld i rhwng dau a phedwar bob dydd, i gadw cwmni i mi. Mi wyddwn i fod y plant yn iawn efo Dad a Mam, ac roedd hynny'n gysur. Mi arhosodd y ddau yn y Bala am chwech wythnos, chware teg iddyn nhw, ond mi fydde Dad yn mynd adre i Gaernarfon bob hyn a hyn i godi'r post ac i weld bod popeth yn iawn yno. Roeddwn inne wrth law yn yr ysbyty tase angen amdana i. Mi fu Bry yno o'r dydd Sul tan wythnos i ddydd Mawrth.

Mi wnaed o'n anymwybodol yn yr ysbyty er mwyn iddo fod yn llonydd ac mi gafodd o dracsion a phwyse i geisio symud yr esgyrn. Mi wyddwn i fod gan Bry war cry ofnadwy ac mi ddwedes wrthyn nhw yn gallen nhw fentro rhoi pwyse trymach arno fo, ac mi wnaethon nhw hynny. Y gobaith oedd medru rhyddhau'r esgyrn cyn y llawdrinieth. Ond weithiodd hynny ddim.

Mi gafodd o'i drinieth ar y dydd Iau, trinieth fawr a barodd am orie lawer. Mi ddaeth yr arbenigwr, Neil Baxter, ata i i siarad amdani ac i bwysleisio mai trwch blewyn fydde 'ne rhwng llwyddiant a methiant. Mi ddwedodd ei fod ynte'n arfer chware rygbi. Mi ddwedes inne 'mod i'n meddwl ei bod yn hen gêm wirion. A deud y gwir roedd o'n gyfarfod reit emosiynol; roeddwn i wedi ypsetio ac roedd dagre yn ei lygaid ynte. Roeddwn i'n meddwl be ddwedes i ar y pryd ac eto'n ei chael hi'n anodd achos mae Ilan yn chware rygbi. Mi wn mai dylanwad ei dad sydd arno fo a dydw i ddim isio'i stopio fo, wrth gwrs, dim ond ei gefnogi, a deud fel y byddwn i'n deud wrth ei dad bob tro mae o'n mynd i chware: 'Paid ti â brifo.' Rygbi ydi pob dim i Ilan, a Bry sy wedi rhoi hynny yn ei waed o.

Yn ystod y cyfnod anodd iawn yn Walton roedd gan ieuenctid Ysgol y Berwyn, y tîm dan 12 oed, gêm yn erbyn tîm ieuenctid Nant Conwy, o bawb, a doeddwn i ddim yn gallu wynebu'r ffaith fod Ilan yn mynd i chware. Mi ffoniais i'r athro, Andrew Roberts, a deud hynny wrtho fo, ond doeddwn i ddim isio i Ilan wybod 'mod i wedi cysylltu ac mi ofynnes iddo alle fo ystyried gohirio'r gêm, a chware teg iddo fo, dyna wnaeth o.

Roedd rhai o'r bechgyn bach yn gneud syne bygythiol beth bynnag ac yn sôn am ddial ar Nant Conwy, ac nid dyna ysbryd y gêm. Ond roedd y digwyddiad yn ffres ym meddylie pawb bryd hynny.

Mi esboniodd Neil Baxter natur y drinieth i mi: trinieth o'r tu blaen i ddechre ac wedyn o'r cefn, ac roedd 'ne bosibilrwydd cry na ddeue fo drwyddi. Cyn unrhyw drinieth mae'n rhaid arwyddo, a'r arferiad yw bod y claf ei hun yn arwyddo i gytuno. Ond doedd hynny ddim yn bosib yn achos Bry, a'r rheol wedyn yw fod y perthynas agosa'n arwyddo a fi oedd honno. Roedd gen i broblem fawr: taswn i'n arwyddo a fynte ddim yn dod drwy'r drinieth, mi faswn i'n beio fy hun ac mi fydde pobol eraill, o bosib, yn fy meio am gytuno. Tase Bry yn dod drwyddi ac yn ddiymadferth am weddill ei oes mi alle 'meio i am beidio gadel iddo farw, ac edliw imi yn enwedig ar ddyddie drwg yn ei hanes, er nad dene'r math o berson ydi o. Mi esbonies i 'nghyfyng-gyngor i'r arbenigwr gan ddeud y baswn i'n arwyddo tase rhaid – mi newch chi rywbeth i rywun dech chi'n ei garu – ond mi gytunodd o i gymryd y cyfrifoldeb oddi ar fy sgwydde a chael dau feddyg i arwyddo yn fy lle. Roedd yr ysbyty'n barod i neud popeth o fewn eu gallu i helpu.

Cyn y llawdrinieth mi ddaeth amryw o ffrindie Bry i'w weld ac mi fydden nhw'n eistedd wrth y gwely efo fi, a finne'n siarad drwy'r amser: 'Rhaid iti gwffio hyn. Mae gen ti ddau o blant – rhaid i ti gwffio hyn er eu mwyn nhw. Ond, cofia, os methi di fydda i ddim yn flin.' Roedd Bry yn anymwybodol a doedd o ddim yn 'y nghhlywed i. Ac eto...

Roeddwn i hefyd yn canolbwyntio ar ddwyn i gof

yr amseroedd da gawson ni efo'n gilydd. Doedd ene ddim llawer o amseroedd drwg ac o ffraeo, ac eto roedd yr amseroedd hynny'n mynnu dod i'r meddwl rywsut. Ac roedd gen i ddigon o amser i feddwl!

Roedd rhai o fy ffrindie wedi dod i'r ysbyty i gadw cwmni i mi yn ystod y drinieth ac roedd o'n amser pryderus iawn a hynny am orie ac orie. Yna, mi ddaeth y newyddion da – nid bod y probleme drosodd o bell ffordd wrth gwrs, nac yn debyg o fod, ond ei fod wedi dod trwyddi'n ddiogel. Mi es i'r gegin a stwffio fy hun efo popeth oedd ar gael yno, a bwyta fel taswn i erioed wedi gweld bwyd o'r blaen. Dwi ddim yn gallu esbonio pam 'mod i'n methu bwyta ar ôl y ddamwain. Effaith tor calon mae'n siŵr. Roedd y cryfaf ohonon ni wedi'i lorio; Bry, yr un oedd yn datrys pob problem, yn cyfarfod pob creisus, wedi'i daro i lawr. Yn fy ngwaith bob dydd fel plismon a swyddog cyswllt yr heddlu dwi wedi hen arfer delio efo problemau ac argyfynge pobol eraill, ond Bry fydde'n delio efo argyfynge teuluol bob amser, yn gryf ac yn bendant ac yn ddoeth.

Ar ôl y drinieth mi ddaru Eleri Wenallt dapio negeseuon gan y plant ac roedd Teleri'n siarad yn ddi-stop ar y tâp, ac Ilan yn taro i mewn o dro i dro gan ychwanegu ambell frawddeg, ambell sylw. Mor wahanol i'r ymweliad â'r uned yn Wrecsam.

Mi ddaeth amryw o ffrindie Bry i Lerpwl i'w weld rhwng y nos Sul a'r nos Iau. Roedd rheole caeth iawn yn yr uned: dim ond dau ymwelydd ar y tro, a'r golchi dwylo gofalus efo'r jel wrth gwrs. Roedden ni fel teulu wedi gorfod gneud hyn ar y llong gydol ein mordaith yn y Caribî, a phan ddaeth y gwylie i ben un o'r pethe roedden ni'n ei ddeud oedd diolch na fydde'n rhaid inni barhau efo'r arferiad hwnnw. Bychan feddylion ni y bydde fo'n dod yn rhan amlwg o'n bywyde ni am flwyddyn a hanner!

Yn ystod y dyddie'n dilyn y llawdrinieth, welais i erioed gymaint o ddynion yn torri lawr. Dod i mewn yn hwyliog i weld Bry a mynd oddi yno'n crïo wedi cael sioc o'i weld. Roedd llawer yn dod unwaith a rhai'n rheolaidd: un o'i ffrindie penna, Aron Bodelith, Tony Parry (TP) cadeirydd y clwb, a Marian ac Alan drws nesa. Mi roedd Joyce, ei chwaer, wedi bod yn ymwelydd cyson hefyd, ond roedd Bry wedi mynnu ei bod hi'n mynd ar ei gwylie, ac mi aeth, yn ddigon anfoddog, gan ofalu ffonio bob dydd.

Pan ddeffrodd Bry ar ôl y drinieth roedd o wedi colli ei lais, ond roedd Aron yn gallu ei ddeall yn iawn, wedi sylweddoli mai sefyll yn eitha pell oddi wrtho oedd y ffordd ore er mwyn gallu darllen ei wefuse pan oedd o'n ymdrechu i ddeud rhywbeth, ond roedd TP yn mynnu mynd yn agos ato a rhoi ei glust wrth ei geg ac wrth gwrs doedd o'n clywed dim.

Mi fu Bry heb fedru siarad am dri mis a hanner a thrwy'r amser hwnnw mi fydde TP yn trio'i ore i'w ddeall, gan ddal i fynd yn agos ato rhag ofn ei fod yn ceisio deud rhywbeth yn hytrach na sefyll ymhell oddi wrtho i geisio darllen ei wefuse. Ac yna pan gafodd o'i lais yn ôl, dyma fi'n awgrymu iddo ei fod yn chware tric ar TP a chymryd arno ei fod yn dal i fethu siarad. Felly, pan ddaeth o, dyma Bry yn agor a chau ei geg fel llyffant a dim sŵn yn dod allan, ac mi aeth Tony'n nes ac yn nes ato, a phan oedd o reit wrth ei wyneb 'Bŵ!' medde Bry, ac mi neidiodd TP lathenni! Roedd digwyddiade bach diniwed fel y rhain yn gysur mawr ar y pryd.

Ar ôl y drinieth roedd gan Bry ffrâm am ei wyneb a chylch fel *halo* uwch ei ben. Roedd o wedi cael *tracheostomy* (traci) hefyd, felly pan ddaeth y plant i'w weld roedd yn rhaid eu rhybuddio sut roedd o'n edrych. Roeddwn i'n gweddïo na fydde Teleri'n rhedeg oddi yno'r tro hwn. Mi ddwedes wrthyn nhw sut le oedd yn y stafell a sut roedd eu tad yn edrych, ac am iddi hi beidio edrych ar neb arall, dim ond cadw ei llygaid ar ei thad. Ac roedd hi'n iawn. Mi fynnodd roi cusan iddo ac mi gafodd Ilan a fi dipyn o drafferth i'w chodi gan fod pob math o fframie a weiars o'i gwmpas. Roedd Teleri wedi newid yn llwyr ac wedi ypsetio ei bod yn gorfod mynd adre gan ei bod isio aros efo fo.

Mi fynne Bry ei fod yn gallu teimlo'r plant yn gwasgu ei law, a phan ddychwelodd o i Wrecsam mi fynne Ilan ei fod wedi gweld ei dad yn symud ei law. Roeddwn inne'n gallu gweld hynny hefyd ac am eiliad yn codi 'nghalon a gweld gobaith. Ond symudiade yn y cyhyre oedden nhw. Dyna pam fod ganddo bwmp yn ei stumog i atal y cyflwr ac i reoli'r spasms mae o'n eu cael.

Ar y dechre roedd o'n cael y rhain yn amal ac yn ddrwg. Un o'r nyrsys oedd yn edrych ar ei ôl pan oedd o yn Southport oedd Filipino fach eiddil nad oedd yn fwy na phedair troedfedd o daldra. Un diwrnod pan oedd o'n eistedd yn ei gader a hithe'n ei drin gan sefyll rhwng ei goesau, mi gafodd un o'r spasms yma ac mi gloiodd ei goesau amdani gan ei dal yn gaeth fel na fedre hi symud oddi yno. Roedd o'n rhywbeth reit ddifrifol ar pryd ond yn destun llawer o hwyl a thynnu coes wedyn!

Pan benderfynwyd symud Bry yn ôl i Wrecsam, dim ond hanner awr o notis ges i. Roedd Gethin Jones – Gethin Caerau – wedi dod draw i edrych amdana i ac roeddwn i a fo'n eistedd ar y wal tu allan yn siarad pan weles i'r *sister*, Sister Mary, yn rhedeg allan aton ni. Roeddwn i wedi dychryn am funud, yn meddwl bod rhywbeth wedi digwydd, ond dod i ddeud eu bod yn ei symud i Wrecsam roedd hi, a hynny ymhen hanner awr.

Roedd gen i broblem gan nad oedd y car gen i yn Walton. Roeddwn i wedi trefnu i rywun fynd â fo adre gan fod ceir yn cael eu malu ym maes parcio'r ysbyty. Mi ddwedodd Gethin y base fo'n mynd â fi i Wrecsam, felly dyma bacio ar unwaith a mynd yn y bws bach *park and ride* at ei gar o. Ond nid car oedd ganddo fo ond *pick up*, ac yn hwnnw y cyrhaeddes i Wrecsam. Ond wedi cyrredd yno, mi ges i fraw! Mi es ar fy union i fyny'r grisie i'r uned, ond doedd dim golwg o Bry. I lawr yn ôl, ond doedd dim sôn amdano. Erbyn hynny roedd ein llwybre ni wedi croesi heb yn wybod – y fi ar y grisie tra ei fod o yn y lifft. Mae pethe bach yn gallu achosi gofid ar gyfnode o ddyndra.

Roedd y cyfnod yn Walton ar ben, ac wedi teimlo fel oes. Ond mi wnaethon ni lawer o ffrindie da yno, efo pobol oedd mewn sefyllfaoedd gwahanol, ond tebyg hefyd. Pawb mewn sefyllfa o argyfwng, a'r gwahanol argyfynge yn ein closio ni at ein gilydd. Yn rhyfedd iawn roedd pawb dan yr argraff fod Bry yn chwaraewr rygbi enwog iawn – am ei fod o'n Gymro am wn i ac am eu bod wedi camgymeryd y geirie 'well known' am 'famous'!

Geirie ola Bry i mi cyn iddo golli'i lais am fisoedd

oedd 'Dwi'n dy garu di,' ac mi allwn i gyfri ar fysedd un llaw sawl gwaith y dwedodd o hynny yn ystod pedair blynedd ar bymtheg ein priodas. Mi fyddwn i'n dannod hynny iddo'n amal ac mi fydde ynte'n deud 'Taswn i ddim yn dy garu di mi faswn i wedi mynd ers talwm'. Ond yn yr amgylchiade y llefarwyd nhw yn yr ysbyty roedden nhw'n eirie oedd yn golygu mwy na dim byd arall i mi.

3
Ardal y Dacl

i

BYTHEFNOS WEDI'R DDAMWAIN ROEDDWN i ar fy ffordd yn ôl i Wrecsam, i dreulio cyfnod annifyr iawn yn yr uned gofal arbennig yno. Taith ddiflas oedd hi hefyd gan 'mod i'n gwrthod cymryd tabledi lladd poen am eu bod yn rhoi hunllefe i mi. Mi wnes i ddiodde pob twll a rhigol yn y ffordd, a dydi ambiwlans cyflym ddim y ffordd fwya cyfforddus o deithio, yn enwedig pan dech chi ar wastad eich cefn ac yn gallu gneud dim i arbed eich hun.

Ac ar wastad 'y nghefn y bues i am wythnose wedyn hefyd, efo ffrâm at fy nghanol a chwe nyrs yn gorfod dod i 'nhroi i bob dwyawr ddydd a nos – 'log roll' fel maen nhw'n galw'r peth. Roedd dwy yn fy mhen, dwy yn fy nhraed ac un bob ochor i mi.

Oni bai am y troi cyson yma mae'n bosib iawn y baswn i wedi cael thrombosis, ac yn bendant mi faswn i'n diodde o ddolurie gwely neu *bed sores* a phethe erchyll ydi'r rheini. Mi ges i un neu ddau fy hun, ond dim byd i'w gymharu ag un dyn weles i yn Southport oedd wedi bod yn ei wely ers naw mis ac yn ddolurie i gyd, y cr'adur. Ond mi fues i'n lwcus yn hynny o beth a ches i'r un dolur ddaru bara'n hir.

Gan 'mod i'n gorwedd ar 'y nghefn fedrwn i weld dim byd ond y nenfwd uwch 'y mhen, dene'r cyfan oedd fy myd, ond mi osodwyd dau ddrych fel y gallwn i weld i lawr y ward a gweld pan fydde rhywun yn dod i edrych amdana i. Roeddwn inne wedyn yn trïo siarad efo nhw ac yn methu, ac roedd hynny'n brofiad annifyr iawn. Mi fyddwn i'n camddeall ambell i sefyllfa hefyd. Roedd pedwar gwely yn y ward ac unweth mi ddigwyddes sylwi bod y tri arall yn wag; finne'n meddwl mai fi'n unig oedd ar ôl yn fyw a bod y tri arall wedi marw.

Canlyniad arall bod ar 'y nghefn oedd bod hylif yn casglu yn fy sgyfaint ac roedd yn rhaid cael gwared arno bob hyn a hyn. Mi fydde Rachel, pennaeth yr adran *physio*, yn dod â myfyrwyr efo hi'n amal i neud y gwaith. Doeddwn i ddim yn cymryd cyffurie lladd poen erbyn hyn, nac yn yfed dim chwaith, a'r canlyniad oedd 'mod i'n cael trafferth i gysgu, yn rhyw slwmbran ddydd a nos ond ddim yn cysgu'n iawn.

Ond mi gafodd un o'r nyrsys oedd yn gweithio'r nos syniad. Roedd Huw Dylan wedi dod â photelaid o Southern Comfort i mi, a be wnaeth y nyrs ond rhewi'r ddiod yn giwbiau rhew ac wedyn mi fydde'n rhwbio fy ngwefusau bob nos efo rhyw ddau neu dri o'r ciwbiau, ac mi wnaeth hynny wahanieth mawr i'r cysgu.

Yn ystod fy nghyfnod yn ôl yn Wrecsam mi wnes i ddatblygu ambell arwydd pellach er mwyn gallu gneud rhyw gymaint o gyfathrebu – tynnu tafod yn golygu 'ie', cau dau lygad yn deud 'na', a winc yn golygu 'mod i'n iawn.

Un o'r pethe mwya annifyr am y cyfnod yma yn Wrecsam oedd fod gen i ddigon o amser i feddwl ac i hel meddylie; meddwl yn ôl be oedd wedi digwydd, a meddwl be fydde'n dod nesa. Meddwl a digalonni ar brydie, er bod ambell ddigwyddiad yn fy helpu i anghofio, fel Bryn Defeity yn dod i 'ngweld yn syth o'r buarth a'i sgidie a'i ddillad yn faw defed i gyd ac ynte'n gadel ei ôl ar hyd y ward.

Roeddwn i'n cael sawl chwistrelliad yn fy mol bob dydd i lonyddu cyhyre'r stumog rhag imi gael spasm, ac mi ofynnodd Bryn i un o'r nyrsys a gâi o rai o'r nodwyddau o'r *syringes* oedd wedi eu defnyddio i fynd adre efo fo i drin y defed!

I Southport roeddwn i i fod i fynd yn y diwedd wrth gwrs, ond roedd yn rhaid aros am wely a'r darogan oedd na fydde gwely ar gael imi am fisoedd.

Wedi imi fod yn Wrecsam am ryw fis mi ddaeth tri o Southport i 'ngweld i: Mr Soni, yr ymgynghorydd meddygol; Clive Glass, y seicolegydd; a Jenny Bingley, pennaeth yr adran nyrsio. Mi ddaethon nhw er mwyn gweld sut oedd 'y mhen i – na, nid y tu allan, ond y tu mewn, yr ymennydd a'r meddwl. Ac mi ofynnwyd pob math o gwestiyne i mi a finne wrth gwrs yn cael trafferth mawr i gyfleu fy atebion iddyn nhw. Roedden nhw'n trïo darganfod stad fy meddwl a'm hagwedd at fywyd ac at wella. Oeddwn i'n cael iselder? Oeddwn i isio byw? Be oeddwn i'n meddwl oedd yn mynd i ddigwydd i'r plant? Oeddwn i isio gweld y plant yn tyfu ac yn datblygu? Pob mathe o gwestiyne.

Mi fuodd Mr Soni yn sticio pin yno' i hefyd i weld ble roedd gen i deimlad a pha ranne o'r corff oedd yn ddiffrwyth. Wedyn mi ddwedodd y base fo'n fodlon fy nerbyn yn un o'i gleifion yn Southport os oeddwn i'n benderfynol o drio mendio a bod yn gadarnhaol fy agwedd. Mi ddwedodd dri pheth arall hefyd: y bydde'n rhaid imi gael *voice box* cyn y gallwn i siarad, na fyddwn i'n gallu bwyta dim ond cael fy mwydo efo peg yn fy stumog, ac na fyddwn i byth yn gallu symud 'y mhen. Erbyn heddiw dwi'n gallu siarad a does gen i ddim *voice box*, dwi'n gallu bwyta a dwi'n gallu symud 'y mhen!

Mi adawodd y tri gan ddeud y galle hi fod yn Dachwedd cyn y bydde lle i mi yn Southport, ond bythefnos yn ddiweddarach mi ddaeth galwad i ddeud bod gwely ar gael ac y byddwn i'n symud drannoeth. Y dyddiad oedd Mehefin y chweched, ac roedd yn rhaid wynebu taith boenus arall ar wastad 'y nghefn yn yr ambiwlans. Taith annifyr oedd honno hefyd a doedd hi ddim heb ei hantur arbennig.

Tua hanner ffordd i Southport mi sylweddolwyd nad oedd y peiriant anadlu – y fentilator – yn gweithio'n iawn am fod y batri yn isel. Doedd o ddim wedi cael ei jarjio cyn inni gychwyn. Anhygoel! Roedd yn rhaid cyflymu wedyn a chwislo mynd ar hyd pob math o ffyrdd er mwyn cyrredd yr ysbyty mewn pryd cyn i mi fygu. Roedd y draffordd yn eitha, ond y ffyrdd bychain a'r corneli ar ôl croesi Pont Runcorn yn artaith.

Ond roeddwn i ar y ffordd i ysbyty yr oeddwn i'n mynd i dreulio'r flwyddyn a hanner nesa ynddi, er na wyddwn i mo hynny ar y pryd.

ii

Dydi ceir ac alcohol ddim yn cymysgu, er y gwnaethon nhw i mi pan oeddwn i'n ifanc! Mi basiais i 'mhraw gyrru y tro cynta imi drïo, yn y landrofer, a hynny yn y Bala, oedd yn cael ei gyfri yn lle da am nad oedd yr un rowndabowt yno. Mi ddaeth Taid efo fi fel gyrrwr profiadol. Doedd dim loc da iawn ar y landrofer ac mi es i dros y palmant wrth droi o'r Stryd Fawr i Stryd Tegid a meddwl yn siŵr 'mod i wedi methu. Un o bethe mawr y prawf oedd yr *emergency stop* ac mi roedd rhywun wedi deud wrtha i mai ar Wastad Llanfor y bydde'r testar yn gofyn imi neud un o'r rheini.

Roeddwn i felly'n cadw un llygad arno fo a phan weles i fo'n codi ei ffeil i daro gwaelod y ffenest o'i flaen mi freciais yn galed ac mi fuodd bron i'r boi fynd drwy'r windsgrîn. Pan gyrhaeddes i'n ôl a dod allan o'r landrofer roedd Taid yn sefyll ar y palmant yn aros amdana i, ac mi ddwedes wrtho 'mod i wedi methu. Ond mi alwodd y boi fi'n ôl a deud 'mod i wedi pasio, oedd yn dipyn o ryfeddod!

Roeddwn i wedi dechre chware pêl-droed i Gerrig y Drudion pan oeddwn i'n un ar bymtheg oed. Rŵan roedd gen i leisens ac mi brynes y Ford Escort ac mi roddodd y ddeubeth ryddid imi. Nid 'mod i'n hollol gaeth cyn hynny chwaith gan 'mod i'n defnyddio cryn dipyn ar fy meic i fynd i Cerrig i drênio, a mynd wedyn i'r Saracens a lawr i'r Goat ym Maerdy ac adre drwy Betws Gwerfil Goch, rownd o tua pymtheng milltir.

Yng Nghynghrair Conwy, Ardal 2, Gogledd Cymru roedd Cerrig yn chware, yn erbyn time megis Penmachno, Conwy, Llanrwst, Llandudno a Mochdre ac roedd hi'n gynghrair dda. Tîm digon sâl oedd gan Cerrig ar y dechre ond mi ddatblygodd yn fuan iawn ac mi enillon ni'r gynghrair bedair neu bum gwaith. *Centre forward* oeddwn i.

Yn ystod wythdege'r ganrif ddiwetha mi enillais i beth wmbredd o darianne a chwpanne wrth chware pêl-droed – megis y darian am fod y sgoriwr ucha i Cerrig yn 1979/80, dod yn ail yn y gynghrair yr un flwyddyn ac ennill y 'Challenge Cup', ennill Cwpan Jack Owen yn 1980 a tharian Tucker yng Nghynghrair Conwy yn 1982/83. Efo Cerrig yr enillais i'r rhan fwya, ond ambell un mewn time 5 a 7 bob ochor i Gynwyd a Llandrillo hefyd; ac wrth gwrs roedd Cwpan y Bragdy yn y Bala yn bwysig iawn hyd yn oed ar ôl imi ddechre chware rygbi, gan ennill yn 1992 ac 1995 a dod yn ail yn 1994.

Roedd y Ford Escort yn handi iawn i fynd â Mam i siopa, yn handi i fynd i drênio ar gyfer y pêl-droed, yn handi i fynd i chware darts, ac yn handi i fynd i yfed! Roedd o'n llawer gwell na beic.

Yn fuan iawn roedd 'ne batrwm rheolaidd i 'mywyd i: trênio ddwy noson yr wythnos, darts un noson, mynd â Mam i siopa noson arall, yna yn yr haf, dwy noson o chware yn y Summer League a'r nosweithie i gyd yn gorffen yn y Crown yn Llanfihangel, y Glanllyn yn Clawddnewydd, y Goat ym Maerdy, neu'r Saracens yn Cerrig. Gwesty ar fin yr A5 yng Ngherrig y Drudion ydi'r Saracens, a'r adeg honno roedden ni'n mynd i stafell fechan a elwid yn *snug*. Yno y bydde'r holl yfwyr dan oed yn mynd. Roedd 'ne stafell ddawnsio fawr yn y gwesty hefyd ac yno y bydde'r perchennog ar y pryd yn cadw ei *vintage car*. Ei wraig oedd yn cadw'r gwesty.

I'r Crown yn Llanfihangel y byddwn i'n mynd amla i chware darts ac yn fuan iawn roeddwn i'n rhan o'r tîm oedd yn chware yng Nghynghrair Rhuthun a'r Cylch. Nos Wener oedd noson y darts ac mi fyddwn i'n rhuthro yno ar ôl bod â Mam i siopa.

Mi 'nillais i sawl tarian efo'r darts hefyd: yn 1977 ac 1979 ac 1980. Ail yn y gynghrair oedden ni bob tro yn ystod y blynyddoedd yna, ond yn 1987 dyma'i hennill.

Nes imi ddechre chware pêl-droed o ddifri doedd gen i ddim ffrindie ymhlith hogie fy oedran i. Rhai mewn oed oedd yn chware dominos efo Taid yn y Queens, a'i gydnabod o oedd 'y nghydnabod i hefyd: Moi Em, Wil Yates a Jac Foty Llechwedd. Rhai hŷn na fi oedd yn chware darts yn y Crown hefyd – Gwil Llwyn a Trebor Edwards yn eu mysg – a chan 'mod i wedi madel â'r ysgol bron cyn ei mynychu doedd gen i ddim ffrindie ymhlith y disgyblion yno chwaith. Mi newidiodd pethe pan ddechreues i chware pêl-droed o ddifri.

Centre forward oeddwn i, a phan ddechreues i chware roedd rhai o hogie Cerrig ar fin gorffen – rhai fel Huw Doctor, Hefin Penbryn a Dei Sgŵl. Dei Rich, ddaeth i gadw siop bwtsiar yn Cerrig, oedd yn rhedeg y tîm ac roedden nhw'n chware ar hen gae digon sâl nes daeth y bobol adeiladodd argae Llyn Brenig i'r adwy a llunio cae newydd i ni, ac mae'r ffaith honno wedi'i chofnodi ar garreg ar ochor y cae.

Roedd dau frawd o Benmachno yn chware i ddau o dimau'r Conwy League, sef Martin Lloyd yn y gôl i Lanrwst a Ken Lloyd yn chware *centre half* i Benmachno. Dau wyllt iawn oedden nhw, ac roedden nhw'n cael eu hanfon oddi ar y cae'n amal. Er eu bod yn frodyr allen nhw ddim chware yn yr un tîm am eu bod yn ffraeo o hyd!

Yn y gêm gynta chwaraeais i'n erbyn Llanrwst, Martin Lloyd oedd yn y gôl ac mi sgoriais i dair gôl yn ei erbyn, ac roedd o'n lloerig. Mi ddaeth i chware i Gerrig y Drudion yn nes ymlaen ac roedd o'n goli da. Mi chwareais i'n erbyn ei frawd Ken sawl tro hefyd, a dwi'n cofio un gêm yn arbennig, gêm gwpan yn erbyn

Penmachno ac mi gawson ni gic gornel. Mi sefais ar draed Ken Lloyd a phenio'r bêl i'r rhwyd. Wrth gerdded yn ôl i ganol y cae dyma fi'n cael ergyd ar fy ngwar a phan drois i rownd pwy oedd yno efo'i hambarél ond mam Ken Lloyd, hithau wedi bod ar ochor y cae yn gwylio a ddim yn licio be welodd hi!

Gan 'mod i'n teithio i lawr i Fodfari bob nos Wener i fynd â Mam i siopa, ac yn chware yn y Summer League drwy'r haf, mi ddois i nabod hogie'r ardal honno, ac efo nhw, nid efo hogie Cerrig, y byddwn i'n mynd allan. Mynd am y Rhyl a Phrestatyn, a fi, yn amlach na pheidio, yn dreifio. Mynd i dafarne ac i ddawnsfeydd yn Dixieland y Rhyl, ac wrth gwrs yn yfed llawer.

Un noson yn y Rhyl, mi wnes i gyfarfod â merch o Birmingham, oedd yn aros mewn carafán ym Mhrestatyn. Roeddwn i wedi bod yn yfed drwy'r min nos, ond ar ddiwedd y noson mi es â hi'n ôl i'w charafán efo fi'n dreifio wrth gwrs. Ar y ffordd dyma blismon yn fy stopio, a dechre chwilio'r car, gan dynnu'r set ôl o'i lle rywsut rywsut a chwilio'r bŵt yn fanwl. Roedd o'n amlwg yn gwybod am be oedd o'n edrych, ond wnâi o ddim deud be.

'Rwyt ti wedi bod yn yfed,' medde fo wrtha i, wedi clywed ogle ar 'y ngwynt, mae'n siŵr.

'Dwi wedi cael rhyw siandi bach,' medde finne.

Aeth i'w gar ac estyn y *breathalyzer* – y bag hen ffasiwn efo *crystals* gwyrdd ynddo fo, a rheini'n troi eu lliw os oedd rhywun wedi goryfed.

Er syndod imi arhosodd y *crystals* yn wyrdd ac mi fuo'n rhaid iddo fo adel imi fynd.

Yn orie mân y bore dyma ddychwelyd o'r garafán a

chychwyn am adre gan deithio ar hyd ffordd yr arfordir i gyfeiriad y Rhyl. Yn union yn yr un fan ag y cefais stop rai orie ynghynt mi ges i stop unweth eto, ond gan blismon gwahanol y tro hwn. Mi wnaeth ynte'r un peth yn union, sef chwilio'r car a'r bŵt yn fanwl ond heb ddeud be oedd o'n edrych amdano. Mi fu'n rhaid imi chwythu i'r bag iddo fo hefyd ac unwaith eto wnaeth y *crystals* ddim newid eu lliw.

Do, mi fues i'n lwcus, ond wnaeth y profiad ddim lles i mi. Mi roeddwn i'n teimlo'n dipyn o foi wedyn, yn meddwl 'mod i'n gallu dal fy nghwrw, yfed faint liciwn i a dreifio wedyn. Wel, doedd dim stop arna i ar ôl hynny; roeddwn i'n mynd i bobman yn y car ac yn yfed heb boeni – efo bois Bodfari a Chaerwys, hogie'r Summer League yn yr haf a hogie Cerrig a thimau'r Conway Valley League yn y gaea.

Roedd dechre haf yn amser prysur efo'r defed ym Motegir, eu golchi neu eu dipio ac yna'u cneifio. Yn yr afon y bydden ni'n dipio'r defed, torri twll dwfn yng ngwely'r afon er mwyn ei dyfnhau a bacio hen drelar at ymyl y dŵr a gollwng y defed ohono i'r afon. Ffordd ddigon hen ffasiwn, ond ffordd effeithiol iawn. Wedyn, mi fydde'r cneifio'n digwydd, ac yn ystod y cyfnod hwnnw mi fyddwn i'n mynd allan i ffermydd eraill i gneifio hefyd.

Ar un ffarm mi wnes i gyfarfod â merch o Benarlâg; roedd hi'n lapio gwlân yn y gorlan, ac ar ddiwedd y dydd dyma fynd â hi adre i Benarlâg gan ddychwelyd yn orie mân y bore.

Wedi diwrnod caled o waith a noson hwyr roeddwn i wedi blino ac yn teimlo'n gysglyd yn y car, ond mi lwyddes i gadw'n effro efo ffenest y car ar agor, ac o'r diwedd dyma droi oddi ar y ffordd fawr o Lanfihangel i Cerrig ac i'r ffordd gul oedd yn arwain i Fotegir, ffordd breifat.

'Dwi'n iawn rŵan a bron adre' medde fi wrtha i fy hun a rhaid 'mod i wedi ymlacio ac wedi disgyn i gysgu achos yr eiliad nesa dyma'r glec fwya dychrynllyd yn fy neffro a pholyn teliffon yn disgyn ar draws bonet y car! Roeddwn i wedi dreifio'n syth i mewn iddo fo ac roedd o wedi torri'n glir yn y bôn!

Ond mi wyddwn i be i'w neud. Mynd â'r polyn oddi yno a'i falu drannoeth yn goed tân, clirio'r gwydr – gwydr lamp y car – yn llwyr o'r lle, a mynd at y tarw a siafio dipyn bach o'r blew ar ei war a rhwbio hwnnw wedyn ar waelod y polyn, y darn oedd yn dal i sticio allan o'r ddaear.

Pan ddaeth dynion BT yno ymhen diwrnod neu ddau roedden nhw'n derbyn y dystiolaeth mai'r tarw oedd wedi taro'n erbyn y polyn ac wedi'i dorri. Lwcus! Mi fase polyn newydd wedi costio canpunt i mi tase nhw'n gwybod ei fod wedi torri wrth i gar daro'n ei erbyn.

Mi ddaeth Taid i wybod am y stori ac mi wydde hefyd 'mod i'n yfed. Ond doedd Nain ddim yn gwybod, neu roeddwn i'n meddwl nad oedd hi ddim. Mi fyddwn i'n bwyta fferins mint *extra strong* cyn brecwast i gelu'r ffaith oddi wrth Nain, ond dwi'n meddwl ei bod hi'n gwybod. Roedd hi ei hun yn ffyrnig yn erbyn y ddiod.

Roedd patrwm rheolaidd i fywyd ar y ffarm: yn yr haf roeddwn i allan yn gynnar, wedyn i'r tŷ ganol bore i gael brecwast llawn ac allan wedyn, a ddim dod yn ôl tan fin nos. Roedd yr orie'n rheolaidd am y rhan fwya o'r flwyddyn ond adeg defed ac ŵyn a chyfnod y cynhaea gwair roedd yr orie'n hir a doedd dim *overtime* i'w gael.

Pan oeddwn i'n ddeunaw oed mi wnes i ffraeo efo Taid, yr unig ffrae ges i efo fo erioed. Dwi ddim yn cofio'r achos, ond roedd o'n rhywbeth i'w neud efo'r defed a'r ddau ohonon ni'n anghytuno.

'Os mai fel ene dech chi'n teimlo,' medde fi, 'gnewch o'ch hun 'te.' Ac am rai dyddie wedyn mi arhoses i yn 'y ngwely gan ddechre gweithio am wyth a gorffen am bump a chadw'n ofalus i'r orie a dim gweithio orie hwyr.

Mi benderfynes 'mod i wedi cael llond bol ar y ffarm ac am fynd i'r armi. Mi wnes i gais a theithio i Wrecsam i gael y *medical*. Roeddwn i'n meddwl yn siŵr y basen nhw'n 'y nerbyn i gan fod angen llawer o filwyr yr adeg honno'n enwedig efo'r holl helynt yn Iwerddon.

Mi basiais a chael 'y nerbyn, a'r job wedyn oedd torri'r newydd i Taid a Nain. Mi benderfynes mai'r peth call i'w neud oedd deud wrth Nain i ddechre. Mi wyddwn ei bod hi'n codi am hanner awr wedi pump bob bore, felly mi wnes inne'r un peth hefyd un bore ac i'r gegin â fi. Dene lle'r oedd hi'n eistedd wrth y bwrdd efo paned o de ac roedd potelaid fach o wisgi ar y bwrdd hefyd. Mi roedd hi, oedd gymaint yn erbyn y ddiod, yn cael nogin bach o wisgi yn ei the bob bore.

Beth bynnag am hynny dyma fi'n deud wrthi'n llanc i gyd 'mod i am adel y ffarm a mynd i'r armi, ac roeddwn i'n swnio'n benderfynol. Ond chafodd hi fawr o drafferth i newid fy meddwl. Mi ddechreuodd edliw i mi gymaint roedd hi a Taid wedi'i neud i mi ac i Mam dros y blynyddoedd, a lle bydden ni oni bai amdanyn nhw. Roedd Taid wedi cyrredd oed yr addewid erbyn hyn ac yn dibynnu fwyfwy arna i.

Na, ar ôl yr hyn ddwedodd hi, allwn i ddim meddwl am fynd i'r armi. Yn y gêm o fyw, a finne'n meddwl fy hun yn *centre forward* da, y safle mwya *glamorous* ar y cae, roeddwn i wedi cyfarfod *centre half* oedd yn gallu taclo'n galetach na fi. Mi wnes i sylweddoli bod y ddau wedi edrych ar fy ôl i ers pan oeddwn i'n ddeuddeg oed, a rŵan, a hwythe'n mynd i oed, ei bod hi'n amser i mi dalu'n ôl am yr holl ofal ges i ac edrych ar eu holau nhw.

Roedd y blynyddoedd nesa, felly, nes 'mod i'n 28 oed yn flynyddoedd o weithio ar y ffarm, o yfed, o chware pêl-droed ac o fynd ar ôl merched. A phriodi'r un iawn yn y diwedd!

iii

Fel y dwedes i, roeddwn i'n byw ar goffi a dŵr yn Walton – a sigaréts hefyd rhaid i mi gyfadde. Wrth deithio efo Gethin yn ôl i Wrecsam mi ddefnyddis i gryn dipyn o sent rhag i Bry glywed ogle smocio arna i yn yr ysbyty. Ar ôl iddo gyrredd adre mi glywodd Siân, gwraig Gethin, ogle perffiwm yn y *pick up* ac mi fu'n rhaid iddo esbonio sut y daeth o yno! Roedd Bry yn gwybod 'mod i'n smocio, wrth gwrs, ond doeddwn i ddim isio gneud dim i'w ypsetio yn yr ysbyty. Wnes i rioed gyda llaw smocio o flaen Dad a Mam – a finne dros 'y neugain oed.

Mi fydd yn rhaid imi roi'r gore iddi tase dim ond er mwyn y plant, ond dydi hi ddim yn hawdd. Mi lwyddes unwaith i stopio am wyth niwrnod, ond wedyn mi gafwyd trafferthion efo cwmni gofalwyr Bry, ac mi roedd hynny'n ddigon imi ailddechre arni.

Pan symudwyd Bry yn ei ôl i Wrecsam yn dilyn ei lawdrinieth yn Walton, mi newidiodd patrwm 'y mywyd inne. Mi ddois i adre'r noson honno efo Gethin a dychwelyd i Wrecsam erbyn hanner dydd drannoeth, ac aros yno tan wyth y nos.

Cyfle felly i roi peth trefn ar 'y mywyd a rhoi sylw i'r plant. Cyfnod blinedig iawn oedd y cyfnod hwn: cychwyn i Wrecsam tua un ar ddeg y bore, cyrredd adre am naw, wedyn pobol yn galw, pobol yn ffonio a finne wedi ymlâdd. Wn i ddim be faswn i wedi'i neud oni bai fod Dad a Mam yma i ofalu am y plant.

Roedd Bry yn yr uned gofal arbennig yn Wrecsam ac mi allwn dreulio'r holl amser efo fo yno pe bawn i'n dymuno. Doedd yna ddim rheole amser i mi. Mi fu'r patrwm yn un cyson ar wahân i ddau ddiwrnod a noson yn ystod wythnos Eisteddfod Genedlaethol yr Urdd yng Nghaerfyrddin. Gan fod Teleri wedi ennill ar yr unawd telyn yn y cylch a'r sir, roedd yn rhaid mynd efo hi i'r Genedlaethol, wrth gwrs, a chawson ni aros ar ffarm perthnasau i Dorothy Ann Jones, ei phifathrawes yn Ysgol Bro Tegid. Ond roedd bod oddi cartre ac ymhell o Wrecsam yn boen meddwl i mi a wnes i ddim mwynhau fy hun o gwbwl. Pryder nid pleser oedd o ond roedd yn rhaid gneud ymdrech er mwyn Teleri. Roedden ni fel teulu wedi gneud holl drefniade'r ymweliad cyn y ddamwain ac wedi llogi gwesty i'r pedwar ohonon ni – dim ond un o gynllunie'r teulu a oedd bellach yn deilchion.

Er 'mod i'n treulio'r holl amser posib wrth ochor

gwely Bry, roeddwn i'n teimlo yn gwbwl ddiwerth ac annigonol yno. Roedd gan Bry rhyw gontrapsiwn oedd yn llawn aer yn y beipen yn ei wddw. Roedd modd gollwng yr aer allan am funud, os cymaint a hynny, bob hyn a hyn, a dyna'r unig adeg y medre fo siarad. Gan fod gofal un i un yn parhau iddo yn yr uned mi ofynnes i'r brif nyrs be allwn i ei neud i helpu, ac mi gytunwyd 'mod i'n gofalu amdano ddiwedd y pnawn cyn cyfnod ymwelwyr min nos. Roeddwn i'n bersonol felly yn molchi Bry a'i baratoi, ac roedd hynny'n beth mawr i mi. Ond o leia roeddwn i'n gallu gneud rhywbeth, er nad oedd o'n waith roeddwn i'n ei gael yn hawdd. Bob tro y bydde angen morol am y plant, pan fydden nhw'n sâl, Bry fydde'n gofalu ac yn clirio ar eu holau, a finne'n wan fy stumog. Ond roedd yn rhaid brwydro mlaen.

Nid yn Wrecsam roedd Bry i fod, ond yn yr ysbyty yn Southport, y Formby and District General Hospital. Yno roedd uned arbennig i gleifion oedd wedi anafu'r asgwrn cefn, ond rhaid oedd aros am wely, ac mi wnaed yr awgrym 'na fydde 'ne wely am tua chwe mis, ond mi gafwyd un mewn rhai wythnose. Yr unig ysbyty arall addas o fewn cyrredd oedd Gobowen, ond gan ei fod yn cael cymorth i anadlu doedd o ddim yn addas ar gyfer ei symud i'r fan honno, neu mae'n debyg mai yno y base fo, gan fod y lleoliad dipyn nes i'r Bala na Southport.

Yn ystod y cyfnod hwn, gan ei fod yn cael cymaint o dabledi a chyffurie o bob math, roedd o'n amal iawn yn ddryslyd ei feddwl ac yn cael pethe'n anghywir. Gorwedd ar ei gefn roedd o ar wely yng nghornel y stafell, a ffrâm fetel amdano, a ddim yn gallu gweld, dim ond clywed ac roedd o'n cael ei fwydo lawer gwaith y dydd drwy ei stumog.

Un diwrnod mi ddaeth y *physio* heibio efo criw o fyfyrwyr i wrando ar ei sgyfaint, ac i esbonio wrth y myfyrwyr bod yna wahanol syne a bod enwe gwahanol ar bob un.

'That's a bronchial sound,' medde hi wrth y criw o'i chwmpas.

Y noson honno, mi ddwedodd y nyrsys wrtha i fod Bry yn iawn, ond, os gwnes i ddeall ei wefusau'n iawn, mi ddwedodd o wrtha i ei fod wedi cael bronceitis!

Pedwar gwely oedd yn yr uned, ac mi alle fo weld y tri arall yn y drych uwch ei ben. Un diwrnod mi ddigwyddodd sylwi bod y tri gwely arall yn wag ac mi lwyddodd i gyfleu i mi'r noson honno fod pawb arall wedi marw ac mai fo'n unig oedd ar ôl. Wrth gwrs roedd 'na esboniad digon syml am y gwlâu gwag: un wedi'i symud i'r ward gyffredinol, un arall i'r uned *high dependency* a'r trydydd i ysbyty arall.

Mi wnaethon ni gytuno ar un peth, bod yn hollol agored efo'n gilydd, rhywbeth oedd wedi bod yn digwydd mewn gwirionedd gydol ein cyfnod priodasol. Ond mi ddaru o fy ypsetio i'n arw un diwrnod.

Roeddwn i, ar ôl rhai wythnose, yn dechre meddwl a dechre cynllunio am y dyfodol, am yr amser pan fydde Bry yn cael dod adre. Mi fydde'n rhaid adeiladu byngalo addas ar ei gyfer neu addasu'r tŷ roedden ni'n byw ynddo. Mi fues i'n edrych ar blot i fyny'r ffordd lle y gellid o bosib adeiladu byngalo pwrpasol, ac roedd rhai o ffrindie Bry, oedd yn ffermwyr, yn cynnig tir i adeiladu arno, ac mi fydde'n rhaid ystyried cael caniatâd Parc Cenedlaethol Eryri. Roedd llawer o bethe i'w cysidro ac mi ddwedes hyn i gyd wrth Bry a sôn am y gwahanol opsiynau.

'Mae gen ti opsiwn arall,' medde fo wrtha i. 'Mi elli di'n rhoi i mewn cartre, ac rwyt ti'n cael 'y nghaniatâd i i neud hynny.'

Mi wylltiais hyd ddagre pan glywes i hyn. 'Paid ti â meiddio deud y fath beth eto. Dydi hynny ddim y opsiwn; dydi o rioed wedi bod a fydd o byth. Ac os gnei di sôn am hynny eto a meddwl bod torri dy war yn broblem, wel dene fydd y lleia o dy brobleme di.'

Oes, mae pethe anodd, pethe mawr wedi cael eu deud, ond roedd yn rhaid i Bry roi'r opsiwn ene i mi. Rhaid cofio bod yr hyn sy wedi digwydd wedi digwydd inni i gyd, wedi effeithio ar y teulu cyfan, ac nid ar Bry yn unig. Eto, roedd yn rhaid iddo roi'r dewis, rhag i ni deimlo bod yn rhaid i ni ei gymryd fel yr oedd, rhag i ni rywbryd yn y dyfodol edliw'r peth iddo. Roedd o'n cynnig yr opsiwn, gan obeithio, siawns, y bydden ni'n gneud y dewis iawn. Ac ryden ni fel teulu wedi dewis, a'n dewis ni ydi o.

Ar y dechre roedd hi'n anodd gweld sut y gellid addasu'r tŷ roedden ni'n byw ynddo at anghenion Bry oherwydd gogwydd y tir o gwmpas. Ond yn y diwedd, wedi cynllunio manwl, mi drodd y gogwydd yn fantais, rhywbeth na fydde wedi gallu digwydd pe bydden ni'n byw mewn tŷ yn y dref.

Tra oedd yr holl bethau hyn yn digwydd roedd bywyd yn mynd yn ei flaen, y plant yn cael pen-blwyddi a finne'n meddwl, efo Bry yn ei ôl yn Wrecsam, fod popeth alle ddigwydd wedi digwydd ac nad oedd dim byd ychwanegol i'w wynebu. Ond nid felly roedd hi.

Mi ddaeth y meddyg ata i yn Wrecsam i esbonio be

alle ddigwydd i Bry, bod y drinieth yn llwyddiannus a
phopeth y gellid ei neud wedi'i gyflawni. Doedd dim
peryg i Bry farw oherwydd iddo dorri ei war, medde fo,
ond ni chododd y cwmwl gan iddo fynd ati i ddisgrifio
cymaint o bethe alle ddigwydd iddo a'i ladd, bod cymaint
o gymhlethdodau alle godi: galle embolism neu glot ei
ladd; galle niwmonia fod yn farwol iddo; galle unrhyw
haint fod yn ddigon amdano; ac oherwydd y beipen
yn ei wddw, galle rhywbeth ddigwydd ar amrantiad a
throi o chwith mewn pum munud, a dyna pam bod
angen gofal pedair awr ar hugain arno fo. Mi fu farw
chwaraewr rygbi arall, nid oherwydd ei anaf ond
oherwydd achosion eraill yn dilyn ei anaf. Ond hyna
yn y byd mae Bry yn mynd, mwya annhebyg yw hyn oll
o ddigwydd, ac mae hynny'n gysur.

Ar y dydd Llun cynta ym Mehefin mi aeth Dad a Mam
ar eu gwylie, y gwylie roedden nhw wedi'i drefnu ers
tro. Doedden nhw ddim yn fodlon mynd ac am ohirio
ond mi rois fy nhroed i lawr a deud bod yn rhaid iddyn
nhw fynd, roedden nhw angen gwylie. Mi allwn inne,
gan fod Bry yn Wrecsam, newid patrwm fy nyddie;
mynd yn syth i'r ysbyty ar ôl i'r plant fynd i'r ysgol a
dod adre mewn pryd i'w derbyn gan fod Teleri'n dal yn
yr ysgol gynradd ac Ilan ond ar ei flwyddyn gynta yn
yr uwchradd.

Mi aeth fy rhieni i Lyn Garda yn yr Eidal, ond
y noson honno mi ges i alwad ffôn o'r ysbyty. Sister
Sarah Anglesey oedd yno, ac mi 'chrynes i a meddwl
bod rhywbeth wedi digwydd. Ond ffonio roedd hi i
ddeud bod gwely ar gael yn Southport ac y bydde Bry
yn symud yno ddydd Mercher!

Mi wnes i ddechre panicio pan glywes i hyn, ond

mi ddwedodd o nad oeddwn i ar unrhyw gyfri i fynd i Southport i'w weld o ar y dydd Mercher. Erbyn y bydden nhw wedi cyrredd a'i setlo fo i lawr, mi fydde wedi mynd yn hwyr ac ynte wedi ymlâdd. Fel arfer, roedd o'n meddwl amdana i cyn meddwl amdano fo'i hun. Felly, yr hyn wnes i oedd mynd â'r plant efo fi i Wrecsam ar y nos Fawrth i ffarwelio a mynd ag anrhegion i'r staff gan ddiolch iddyn nhw am yr hyn oll a wnaethon nhw tra buo fo yno.

Ar y dydd Mercher, felly, mi fues i'n brysur iawn ac rydw i wedi cofnodi'r hyn wnes i a'r hyn ddigwyddodd yn ystod y dydd yn fy nyddiadur ar y we:

Gneud y bin yn barod a'i roi allan ar gyfer ei gasglu drannoeth – gwaith Yogi fel arfer.

Glanhau esgidiau ysgol Ilan – gwaith Yogi fel arfer.

Mynd â Teleri i Flaenau Ffestiniog fin nos ar gyfer ei gwers delyn – gwaith Yogi fel arfer.

Bill yma'n torri'r lawnt, fo a Gwyn yn gneud hynny bob yn ail – gwaith Yogi fel arfer.

Alan drws nesa'n mynd efo Ilan ar y beic – gwaith Yogi fel arfer.

Golchi'r car – gwaith Yogi fel arfer.

Mi wnaeth hyn oll imi feddwl be oeddwn i'n ei neud cynt mewn difri? Dim llawer pan oedd Yogi o gwmpas mae'n amlwg. Gymaint roedd pethe wedi newid a *main spring* ein teulu ni ar ei gefn yn yr ysbyty.

Mi es i Southport ar y dydd Iau, mynd fy hun yn y car, ar yr M56 i'r M6 ac ar draws i'r M58, a cholli fy ffordd yn lân. Ond mi ddois o hyd i'r ysbyty yn y diwedd, ac

yno, y diwrnod hwnnw, mi drawodd fi am y tro cynta
sut y bydde Bry am weddill ei oes. Yn Wrecsam fo oedd
yr unig un efo'r math o anaf oedd ganddo. Yn Ward 3
roedd yna lond stafell o bobol mewn cadeirie olwyn a
chyda graddau amrywiol o anafiadau, ond pawb wedi'i
anafu'n ddifrifol, ac yn methu symud mewn cadeirie.
Roedd o'n lle hollol *depressing*.

Wedi dau ddiwrnod o gael bwyta yn Wrecsam roedd
hi'n *nil by mouth* unwaith eto. Roedd o'n flinedig braidd
ar ôl y daith y diwrnod cynt felly mi ddarllenais erthygl
o'r *Free Press* iddo fo oedd yn adrodd am dîm cwis y
Royal Oak yng Nghorwen yn casglu £100 i gronfa Bry,
cronfa oedd wedi ei chychwyn gan y Clwb Rygbi ac oedd
yn tyfu'n gyflym. Yna adrodd am Ann Carregberfedd yn
ffonio i ddeud y bydde elw'r noson tag rygbi yn Cerrig
drannoeth yn mynd at y gronfa hefyd. Roedd Bry yn
emosiynol wrth glywed hyn i gyd. Mae o'n methu coelio
bod pawb mor garedig, a minne'n gorfod ei atgoffa o
hyd nad oes gan neb air drwg amdano fo a'i fod o'n
halen y ddaear.

Yn ystod y cyfnod yma roedd 'ne lawer o godi
gobeithion a'r rheini'n cael eu chwalu. Roedd darlun yr
asesiad a gafodd o gan arbenigwyr Southport pan oedd
o'n dal yn Wrecsam yn un tywyll iawn – dim symud ei
ben, dim bwyta, dim siarad heb *voice box*. Ond roedd
gynnon ni obeithion, ac mi wireddwyd rhai ohonyn
nhw.

Y drafferth oedd nad oedden ni'n cael gwybod
popeth. Wnaeth neb eistedd i lawr efo fi i gyflwyno'r
darlun cyfan a chyflawn. Roedd yn rhaid imi holi a
stilio, ac wrth neud hynny y cawn i atebion, a finne'n
ceisio creu y darlun cyflawn o'r darnau a gawn. Roedd

llawer o bethe nad oedden nhw'n eu deud oni bai 'mod i'n gofyn. Roeddwn i'n astudio'r we ac roedd eraill fel Brian Lloyd yn gneud yr un peth i geisio dod o hyd i wybodeth. Unwaith, mi ddwedodd wrtha i fod yna sôn, yng nghyd-destun anafiade difrifol, am sefyllfa *incomplete* a *complete*. 'Rhaid i ti ofyn iddyn nhw am y peth,' medde fo. Os oedd yr anaf yn *incomplete* roedd rhyw gyfran o'r asgwrn cefn yn dal i weithio, ond os oedd o'n *complete*, fel yn achos Bry, yna doedd dim datblygiad yn bosib, dim newid o gwbl o'r cyflwr roedd o ynddo.

Mi ddarllenes ar y we am ysbyty yn Beijing, ysbyty oedd yn cynnig trinieth arbennig i rai wedi anafu asgwrn y cefn. Mi fues i mewn cysylltiad e-bost efo meddyg yn y fan honno, ac roedd y cyfan yn swnio'n obeithiol. Ond wedi meddwl ac ystyried yn ofalus doedd mynd yno ddim yn opsiwn. Dydi Tsieina ddim yn cadw ystadegau ac am a wyddwn i, os llwyddwyd i wella un, falle bod dege wedi marw dan yr un drinieth. Pe bai ystadegau ar gael yn nodi bod wyth neu naw o bob deg yn gwella, mi fydde'n fater gwahanol. Mi allen ni fynd ati i godi arian mawr i fynd i Tsieina, tua ugien mil am y drinieth, a rhagor na hynny am y daith. Ond fydde Bry byth wedi dal siwrne ar draws y byd. Felly, bydde'n rhaid anghofio am y peth er cymaint y demtasiwn. Fel y dwedes i, tase'r drinieth yn un llwyddiannus mi fase 'ne ystadegau i brofi'r llwyddiant hwnnw ac mi fase i'w chael yn nes adre.

Un dydd ar y tro oedd hi yn ein hanes ni i gyd yn ystod y cyfnod hwn, ac un dydd ar y tro ydi hi o hyd. Hynny a dal i obeithio. Mae Bry yn barod iddyn nhw drio unrhyw beth, mae'n fwy na pharod i fod yn *guinea pig* os gwnaiff hynny les i rywun arall.

Mae o'n cael dyddie gwell na'i gilydd wrth gwrs ac yn cael ambell blwc o ddigalondid. Dwi'n meddwl bod y feddyginiaeth mae o'n ei chael drwy'i stumog yn gneud iddo edrych ar yr ochor dywyll. Dwi'n ei gofio fo'n deud wrtha i ar ôl noson ddigwsg oherwydd poen: 'Fasen nhw ddim yn gadel i anifel fyw fel hyn.' Ond y boen oedd yn siarad.

Mi roedd siarad fel hyn yn ypsetio'r plant ac yn fy ypsetio inne hefyd. Dyma Ilan yn deud wrtha i yn Walton pan oeddwn i'n crïo: 'Paid ag ypsetio, Mam, mi alle pethe fod yn waeth, mi alle Dad fod wedi marw.' Falle bod rhywun yn poeni mwy na sy'n rhaid am y plant, mae ganddyn nhw fwy o nerth a mwy o synnwyr nag a feddyliwn ni'n amal. Mae 'ardal y dacl' wedi bod yn anodd iddyn nhw fel i ni i gyd, ond maen nhw wedi dod drwyddi.

'O enau plant bychain... !'

4

Yn y Gell Gosb

i

BRAW OEDD Y TEIMLAD cynta ges i yn Southport, y
lle'n ddiarth a finne ddim yn gwybod be oedd yn
digwydd. Doedd Susan ddim wedi medru dod yno gan
fod ei thad a'i mam wedi mynd ar eu gwylie, ac roedd
y prysurdeb o'n symud i o un ysbyty i'r llall a rhoi pob
math o brofion imi ar ôl cyrredd yn cymryd drwy'r dydd
tan bump o'r gloch gyda'r nos. Roedd tri neu bedwar
o ddoctoried rownd y gwely, a nyrsys diddiwedd, pawb
yn prodio, yn ffidlan, yn gosod peipie a pheirianne o
'nghwmpas i, yn rhoi profion i mi a finne'n gwybod
dim be oedden nhw'n ei neud i mi, a neb yn deud dim
byd. Mi fase presenoldeb Susan wedi bod yn help mawr,
ond roedd hynny'n amhosib.

Yn nes ymlaen mi ddois i wybod mai un o'r profion
roedden nhw'n ei neud oedd yr un am MRSA, rhag ofn
'mod i wedi cario hwnnw o Wrecsam. Ond yr un oedd
y sefyllfa yma ag yn Wrecsam; pan oedd llawer o bobol
o gwmpas a rhywbeth yn digwydd, doedd neb yn deud
dim, roeddwn i'n gorfod dibynnu ar sefyllfa o siarad
ag unigolyn i gael gwybodeth. Bryd hynny mi fyddai
pawb yn barod i siarad. Am wn i mai felly mae hi ym
mhob ysbyty – chewch chi wybod dim os na wnewch
chi holi.

Roeddwn i ar 'y nghefn yn y gwely yn union yr un

73

fath â Wrecsam, a phawb wedi gorffen efo fi erbyn pump o'r gloch. Mi ddaeth *staff nurse* o'r enw Margaret Maule i eistedd wrth y gwely a hi oedd yn edrych ar fy ôl am y ddwy noson cynta. Mi fuo hi'n arbennig, chware teg iddi, yn fy setlo i lawr ac yn siarad drwy'r nos mewn sefyllfa un i un, yn sgwrsio amdani hi ei hun, yn deud am yr ysbyty, a finne'n gwrando. Doeddwn i ddim wedi arfer llawer efo Saesneg, dim ond efo Cymraeg, ond gan na fedrwn i siarad bryd hynny roedd clywed y Saesneg yn help imi gan ei fod o'n mynd i mewn i 'mhen i, ac mi ddeue oddi yno, siawns, pan fyddwn i'n gallu siarad.

Yn y bore mi ddaeth *staff nurse* o'r enw Lee Francis i mewn, a fo oedd efo fi yn ystod y dydd am ddau ddiwrnod cynta y bues i yno. Roedd ynte'n deud ei hanes, hanes ei deulu a hanes yr ysbyty ac mi ddaethon ni'n ffrindie mawr. Roedd Susan yn dod i 'ngweld i ryw ddwy neu dair gwaith yr wythnos hefyd, a doedd hynny ddim yn hawdd iddi hi ac ystyried pellter y daith i Southport a bod gofal am y cartre bellach yn dibynnu arni hi.

Roeddwn i'n cael 'y mwydo drwy'r peg yn y stumog ac yn gorfod cymryd peth wmbreth o dabledi, tua deunaw'r dydd, fel nad oeddwn i fawr callach lle roeddwn i yn ystod y pythefnos cynta. Ond mi ostyngwyd y nifer yn raddol ac mi basiodd yr amser. Mi ddois i'n fwy ymwybodol o be oedd yn digwydd, dechre cael teimlad yn fy mol a dechre dod i nabod rhai o'r nyrsys. Y peth gwaetha oedd 'mod i'n methu siarad. Pan roddwyd y ffrâm a'r *halo* o gwmpas 'y mhen i yn Walton mi ddwedwyd wrtha i y bydde'n rhaid iddo fod yno am o leia bedwar mis. Ond ar ôl llai na thri mis dyma'r arbenigwr, Mr Soni, i mewn ryw ddiwrnod efo rhywbeth tebyg i focs tŵls, ac ar ôl sgwrsio tipyn bach, er mai dyn prin ei eirie oedd o, dyma fo'n tynnu sbaners a phethe felly o'r bag a dechre dadsgriwio a thynnu'r ffrâm a'r *halo* a lluchio'r darne ar lawr. Doedd o ddim yn foi oedd yn deud llawer, ddim yn foi efo llawer o fynedd, ac ar ôl gorffen y gwaith dyma fo'n cydio yn 'y ngwallt i a chodi 'mhen a'i ollwng yn ôl ar y gobennydd.

'Neck strong enough without a collar,' medde fo. 'I'll be back in three weeks and expect you to be able to move your head.' A chyda hynny mi aeth, a'i focs tŵls a'r darne ffrâm efo fo!

Mi gadawodd fi'n fan'no'n methu siarad na dim a 'mhen i'n teimlo fel tase fo'n pwyso tunnell. Roedd o mor drwm, bron yn amhosib i'w symud, a finne'n methu am hir. Ond roedd yn rhaid dal ati i drïo, i symud 'nôl a mlaen ac i fyny ac i lawr. Roeddwn i wedi deud wrth Mr Soni a'r lleill yn Wrecsam 'mod i isio mendio gore gallwn i a dene pam ddaru nhw 'y nghymryd i yn Southport. Roedd yn rhaid cadw at yr addewid, a mendio oeddwn i isio beth bynnag, felly dyma fynd ati i ymarfer ac o dipyn i beth mi ddois i fedru troi 'mhen ychydig i'r chwith, ond roedd troi i'r dde bron yn amhosib. Pan ddaeth yr arbenigwr yn ei ôl roedd o'n hapus iawn efo'r symudiad i'r chwith, ond roedd angen llawer mwy o waith ar yr ochor dde.

Yn ystod y cyfnod hwn hefyd, gan fod nifer y tabledi yn cael eu lleihau o hyd, roeddwn i'n dod i nabod mwy ar y nyrsys ac yn dod yn fwy ymwybodol o ffrindie'n dod i 'ngweld i, ond roedd y rhwystredigaeth o'r herwydd yn fwy, am nad oeddwn i'n gallu siarad â nhw.

Mi ddaeth Mr Soni drachefn a thynnu'r beipen oedd

gen i yn fy nghorn gwddw a gosod un arall yn ei lle.

'I'll be back in a fortnight,' medde fo, 'and I expect to hear you speak.'

Dene'r cwbwl, dim eglurhad na dim byd, dim ond un beipen allan ac un arall i mewn.

Ac mi ddaeth y llais yn ei ôl ac, o, roedd o'n deimlad mor braf. Ond roedd y Saesneg yn dod allan ffordd chwith, er 'mod i wedi clywed llawer o'r iaith. Roeddwn i'n meddwl ac yn siarad yn Gymraeg yn 'y mhen ac yn trïo'i gael o allan yn Saesneg, ac roeddwn i'n deud pethe reit ddoniol ar y dechre. Ond roeddwn i'n lwcus 'mod i wedi'u clywed nhw'n siarad Saesneg ers sbel, ac felly wedi dod i'w deall ac arfer efo'r acen cyn i mi ddechre siarad 'yn hun. Ac roeddwn i'n cael digon o gyfle i siarad Cymraeg hefyd pan ddeue Susan, a phan ddeue pobol erill i edrych amdana i. Mi fydde 'ne lond car o hogie Llangwm yn dod bob chwe wythnos, a dau neu dri llond car o'r Bala hefyd. O, roedd o'n deimlad braf cael y llais yn ôl ac mi wnes i altro'n ofnadwy wedyn.

Dynes o'r enw Carol Fairhurst oedd y *sister* ar y ward, dynes fawr fel teyrnas ac roedd ar bawb ei hofn drwy eu tine. Roedd ei golwg hi'n ddigon, doedd dim angen iddi siarad, a dim ond galw unweth fydde hi, ac mi fydde pawb yn rhedeg! Ond mi fuo hi'n ardderchog efo fi a deud y gwir. Roedd hi'n cega hefyd am 'mod i ddim yn siafio. Y peth cynta ddwedodd hi wrtha i oedd fod pawb yn ei ward hi'n edrych yn daclus ac yn siafio bob dydd, a finne'n deud wrthi nad oeddwn i erioed wedi siafio'n lân. Be oeddwn i'n ei neud oedd gwrthod cael fy siafio pan fydde hi'n gweithio, a phan oedd hi ar ei diwrnod i ffwrdd roeddwn i'n siafio – rhywbeth i'w weindio hi i fyny ffordd rong!

Ond chware teg iddi, ar ôl i effeithie'r tabledi ddiflannu, mi fydde'n dod draw ac yn egluro i mi be oedd yn mynd i ddigwydd nesa. Mi fuo'n esbonio i mi'r teimlad roeddwn i'n ei gael yn fy nghorff y tu mewn a'r tu allan. Mae'n anodd disgrifio ond roedden nhw'n deimlade mwya od. Roeddwn i'n hollol ddiffrwyth o 'ngwar i lawr, ac eto roeddwn i'n teimlo symud yn fy mol weithie, a'r un fath efo braich a choes. Roeddwn i'n methu deall be oedd yn digwydd, ac yn y diwedd roeddwn i'n medru teimlo pob un cyhyr yn fy nghorff ond yn methu symud 'run. Roeddwn i hefyd yn teimlo poen, ond nid pob poen chwaith, ac roedd hynny'n gallu bod yn beryglus gan fod poen yn rhybudd. Pan fyddwn i'n mynd at y *physio* a hwnnw'n fy rhoi ar feic a'r beic yn symud y coese, roedd o'n brofiad mwya od – gweld fy nghorff yn symud ond doedd o ddim yn teimlo fel petai'r corff yn perthyn i fi. Roeddwn i'n gweld y *joints* yn plygu ond doedd o'n gneud dim synnwyr i mi. Yn amal, yn y nos, mi fyddwn i'n methu cysgu, yn straenio fy hun gymaint i geisio symud fy nghoese ac yn methu. Roeddwn i'n gweld y nyrsys yn dod â phaned neu ddiod o ddŵr ac roeddwn i isio gafael yn y cwpan, ond fedrwn i ddim. Roedd fel tase 'nghorff i ddim yn gallu ymateb i'r hyn roedd fy ymennydd yn deud wrtho am ei neud.

Mi welais i lun mewn enseiclopidia yn Southport, llun corff heb y croen, yn dangos y gewynne a'r cyhyre i gyd, a dwi'n meddwl mai'r llun yne ydi'r agosa fedra i feddwl amdano i ddisgrifio sut roeddwn i'n teimlo fy nghorff fy hun – sef yn union fel y corff yn y llun.

Mi ges i amser anodd pan ges i drafferthion efo'r corn gwddw ar ôl cael y llais yn ei ôl. Roedd y beipen –

y beipen anadlu – gynta yn saith milimetr o led a bydde hi'n cau o hyd ac roedd yn rhaid newid y 'traci' bump neu chwe gwaith yr wythnos, weithie ddwywaith y noson gan 'mod i'n mygu. Roedd dau'n gyfrifol am y peiriant anadlu – y fentilator – sef Dr Watts a Sue Perrie Davies ac roedden nhw'n trio gwahanol fathe o beips yn fy nghorn gwddw i, chwe gwahanol deip i gyd, a rheini'n crafu'r tu mewn i'r gwddw nes ei fod o'n gwaedu. Felly, byddwn i'n cael poene mawr. Mi roddwyd camera i lawr fy ngwddw i weld be oedd yn bod. Y broblem oedd bod corn gwddw pawb yn wahanol, a bod y lle roedd tro yn fy gwddw i'n llai na hyd y 'traci,' felly roedd o'n crafu cefn y gwddw a hynny oedd yn achosi'r gwaedu.

Roedd hwnnw'n gyfnod annifyr iawn. Ges i amser caled a doeddwn i ddim yn teimlo fel gweld neb gan 'mod i'n isel fy ysbryd. Mi sonia i fwy am y ffrindie oedd yn dod i 'ngweld i eto, ond pan oedd rhywun o'r Bala yn dod draw, doedd gen i ddim calon i wrthod eu gweld, gan eu bod wedi teithio mor bell.

Ie, adeg anodd oedd cyfnod yr helynt efo'r fentilator a finne ddim yn dallt a neb yn deud fawr ddim cyn i Carol, y *sister*, ddod i esbonio i mi be oedd yn digwydd, ac i ddisgrifio'r gwahanol beips ac i ddeud be oedd y gwahanol dabledi yn eu gneud i mi.

Yn y cyfnod hwn mi roeddwn i'n cael spasms erchyll a phoene mawr ac mi ges i dabledi i geisio llonyddu'r rheini, ond doedden nhw ddim yn gweithio ac roeddwn i'n cael poene nes 'mod i'n bownsio ar y gwely. Roedd y spasms fel tasen nhw'n cloi 'nghyhyre i, a'r boen yn debyg i boen cramp ond yn llawer gwaeth. Tua Awst 2007 oedd hi pan oedden nhw ar eu gwaetha, er 'mod i'n dal i'w cael nhw o hyd. Y drwg oedd bod y cyhyre'n cau am y 'traci' hefyd ac yn effeithio ar yr anadlu. Roedd y gwynt yn mynd i mewn yn iawn ond doedd o ddim yn dod allan, felly roedd yn rhaid ei dynnu i ollwng y gwynt allan. Mi fydde'r spasm yn para am ddwy neu dair awr ac er trïo gwahanol fathe o dabledi doedd dim byd yn eu hatal yn llwyr. Mae'n lwcus 'mod i'n gallu paffio popeth arall, efo help y tabledi, ond nid y spasms.

Tua'r amser yma hefyd y ces i ddewis bwyta neu beidio. Wel, roedd bwyta yn hytrach na chael 'y mwydo drwy'r beipen i fy stumog yn ddatblygiad pwysig ond doedd o ddim yn hawdd. Dwi'n cofio unweth yn Wrecsam pan oedd Susan yn glanhau fy nannedd cyn cyfnod yr ymwelwyr, mi frwsiodd hi nhw mor galed nes daeth y past dannedd allan drwy'r beipen. Ac mi ddigwyddodd yr un peth pan ddaru nhw drio rhoi hufen iâ i mi.

Wedi imi benderfynu 'mod i am drïo bwyta yn hytrach na chael fy mwydo drwy'r peg yn fy stumog ac addo i Carol y baswn i'n bwyta uwd i frecwast bob bore, dyma rhyw ddyn i mewn efo *pliers*, ac eistedd ar fy mol. Y tu mewn i'r bol roedd rhyw gontrapsiwn tebyg i falŵn ac roedden nhw'n ei chwyddo rhag i'r peg ddod allan. A be wnaeth y dyn oedd gollwng y balŵn efo andros o glec ac wedyn rhoi plwc a thynnu'r peg allan. Roedd o'n gwybod be oedd o'n ei neud ond doedd o ddim yn egluro'n fanwl i mi ac roedd o'n brofiad digon annifyr.

Felly, dyma ddechre bwyta uwd, a sôn am lanast ar y dechre, roeddwn i fel plentyn bach yn cael fy mwydo a'r uwd yn mynd i bobman. Bwyta tipyn bach i ddechre ac yna cynyddu bob yn dipyn, a chael ambell i damed o fara brown yn nes ymlaen er mwyn imi ailddysgu cnoi. Dyna oedd y broses. Fel gyda'r siarad, roedd yn rhaid dysgu'n araf, ac mi fydden nhw'n deud wrtha i'n amal 'mod i'n lwcus bod gen i ddwy iaith gan fod dysgu'n haws. Mi fues i'n bwyta uwd am flwyddyn a hanner – fydda i byth yn ei gyffwrdd o heddiw! Ond o ddal ati a dyfalbarhau mi ddaeth pethe'n well.

Un peth annifyr iawn oedd gweld pawb arall yn cael be roedden nhw isio i'w fwyta, a finne'n cael dim dewis, dim ond uwd, uwd a rhagor o uwd. Ond roedd yn rhaid dal ati; taswn i'n methu mi faswn i 'nôl efo'r peg yn fy stumog a doeddwn i ddim isio hwnnw. Yr unig flas roeddwn i'n ymwybodol ohono wrth gael fy mwydo efo'r peg oedd blas halen yn fy ngheg. Roedd fy stumog wedi shrincio gan na fuo'n derbyn bwyd ac felly roedd yn bwysig ei stretsio'n ôl. Mi ddaeth yn reit sydyn wrth imi ddal ati i fwyta'r uwd.

Yna, ymhen pythefnos neu dair wythnos, mi ddaeth y deietisian i 'ngweld i, a deud faint o brotin a fitamin C a phethe felly roedd ei angen arna i, ond doeddwn i ddim yn cael bwyta be liciwn i, dim ond be roedd hi'n ei awgrymu.

Roedd y boi pen, 'Shrink' fel roedden ni'n ei alw, sef Clive Glass isio dod i 'ngweld i pan oeddwn i'n isel, ond doeddwn i ddim isio'i weld o ac mi fyddwn yn gwrthod. Mi ddywedwyd hynny wrth Susan.

Byddwn i'n cael plycie digalon iawn ond yn trïo peidio â dangos i neb, yn enwedig pan fydde Susan a'r plant yn dod i 'ngweld i – Susan ddwywaith neu dair yr wythnos a'r plant ar y Sadwrn. Mi fuo mam a tad Susan, Dick a Morfudd, yn ffyddlon iawn i mi hefyd, ac mi fydde'r ddau yn ymweld yn rheolaidd. Nhw, ac un o fy chwiorydd, Joyce, oedd yr unig deulu fydde'n dod. Un o'r pethe caleta oedd gweld teuluoedd pawb arall yn dod yno ond nid 'y nheulu i, ac ar y dechre roeddwn i'n ddigalon am y peth. Mi ddaeth fy mam, ac un chwaer a brawd i 'ngweld i ddwywaith pan oeddwn i yn Wrecsam, a Mam ddwywaith yn ystod fy chwe wythnos cyntaf yn Southport, dyna'r cwbwl. Dwi ddim wedi gweld Mam ers hynny, na neb arall o'r teulu, ar wahân i Joyce. Wn i ddim pam – methu derbyn y peth falle, neu dim calon i ddod. Does neb o'r teulu yn dod a deud y gwir, dim cefndryd na ch'nitherod. Dwi ddim yn teimlo'n chwerw a dwi ddim yn meddwl lot am y peth. Ond mae'n syndod fel mae rhywun yn dod i wybod pwy ydi'i ffrindie fo. Mae Joyce wedi bod yn ffyddlon iawn, chware teg iddi, ac yn dod i 'ngweld i bob pythefnos hyd yn oed heddiw.

Roeddwn i'n gweld pobol oedd yn yr un cwch â fi yn yr ysbyty, yn wir rhai'n waeth hyd yn oed na fi. Wrth glywed y straeon be oedd wedi digwydd i rai o'r cleifion eraill roeddwn i'n gallu credu nad oedd bywyd mor ddrwg â hynny wedi'r cyfan. Ac mi fydde ffrindie'n gneud iawn am y diffyg ymweld gan y teulu – rhwng deg a phymtheg o ymwelwyr bob wythnos, rioed lai na deg oni bai 'mod i'n gyrru neges adre efo Susan i ddeud nad oeddwn i isio gweld neb, ac mi ddigwyddodd hynny ryw deirgwaith. Doedd yr ysbyty erioed wedi gweld y fath beth, a doedd gan y staff ddim syniad chwaith am y math o fywyd roeddwn i wedi'i fyw pan ddechreues i sôn am ffarmio wrthyn nhw. Ac roedd eu bywyde hwythe'n hollol wahanol i unrhyw beth roeddwn i wedi'i ddychmygu.

Dwy o'r nyrsys fydde'n gweithio'r nos oedd Judith

a Helen, a'r ddwy'n dod i 'ngweld i'n amal – Helen yn
Gymraes a'i theulu'n dod o Langefni, hithe wedi priodi
a setlo yn Southport. Roedd yn braf ei chael hi i siarad
Cymraeg efo fi.

Fyddwn i byth yn prynu presant i Susan, na blode
na dim byd felly, ond unweth mi benderfynodd y ddwy
brynu cerdyn i Susan a CD o ryw ganwr roedd hi'n hoff
ohono a lapio'r cyfan yn barsel lliwgar. Roedd Susan
wedi cael sioc pan gafodd hi'r presant. Mi ddechreuodd
feddwl 'mod i wedi bod yn 'chware i ffwrdd' fel maen
nhw'n deud, gan 'mod i'n rhoi cymaint o sylw iddi!

Fel roedd pethe'n gwella yn fy hanes i roeddwn i'n
dod i nabod mwy a mwy o staff yr ysbyty ac roedd mwy
a mwy o nyrsys yn dod i edrych amdana i gan nad oedd
angen sylw mor arbenigol arna i.

ii

Deunaw oed oeddwn i pan benderfynes i fynd i'r armi,
ac mi basies yn A1. Doedd dim ar ôl i mi ei neud ond
arwyddo ac mi fyddwn yno. Tybed beth fydde fy hanes
i taswn i wedi mynd. Tipyn gwahanol i'r hyn ydi o
mae'n siŵr, ond does dim pwrpas dyfalu, wnes i ddim
arwyddo ac es i ddim i'r armi, a dene fo. Roedd geirie a
phersonolieth Nain yn gryfach na'r un fyddin, ac roedd
gen inne ddigon o gydwybod i weld mai hi oedd yn iawn
ac nad oedd ond yn deg i mi dalu 'nôl iddyn nhw am y
gofal a'r cartre ges i ganddyn nhw.

Ac wrth gwrs roeddwn i wrth fy modd yn ffarmio
a chan 'mod i'n chware pêl-droed a dartiau ac yn

mynd allan efo'r hogie roeddwn i'n cael y gore o ddau fyd. Ffarmio fyddwn i o hyd mae'n debyg oni bai i'r perchennog, Glasebrook, farw ac i'r ffarm gael ei gwerthu.

Yn raddol, fel roeddwn i'n mynd yn hŷn a Taid yn heneiddio, roedd o'n rhoi mwy a mwy o gyfrifoldeb imi. Roedd gan Glasebrook, y perchennog, ffarm fawr arall ger Dinbych, ffarm o bedair mil o aceri, a fi, nid Taid, fydde'n mynd i lawr i Ddyffryn Clwyd efo'r landrofer a'r trelar i'w helpu yn y cynhaea ŷd ac i ddod â llwyth o wellt adre efo fi i Fotegir bob nos. Roedd cymryd mwy o gyfrifoldeb yn golygu gweld faint o geirch oedd ei angen, faint o *sugar beet*, gneud yn siŵr bod digon o fwyd anifeilied ar gael ac archebu pan fydde angen. Heb yn wybod bron, gan fod angen yn galw, mi ddysges ddarllen a sgwennu wrth ddysgu ffarmio. Poen oedd hynny yn yr ysgol, anghenraid ar y ffarm. Fi fydde'n derbyn galwadau ffôn William Shaw, y rheolwr, bob bore Llun ac yn gweithredu ar ei orchmynion, yn dewis ŵyn i'r farchnad yn Llanelwy ac yn eu pwyso ar gais Len Edwards, y bugail. Yn ystod y cyfnod yma hefyd mi ddysges drin y cŵn – cwbwl hanfodol ar ffarm fawr fel Botegir.

Fel roeddwn i'n cymryd mwy a mwy o gyfrifoldeb, roedd Taid yn cymryd llai a llai ac yn codi'n hwyrach, ond roedd Nain yn dal i godi am hanner awr wedi pump bob bore ac mi fyddwn i'n cael brecwast llawn cyn cychwyn allan bob dydd, fel taswn i'n aros mewn hotel. Pan oeddwn i'n ddeuddeg oed mi laddwyd Bob ar y tractor ac am gyfnod wedyn roedd yn rhaid i mi fodloni ar dorri asgell efo pladur gan i farwoleth Bob effeithio'n fawr ar Taid.

Mi drois inne dractor drosodd hefyd, yn yr un cae, yn ddiweddarach. Roedd yna ffrâm ddiogelwch ar y tractor hwnnw ond dwi'n meddwl mai'r hyn a'm cadwodd i'n fyw ac yn iach oedd imi aros yn y sedd a gafael yn y llyw tra bod Bob wedi ceisio neidio oddi arno a'r tractor wedi disgyn ar ei ben.

Yn ystod y cyfnod yma y cychwynnwyd y Nantglyn and District Summer League gan ryw foi o Nantglyn ac roeddwn i'n chware i Bodfari cyn mynd ati i greu tîm yn Llanfihangel. Roedd criw da o fois yno bryd hynny a dwi'n dal i gofio'r rhan fwya ohonyn nhw: Dei Ty'n Gilfach a Ned Fodwen, dau frawd oedd yn byw ar wahanol ffermydd; Wyn a Robin Gweinidog yn ddau frawd arall; Alun Ty'n Celyn; Deio Edwards; Cliff Jiff o Ddinmael; ac amryw o rai eraill. Roedden ni'n mynd i lefydd fel Llanddulas, Llanfair Talhaiarn, Nantglyn a Llansannan i chware. Ninnau'n cael benthyg y cae sioe yn Cerrig i chware'r gême cartre gan nad oedd cae addas a digon fflat i ni yn Llanfihangel.

Roedden ni'n griw reit arw a deud y gwir a dwi'n cofio un gêm eitha budur yn erbyn Llanddulas a ninne'n colli o ddwy gôl i un. Saeson oedden nhw i gyd – wel, Saesneg oedden nhw'n siarad beth bynnag. Fi oedd capten a manijar y tîm erbyn hyn a chyn iddyn nhw ddod i Cerrig am y *return match* dyma hel pawb at ei gilydd a'u siarsio nad oedd unrhyw baffio na dim byd i fod tan y chwarter awr ola, ac os oedd hi'n mynd yn ddrwg fod pawb i fynd ati i gefnogi'i gilydd. Roedd hi'n swnio fel gêm o rygbi – neu ryfel hyd yn oed!

Yn ystod y pum munud cynta mi aeth Wyn Gweinidog at un o fois Llanddulas a'i ddyrnu yn ei wyneb am ei fod wedi gneud rhywbeth iddo fo, ac mi aeth pethe'n rhemp wedyn. Oswyn Williams, ysgolfeistr Melin y Wig, oedd y reff ac mi roedd o'n sefyll yng nghanol y cae yn chwislo ac yn chwislo a neb yn cymryd sylw ohono. Mi gerddodd oddi ar y cae yn y diwedd a bygwth na ddeue fo ddim yn ei ôl. Ond mi ddaeth!

Mi fues i yn y tîm am ddwy flynedd, tair falle, ac mi wnes i gyfarfod boi o'r enw Chris Pen Banc, Christopher Price, oedd yn diodde o *spina bifida*, ac yn dod i'n gweld ni'n chware'n gyson. Roedd ganddo fo gar i'r anabl, un glas tair olwyn ac yn hwnnw y bydde fo'n mynd i bobman.

Mi ofynnodd i mi faswn i'n ei helpu i gasglu arian at *spina bifida* drwy gymryd rhan yn y ras bramiau ar brom Llandudno. Felly dyma fynd ati i gasglu nawdd ac i hel tîm, yn benna o blith yr hogie pêl-droed, wedyn weldio dwy hen gader olwyn yn ei gilydd i neud pram a chystadlu yn erbyn naw neu ddeg o dimau eraill, gan gynnwys bois y frigâd dân a'r armi.

Tebyg i ras drosglwyddo oedd y ras, gosod yr hogie allan yma ac acw ar hyd y prom ac un yn gwthio'r pram am beth o'r ffordd, un arall yn cymryd drosodd ac felly mlaen ar hyd y promenâd o un pen i'r llall. Dwi'n cofio mai Caerwyn Carreg Berfedd oedd yn y pram ac mai Dei Ty'n Gilfach oedd y gwthiwr cynta. Roedd o'n andros o foi mawr tal yn pwyso ugien stôn a doedd dim yn sefyll yn ei ffordd, ac i ffwrdd â fo fel cath i gythrel. Roedd pobol yn gorfod sgrialu gan regi a diawlio pan oedd o'n gwthio, a bydden nhw'n gweiddi arno fo'n Saesneg a Dei ddim callach be oedden nhw'n ei ddeud. Rhyw ugien llath cyn cyrredd Ned Fodwen, y gwthiwr nesa, dyma fo'n gollwng y pram ac mi aeth hwnnw am y môr a Ned ar ei ôl a'i ddal jest cyn iddo fo gyrredd y traeth. Ond ni enillodd ac mi godwyd dros dair mil o bunnoedd at achos *spina bifida*.

Mi wnaethon ni hyn am dair blynedd gan ennill bob tro. Y bedwaredd flwyddyn mi anfonodd yr elusen lythyr aton ni'n gofyn inni beidio â chystadlu gan fod timau eraill yn gwrthod cymryd rhan, gan gynnwys hogie'r frigâd dân, am nad oedd gobaith ganddyn nhw o ennill!

Roeddwn i'n mynd i Ben Banc i weld Chris bron bob nos Lun; roedd ei dad yn gweithio yn y coed ac roedd ei fam yn glamp o ddynes fawr yn pwyso rhyw 25 stôn gan ei bod wedi cael rhyw afiechyd pan anwyd Chris. Roedd ar bawb ei hofn hi, ond roedd hi'n ddynes glên iawn o ddod i'w nabod hi. Mi fynne Chris gael dysgu dreifio car go iawn ac roedd gan ei dad ryw hen Austin Cambridge yn y cae. Mi lwyddodd i gael hwnnw i fynd ac mi awn i efo Chris i ddreifio rownd y ffyrdd culion a ffyrdd y fforestri yng Nghlocaenog. Roedd o'n beryg bywyd gan ei fod wedi colli'i ddwy sawdl efo'r gangrin, ac roedd o'n dreifio fel tase fo mewn rali, felly roedden ni fwy yn y ffos nag ar y ffordd. Yn y diwedd mi berswadiais i o i fynd am gar otomatig a dysgu dreifio yn hwnnw, a dyna wnaeth o ac mi basiodd ei brawf y tro cynta.

Dal i yfed a dreifio roeddwn i, gan basio prawf y *breathalyzer* amal i dro, a meddwl 'mod i'n *immune*. Ond mi ges inne fy nghymypans. A finne wedi bod allan efo'r hogie ryw benwythnos ac yn dreifio i mewn i Fodfari mi gamodd dynes oddi ar y palmant o 'mlaen i, wrth fynd â'i chi am dro, a hynny ger yr arwydd 40 milltir yr awr. Roeddwn i'n bownd o hitio un o'r ddau, y ddynes neu'r polyn, a dewis y polyn wnes i gan falu'r car nes bod y *drive shaft* yn sticio allan o'i ochor. Symude fo ddim o'r fan honno ac mi fu'n rhaid ei adael yno. Ond o leia doedd o ddim ar y briffordd.

Ar ôl y sioc mi es am beint neu ddau i'r Downing Arms a phan gyrhaeddes i adre'r noson honno roedd rhywun wedi riportio'r car ac roedd yr heddlu yn aros amdana i. Gan 'mod i wedi cael peint neu ddau ar ôl y ddamwain mi faswn i wedi dod yn rhydd o'u crafange nhw, ond â'r cwrw'n siarad roeddwn i'n ddigon o ffŵl i gyfadde 'mod i wedi bod yn yfed a dreifio. Felly i orsaf yr heddlu yn Ninbych yr awd â fi, ac yn ddiweddarach yn y mis o flaen ynadon Prestatyn lle ces i ganpunt o ffein a 'ngwahardd rhag dreifio am flwyddyn. Ond mi alle fod yn waeth, y ffein yn fwy a'r gwaharddiad yn hwy. Mi fues i'n reit lwcus, cerdyn melyn nid un coch ges i. Yn ôl at y beic a liffts gan yr hogie oedd hi wedyn.

Dwi'n meddwl bod Taid yn eitha balch 'mod i wedi cael 'y nal. Mi wydde 'mod i'n yfed a gyrru ac roedd o'n falch nad oedd dim byd gwaeth wedi digwydd a neb wedi cael ei frifo. Ond, wnes i ddim dysgu 'ngwers, ac roedd y pum mlynedd nesa yn gyfnod o chware pêl-droed a dartiau, o yfed a chael hwyl efo'r hogie.

Yn y cyfnod hwn roedd gan Cerrig dîm pêl-droed arbennig o dda ac roedd yr aelode'n ardderchog am ddod i 'nôl i a'n anfon i adre gan na chawn i ddreifio. Dei Rich oedd wedi hel y tîm at ei gilydd: Martin Lloyd, Penmachno, yn y gôl; Ian Vaughan Evans, Gwyddelwern (fydde'n teithio drosodd ar y ffordd gefn dros Glan Gors i'r Betws ac yn galw amdana i ym Motegir); Glyn Lloyd o Gyffylliog, y *centre half*; Dei Rich, y sgubwr a'r *player manager*; Iolo Ystrad Llangwm; Glyn Lloyd o Glasfryn; Dyfrig Howatson o Langernyw; Roy a Glyn

87

Doctor, meibion Dr Edward Davies, Cerrig; Glyn Traws; a finne'n *centre forward*. Mi fydden ni efo'n gilydd bob penwythnos ac allan tan yr orie mân ar fore Sul.

Gan 'mod i wedi colli fy leisens roeddwn i'n gallu trênio yn yr haf drwy fynd ar y beic a galw'r un pryd yn y Leion neu'r Saracens neu'r Queens yn Cerrig ac yna i lawr yr A5 i'r Goat ym Maerdy lle roeddwn i'n cyfarfod â Deio Edwards, fy mrawd yng nghyfraith yn y man.

Mi fyddwn i'n ei gyfarfod o ar nos Iau fel rheol. Roedd o'n gweithio yn y ffatri laeth yng Nghorwen ac yn mynd o gwmpas ar ei foto beic ar nos Iau i werthu caws. Mi fydden ni'n chware dominos efo dynes y Goat tan yr orie mân ac mi fydde fo'n mynd â fi adre wedyn, fi'n rhoi'r beic bach ar fy sgwydde ac yn mynd ar biliwn y moto beic ar hyd y ffyrdd culion i fyny o'r Goat i'r Betws ac ar draws i Lanfihangel wedyn. Fase ddim iws gneud hynny heddiw.

Roeddwn i'n mynd allan efo fo ar nos Sadwrn yn amal hefyd gan ein bod ni'n dipyn o ffrindie. Yn wir, y fi oedd yr achos iddo fo a Joyce gyfarfod. Roeddwn i wedi trefnu i'w gyfarfod o yn Llandudno ar ôl y ras brams ac roedd Joyce efo fi – yn fy nreifio i Landudno y diwrnod hwnnw. Ar ôl i'n criw ni ennill mi aethon i'r parti mawr *presentation night spina bifida* oedd yn cael ei gynnal yn y St George's Hotel – andros o le posh, a ninne'n giang o hwligans yn y fan honno. Mi ddwedes wrth Deio fod gen i chwaer fase'n yfed peint am beint efo fo. Doedd o ddim yn coelio, ond erbyn diwedd y noson y fo, nid Joyce, oedd 'dan y bwrdd'. Roedd yr hogie wedi dod i Landudno mewn bws a bu'n rhaid i ninne fynd adre efo nhw ar y bws y noson honno. Mi briododd y ddau yn 1978, ychydig fisoedd ar ôl i mi gael fy nhrwydded gyrru yn ôl.

iii

Roedd cyfnod Bry yn Southport yn gyfnod o brysurdeb mawr. Ar wahân i deithio yno'n rheolaidd i'w weld, roedd yn rhaid bwrw ymlaen efo cynllunio ac addasu'r tŷ, a'r un pryd roedd y gronfa agorwyd gan y clwb rygbi lleol, Cronfa Apêl Bryan Davies, yn mynd o nerth i nerth.

Nid mater syml o dynnu allan gynllunie a chael adeiladydd oedd addasu'r tŷ, roedd o'n golygu llawer iawn mwy na hynny. Mi fu'n rhaid cysylltu efo gwahanol asiantaethe ac roedd gan bob un o'r rheini ei lais yn y broses – y Bwrdd Iechyd, yr ymddiriedolaeth leol, y gwasanaethau cymdeithasol, a rheolwyr gofal yr ysbyty yn Southport. Fydden nhw ddim yn ei ryddhau o'r ysbyty nes bod yn gwbwl fodlon a hapus â'r trefniade ar ei gyfer yn ei gartref.

Roeddwn i'n gofalu 'mod i'n gofyn cyngor gan wahanol bobol er mwyn sicrhau y byddai popeth yn cael ei neud yn iawn o'r dechre ac na fydde yna ddim unrhyw ganlyniade anffodus i benderfyniad a wnaed. Penodwyd Paul Morgan i oruchwylio'r gwaith adeiladu ac addasu, darparu ar gyfer gosod y lifft a'r system hoistio, a'r holl bethe technegol eraill oedd yn angenrheidiol.

Roedd y ffaith 'mod i'n blismones ac wedi arfer mynd i dai pobol o bob math, gan gynnwys tai pobol anabl, wedi 'ngneud i'n benderfynol o sicrhau y bydde'n dŷ mor normal ag oedd posib iddo fod. Doeddwn i ddim am gael stafell fyw fydde'n cynnwys gwely yn y gongl, na chelfi ac offer anabledd ynddo. Roedd yn rhaid meddwl am Bry yn gynta, wrth gwrs, sicrhau y bydde'r stafell i fyny'r grisie yn addas iddo fo a bod gweddill y tŷ yn hygyrch iddo, gyda llorie pren drwyddo, nid carpedi. Roedd yn rhaid meddwl am y plant gan sicrhau y bydde eu bywyde nhw a'u hamgylchfyd mor normal ag oedd posib iddyn nhw fod a hwythe mewn oedranne sensitif. Roedd yn rhaid meddwl am y staff – y staff fydde yn y tŷ bedair awr ar hugain o bob dydd – meddwl amdanyn nhw, a meddwl amdanon ni fel teulu i neud yn siŵr fod y ddwy ochor yn teimlo'n gyfforddus.

Yng nghanol yr holl ofalu a meddwl o safbwynt Bry, o safbwynt y plant, o safbwynt y gofalwyr, mi anghofiais am un person – fi fy hun, a does gen i 'run man y galla i ei alw'n lle i mi fy hun. Mae hynny wedi bod yn anfantais fawr. Rwyf wedi llwyddo i ollwng stêm a chael dod i delere efo fy sefyllfa drwy ddefnyddio'r we a siarad efo fi fy hun drwy honno, a sgrifennu dyddiadur gan gynnwys ynddo fy meddylie.

Mae'n syndod pwy sy'n galw yma. Ganol Mehefin mi landiodd y Prif Gwnstabl Richard Brunstrom, neu'r Prif Gopyn, i ddefnyddio ei enw derwyddol. Roeddwn i'n falch iawn o'i weld er mwyn cael diolch iddo'n bersonol am y gefnogaeth gawson ni gan Heddlu Gogledd Cymru yn ystod y ddeufis wedi'r ddamwain. Mae o'n andros o ddyn cyfeillgar ac ryden ni fel teulu'n hynod o ddiolchgar iddo.

Roedd cyfnod Southport hefyd yn gyfnod o godi arian. Mi gychwynnodd y cyfan gyda Chlwb Rygbi'r Bala yn anfon at bob clwb oedd ar lyfrau'r undeb – clybiau drwy Gymru – ac mi ddechreuodd yr arian lifo i mewn. Symiau o bob math, o £20 i sieciau mawr oedd yn gannoedd, rhai'n filoedd o bunnoedd. Un peth a'm trawodd yn ystod y cyfnod hwn oedd agwedd Bry ei hun at y cyfan. Dydi o erioed wedi bod yn ddyn emosiynol iawn ond bob tro y bydde gen i stori i'w deud wrtho fo am y codi arian, mi fydde 'ne ddagre yn ei lygaid o ac roedd o'n methu dallt pam fod pobol yn gneud y fath beth.

Mi fyddwn inne'n deud mai ffordd pobol o ddiolch iddo am yr hyn roedd o wedi ei neud ar hyd y blynyddoedd oedd hyn i gyd, a chymaint roedden nhw'n gwerthfawrogi ei ymroddiad wrth helpu plant ac ieuenctid, a'r holl amser roddodd o i hyfforddi. Mi fydde'n gneud y cyfan ar ei ben ei hun a byth yn cwyno. Erbyn hyn, mae saith neu wyth o bobol yn gneud yr hyn y bydde Bry yn ei neud, ac mae Tony Parry yn amal yn cwyno pan na fydd rhywun wedi medru dod i hyfforddi. A fydde Bry byth yn disgwyl dim byd yn ei ôl. Mae ambell un o Glwb Rygbi'r Bala wedi deud tase'r ddamwain wedi digwydd iddo fo fase 'ne ddim codi arian fel hyn, ond gan mai Bry ydi Bry... Mi fyddwn ni, wrth fynd o gwmpas y tu allan i'r ardal, yn Tesco neu rywle, yn amal yn dod ar draws pobol sy'n gwybod pwy 'di Bry er na welson nhw erioed mohono fo.

Mae o wrth gwrs yn ymwybodol iawn fod rhai pobol yn cael braw wrth ei weld, wedi clywed amdano a'r hyn ddigwyddodd iddo, ond rioed wedi'i gyfarfod. Amryw o bobol wedyn ag ofn dod i edrych amdano, ond ar ôl dod unwaith, yn methu cadw draw wedyn. Dwi 'di gweld amal i ddyn mawr cry yn crïo wrth ei weld o. Eto, mae'r ymweliade wedi teneuo llawer ers pan ddaeth o adre, pobol yn ymwybodol ei fod o isio amser iddo fo'i hun ac i'w deulu.

Wrth i'r amser basio mae rhywun yn anghofio sut roedd o cynt. Dwi'n ei chael hi'n anodd weithie pan fydd yr ysbryd yn isel. Mae o'n digwydd inni i gyd, rhywbeth yn ein poeni, rhywbeth yn tarfu arnon ni, ac mi allwn ni gau'r drws ar y broblem falle neu gerdded i ffwrdd oddi wrthi. All Bry ddim gneud hynny. Mi gawn ni ambell i ddiwrnod lle mae o'n mynnu bod bywyd yn greulon ac mae'n brifo pan glywa i hynny. Yn amlach na pheidio, yn y bore y bydd hyn yn digwydd a rhaid i finne adael y tŷ a mynd i 'ngwaith ond yn teimlo y tu mewn fel pe bawn wedi 'narnio.

Dydi hyn ddim yn digwydd bob dydd wrth gwrs na phob wythnos, dim ond yn achlysurol, a phan fydd pobol yn holi sut mae o dwi'n gorfod deud pethe fel 'i fyny ac i lawr' ac 'un dydd ar y tro' a phethe felly. Weithie mae o'n cael wythnos neu bythefnos ddrwg a phan fydda i wedi deud hynny, y diwrnod wedyn bydd Bry o gwmpas y dre yn ei gader olwyn, a dwi'n siŵr bod pobol yn meddwl be haru honne yn gneud i bethe swnio'n llawer gwaeth nag y maen nhw!

Mae o'n gallu newid yn sydyn, ac, yn amal, mater o dymheredd ydi o, a chadw o fewn 37 gradd, sy'n anodd ar brydie. A phan fydd o'n deud pethe mawr, y boen sy'n siarad nid y fo, y boen a'r spasms mae o'n eu cael.

Mi dwi'n cysgu yn yr un stafell â fo ac ambell i fore mi allwn i ei dagu. Mae o'n cwyno nad ydi o wedi cysgu fawr am 'mod i'n chwyrnu! Ond dwi ddim yn deud wrtho fo 'mod i'n methu cysgu am fod y gofalwyr i mewn ac allan drwy'r nos yn tendio arno fo, a'r peirianne yn gneud sŵn ac yn 'y neffro i. Dwi ddim yn cwyno, dwi ddim yn deud dim byd, achos mae'n ganmil gwell ei fod o adre na'i fod o mewn cartre neu ysbyty.

5
Yn y Ryc

i

DOES DIM BYD YN aros yn llonydd mewn ysbyty er bod yr amser yn llusgo a'r orie'n faith. Dwi wedi sôn am gael fy llais yn ôl, am gael gwared o'r *halo* ac o'r peg yn fy stumog. Roedden nhw i gyd yn brofiade digon annifyr. Ond un o'r rhai gwaetha oedd codi i'r gader.

Yn fflat ar wastad 'y nghefn roeddwn i wrth gwrs a hynny am wythnose. Doedd diaphram y corff ddim yn gadel imi eistedd, ond roedd yn rhaid ymarfer a cheisio – yn wir, roedd hynny'n hanfodol gan fod pwysedd gwaed isel yn gallu bod yn broblem fawr. Mi ddaeth yn amser i roi trei arni felly, ac mae o'n swnio'n beth mor hawdd ond yn fy achos i roedd o'n *major operation*.

Mi fu yna sawl ymgais i 'nghodi cyn cael llwyddiant, a hynny efo sling oedd yn gweithio'n debyg i graen ac yn codi 'mhwyse. Un symudol oedd yr hoist o'r nenfwd nid un barhaol, ac roedd hi'n anoddach i'w gweithio nag y base wrth drafod un barhaol. Sôn am weld sêr! Y tro cynta iddyn nhw lwyddo i 'nghodi i a'm rhoi i lawr yn y gader, mi es allan fel cannwyll!

Y pwysedd gwaed oedd y drwg. Gan 'mod i'n gorwedd yn 'y ngwely drwy'r amser roedd y pwysedd yn isel. Roedden nhw wedi ceisio newid pethe drwy 'nghodi ar 'yn eistedd yn y gwely bob dydd am beth amser cyn 'y nghodi i'r gader, ond er gwaetha hyn roedd cael 'yn

rhoi yn y gader am y tro cynta'n sioc i'r system ac yn
drysu'r pwysedd gwaed yn llwyr a dyna pam y llewyges
i.

Wedi iddyn nhw lwyddo mi fyddwn yn y gader am
ryw ugien munud bob dydd ac yna'r amser yn cynyddu'n
raddol fesul pum munud er mwyn i 'nghorff gynefino,
ac er mwyn i'r gwaed a'r galon ymddwyn mor normal
ag oedd modd.

Doeddwn i ddim yn deall be oedd yn digwydd i
'nghorff i, roedd o fel tase fo'n gorff oedd yn perthyn
i rywun arall, ond y gwaed oedd y drwg; roedd o'n
chware o gwmpas yn 'y nghorff i, yn mynd o'r pen i'r
traed pan oeddwn i wedi 'nghodi, ac o'r traed i'r pen
pan oeddwn i yn 'y ngwely, a'r pwysedd yn amrywio'n
fawr, o isel i uchel.

Y cam nesa – a tua dechre Awst oedd hi dwi'n
meddwl – oedd mynd i'r *gym*, ac roedd hwnnw'n gam
mawr hefyd. Os oedd 'y nghodi i'r gader yn effeithio
ar 'y mhwysedd gwaed, roedd 'y nghodi ar 'y nhraed
yn waeth byth. Ond roedd gorwedd cyhyd yn y gwely
yn creu problem, gan nad oedd y galon yn gorfod
gweithio mor galed ag y bydde'n arferol, felly roedd yn
rhaid ei chael i bwmpio'r gwaed o gwmpas 'y nghorff
i'n gynt. Y ffordd roedden nhw'n gneud hynny oedd
drwy 'nghodi i sefyll ar 'y nhraed am awr yn y *gym*,
ac roedd o'n brofiad annifyr iawn ar y dechre. Am y
chwarter awr cynta roeddwn i'n clywed y gwaed yn
mynd i 'nhraed i ac roedden nhw'n teimlo fel plwm ac
mi fyddwn i'n clywed 'y nghalon i'n curo fel tase hi ar
fin neidio allan o 'mrest i. Ond wedyn, yn raddol, mi
fydde pethe'n setlo, nes dod at y *reversal*, fel roedden
nhw'n galw'r peth, sef 'y ngosod i'n ôl ar 'y nghefn yn y

gwely er mwyn i'r gwaed fynd yn ôl i'w le. Bryd hynny mi fyddwn yn teimlo'n benysgafn ac mi fydde gen i gur mawr yn 'y mhen.

Felly roedd sefyll yn broblem, roedd gorwedd yn broblem, ond y broblem fwya i mi ar hyd yr amser ar ôl imi ddechre codi oedd eistedd yn llonydd yn 'y nghader. Ac mae'n broblem o hyd. Choeliwch chi fyth peth mor galed ydi eistedd yn yr un lle am orie heb fedru symud, a finne, pan oeddwn i'n iach, yn greadur aflonydd a byth yn eistedd.

Gwell peidio â manylu gormod ar faterion corfforol ond doedd gen i ddim rheolaeth ar 'y nghorff wedi imi gael y ddamwain ac felly y mae hi o hyd. Ar y dechre wrth gwrs doeddwn i ddim callach 'mod i'n methu cyflawni gweithgaredde normal y corff, gan na wyddwn i'n iawn lle roeddwn i na be oedd yn digwydd i mi. Ond yn raddol, wrth wella a chymryd llai o dabledi, roeddwn i'n dod yn fwy ymwybodol o fy sefyllfa ac mi ddois i sylweddoli y bydde'n rhaid imi gael cathetr a bag, ac yn waeth na hynny, i sylweddoli mai felly y byddwn i am weddill fy oes. Roedd o'n brofiad diraddiol tu hwnt ar y dechre, ac roedd hynny'n arbennig o wir hefyd pan ddois i adre.

Yn yr ysbyty, roedd pawb o leia'n gorfod derbyn yr un amgylchiade, er ei bod yn anodd dygymod efo rhywun gwahanol yn y'ch trin chi o ddydd i ddydd. Ond roeddwn i mewn cwmni o bobol debyg ac roedd pawb yn yr un cwch, ac roedd y staff meddygol wrth gwrs wedi hen arfer efo sefyllfaoedd o'r fath, ac yn gallu ysgafnhau pethe. Roedd 'ne lawer o dynnu coes a deud pethe mawr a doedd y staff ddim yn gneud i chi deimlo eich bod yn fudur mewn unrhyw ffordd, felly yn raddol mi ddois i i'w dderbyn. Yr unig broblem oedd yr hwylie, hwylie pawb yn wahanol o ddydd i ddydd, ac weithie rhywbeth oedd yn cael ei ddeud neu ei neud a'i dderbyn heddiw, yn tramgwyddo fory. Roedd hi'n anodd ar y staff o ganlyniad i hyn. Mi alle un ohonon ni dderbyn heddiw fod yn rhaid, er enghraifft, cael rhyw feddyginieth neu drinieth i neud i'r corff weithio, ond falle fory y bydden ni'n gwrthwynebu hynny'n ffyrnig. Bryd hynny y boen oedd yn effeithio ar yr hwylie, a'r boen oedd yn siarad. Wedi deud hynny, y boen fwya oedd y boen meddwl.

Roedd dod adre'n fater gwahanol. Lle newydd, pobol newydd o 'nghwmpas i, a finne a phawb arall o'r teulu yn gorfod addasu i sefyllfa nad oedd yn bod cynt. Erbyn hyn, mae popeth yn iawn, pawb wedi derbyn yr amgylchiade, a finne wedi arfer efo 'ngofalwyr a hwythe wedi arfer efo fi.

Mi fyddwn i'n cael cyfnode digalon, cyfnode isel, yn ystod y misoedd yn Southport, ond mi fyddwn i'n trïo cofio imi addo i'r doctoriaid pan ddaethon nhw i 'ngweld i yn Wrecsam 'mod i isio gwella gore gallwn i, ac mai ar yr amod hwnnw y cefais i 'nerbyn i Southport. Hefyd, mi roedd ymweliade ffrindie yn help mawr.

Mi sonies am fynd i'r *gym*: proses oedd yn cymryd o leia ddwyawr i'w chwblhau ac wedi imi fod mi fyddwn wedi ymlâdd, ac yn treulio gweddill y diwrnod yn llonydd ar wastad 'y nghefn. Roeddwn i'n ceisio, hyd y medrwn i, beidio â dangos i ymwelwyr 'mod i wedi blino, ac roedd hynny'n cynnwys Susan a'r plant hefyd. Ar ddydd Sadwrn y bydden nhw eu tri yn dod efo'i gilydd, ac mi fyddwn i'n treulio dydd Iau a dydd Gwener yn y gwely'n gorffwyso er mwyn imi allu ymddangos yn iawn iddyn nhw. Mi roeddwn i'n iawn tra oedden nhw efo fi, ond wedyn ar ddydd Sul roeddwn i wedi fy llorio gan flinder am fod yr ymdrech wedi bod yn ormod.

Roedd derbyn ymwelwyr yn fendith, yn torri ar draws undonedd y dyddie, ond roedden nhw'n broblem pan oeddwn i wedi blino neu'n diodde poen. Ond wnes i erioed wrthod i bobol 'y ngweld i. Os oedden nhw wedi gneud yr ymdrech i ddod o gyffinie'r Bala, y peth lleia fedrwn i ei neud oedd eu gweld. Mae gen i frith go i dri o ffrindie o Gerrig y Drudion ddod draw unweth – Osian Pentre Draw, Al Bach (nid yr un oedd yn berchen belt du carate) a Ioan Bwlch – a doeddwn i ddim yn fy hwylie o gwbwl. Dwi ddim yn siŵr iawn hyd y dydd heddiw oedden nhw yno neu ai fi sydd wedi dychmygu'r peth, roeddwn i mewn cymaint o boen a chwmwl du uwch fy mhen, ac eto yn trïo cadw wyneb tra oedden nhw efo fi.

Bob ryw chwech wythnos, mi fydde pedwar o Langwm yn dod draw – Dewi Disgarth, Llŷr Aeddren, Glennydd Groesfaen ac Ilan Tŷ Newydd – yn cychwyn o Langwm ar ôl gwaith tua chwech a chyrredd am wyth, ac os oeddwn i yn fy mhethe mi arhosen nhw tan ryw ddeg neu un ar ddeg gan nad oedd orie ymweld set yn yr uned, a chyrredd adre wedyn ymhell ar ôl hanner nos. Tipyn o ymdrech ar eu rhan, chware teg. Roedden nhw wedi deall pan fyddwn i yn fy hwylie, ac os nad oeddwn i fydden nhw ddim yn aros yn hir.

Rywbryd yn ystod y cyfnod hwn, a finne'n gwella erbyn hyn, mi dechreuodd y staff gynnal barbeciw ryw unwaith y mis, a'r tro cynta y cynhaliwyd o mi ddigwyddodd Dilwyn Morgan (Porc), John Evans, Plas Coch, a Rhys Llandrillo ddod draw. Roedden nhw wrth eu boddau o weld fod bwyd a diod am ddim i'w gael ac roedden nhw'n tyrmentio ei gilydd, yn enwedig Rhys gan na allai o yfed am ei fod yn dreifio. Ond chware teg mi gyfrannodd o £10 at y bwyd. Mi agorodd John Evans gan o Guinness a chan ei fod wedi ysgwyd cymaint arno cyn ei agor mi saethodd y ddiod i bobman, ar ddillad y gwely ac i'r nenfwd a finne'n gorfod cymryd arnaf mai staen grefi oedd ar y dillad. A deud y gwir roedd ene andros o fes ar ôl iddyn nhw fynd ac mi fedyddies i nhw 'y tri gŵr doeth' – oedd ymhell o fod yn wir wrth gwrs! Ac, ar ddiwedd y noson, mi ddaeth Rhys yn ei ôl i ofyn imi lle roeddwn i'n cadw fy mhres; doedd ganddyn nhw ddim £3 rhyngddyn nhw i fynd allan o'r maes parcio. Ond, chware teg, roedden nhw'n codi calon ac ysbryd, ac roeddwn i'n eu nabod nhw ers y dyddie y cychwynnais i chware rygbi.

Ymhen y mis, roedd barbeciw arall ac roedd yr hogie i gyd wedi cael clywed amdano erbyn hynny, a dyma nhw'n dod i 'ngweld i – tua pymtheg ohonyn nhw. Doedd y staff ddim wedi gweld dim byd tebyg, a buan iawn y diflannodd y bwyd a'r ddiod. Ond mi ddaru'r staff ddysgu eu gwers, a bob tro wedyn roedd yn rhaid cael tocyn, a 'food for one guest' arno fo. Mi allai unrhyw nifer ddod i'r barbeciw ond mi fydde'n rhaid iddyn nhw siario un platied o fwyd rhyngddyn nhw.

Fel roeddwn i'n altro roedd y plant yn dod i 'ngweld i hefyd – Ilan a Teleri, wrth gwrs, ond plant teuluoedd erill hefyd, ac mi fu amryw, fel teulu Fron Isa, Llangwm, yn hynod o driw i mi. Mi fydden nhw'n dod i Southport ac yn gneud diwrnod iawn ohoni.

Mewn cyfnod o frwydro i geisio gwella gore gallwn i,

roedd ymweliade teulu a ffrindie yn gysur mawr ac yn help i godi'r ysbryd ac i gredu bod yr ymdrech yn werth ei gneud. Yn y ryc, yng nghanol y frwydr, yr oeddwn i o hyd ac roedd tipyn o amser i fynd cyn y byddwn i unweth eto yn y tir agored.

ii

Mae digwyddiade'r cyfnod o bobtu colli fy leisens, rhwng 1977 ac 1983, wedi cymysgu braidd yn fy meddwl erbyn hyn a 'dalla i ddim sicrhau bod popeth wedi digwydd yn nhrefn eu hadrodd, tase waeth am hynny. Ond dwi'n cofio'r flwyddyn ddileisens yn iawn gan fod y beic bach wedi dod yn ôl i'w fri yn fy hanes – y beic oedd wedi bod mor bwysig i mi cyn imi basio 'mhrawf gyrru ac a ddaeth yn hanfodol unwaith eto.

Dwi'n cofio mynd i'r Rhyl rhyw bnawn Sul efo hogie'r Summer League, fy nghymdeithion yn ystod misoedd yr haf. Mynd i'r pictiwrs yn gynnar ac wedyn i yfed, a landio'n ôl fin nos yn y Crown yn Llanfihangel. Yno roedd y beic gen i a dyma ddechre herio'n gilydd fel y bydd llancie. Dyma fi'n gosod y beic ar ben y wal ac fe'm heriwyd i reidio ar hyd wal y bont o'r Crown ar draws yr afon Alwen. Taswn i wedi disgyn i un ochor mi faswn i yn y ffordd, ond yr ochor arall yn yr afon, a honno gryn dipyn o ddyfnder, tua deg troedfedd ar hugien islaw. Fel mae'n digwydd wnes i ddim colli 'malans ac mi lwyddes i fynd o un pen i'r llall heb unrhyw anffawd, rhywbeth na fyddwn i byth wedi'i fentro na'i gyflawni taswn i'n sobor.

Roedd 'ne lawer o herio'n gilydd yr adeg honno ac o

neud pethe gwirion, a mi dwi 'di meddwl lawer gwaith
yn ddiweddar 'i bod hi'n eironig na wnes i ddim landio
mewn cader olwyn flynyddoedd yn ôl wrth neud pethe
gwirion, yn hytrach nag wrth neud rhywbeth eitha call
o'i gymharu.

Dwi'n cofio mynd efo Gerallt Llaethwryd ac Aeron
Maesmor ar drip rygbi i'r Alban. Mynd efo Aeron yn
y car i Wrecsam a dal y bws yno, gan ddwyn cansen
laeth ar y ffordd drwy Gorwen gan na fydde 'ne doilet
ar y bws. Roeddwn i'n nabod nifer o hogie Llangollen
ac roedden ni ar yr un bws â nhw. Wrth ein bod yn
yfed ar y bws mi ddaeth y gansen laeth yn bwysig i ni
fel toilet.

Rhywle ar yr M6 dyma agor yr *emergency door* a
gwagu cynnwys y gansen a'r bws yn dal i deithio, ac
roedd yr hylif yn cael ei chwythu gan y gwynt dros y ceir
oedd yn ein dilyn! Ie, criw digon gwirion ac anghyfrifol
oedden ni yn y cyfnod hwnnw.

Yng Nghaeredin roedd hogie Llangollen yn aros
mewn gwesty a ninne mewn lle gwely a brecwast, ac
ar ôl noson hwyr roedd un o griw Llangollen, John,
wedi meddwi'n dwll. Roedd o'n methu sefyll ar ei
draed, ac mi fu'n rhaid i mi fynd efo fo i'w gario 'nôl
i'r gwesty. Dyna pam 'mod i, am bedwar o'r gloch y
bore, yn cerdded ar 'y mhen 'yn hun yn ôl i fy llety
bellter i ffwrdd. Dyma 'ne foi ata i a gofyn i mi am dân
i danio'i sigarét, rhywbeth nad oedd gen i ddim gan
na fues i rioed yn smocio. Dyma fo'n dechre siarad, ac
mi ddalltes yn fuan iawn ei fod o'n hoyw. Mi gydiodd
yn fy mraich i a rhoi gwahoddiad i mi 'nôl i'w le fo.
Roeddwn i'n un parod iawn efo 'nyrnau yr adeg honno
ac yn credu eu bod yn gallu ateb bron pob problem

ac mi gafodd o'r *uppercut* ore roddes i i neb erioed nes ei fod o'n gorwedd ar wastad ei gefn ar y pafin yn llonydd fel corff. Mi ges i fraw meddwl 'mod i wedi'i ladd gan fod gwaed ar y pafin. Mi ddychrynes am 'y mywyd a rhedeg i'r llety a deud wrth y lleill be oedd wedi digwydd. Y peth gwiriona wnes i erioed.

Chlywes i mo'i diwedd hi am weddill y penwythnos, er 'mod i wedi cael braw mawr yn meddwl 'mod i wedi'i ladd, ond aeth neb ohonon ni allan i weld chwaith. Mi berswadiwyd fi y bydde fo'n olreit a bore trannoeth wrth fynd heibio'r lle am Murreyfield doedd dim sôn amdano fo er bod ei waed o'n dal ar y pafin. Mi ges i afael ar John o Langollen er mwyn deud wrtho mor lwcus oedd o nad y fo oedd ar ei ben ei hun y noson honno, neu does wybod be fydde wedi digwydd iddo, a fase fo ddim callach oherwydd y fath stad roedd o ynddi.

Roedd Aeron Maesmor wedi dreifio yn ei gar i Wrecsam a dal y bws yn y fan honno, ac felly ar y ffordd adre roedden ni'n cael lifft ganddo o Wrecsam, ond mi dorrodd y clyts a doedd dim modd newid gêr. Dal i fynd oedd yr unig obaith o gyrredd adre ac roedd goleuade Ty'n Cefn yn debyg o fod yn broblem oni bai eu bod ar wyrdd. Doedden nhw ddim, roedden nhw'n goch ac mi fu'n rhaid i mi neidio allan i stopio'r traffig er mwyn i'r car fedru dal i fynd drwyddyn nhw, a finne wedyn yn rhedeg ar ôl y car i fyny'r A5.

Os mai criw y Summer League oedd fy mêts yn yr haf, hogie Cerrig oedd y cymdeithion yn y gaea, a thros y blynyddoedd mi ddatblygodd Cerrig yn dîm pêl-droed da ac mi gyrhaeddwyd y penllanw yn y ddau dymor 1979 – 80 ac 1980 – 81. Yn ystod y tymor cynta o'r ddau mi enillais i dair tarian: un am fod yn brif sgoriwr y clwb, un am i'r tîm ddod yn ail yn y gynghrair, ac un am inni ennill Cwpan Challenge. Y flwyddyn ddilynol mi enillwyd y gynghrair ac mi enillwyd y cwpan, Cwpan Jack Owen.

Yn dilyn y fuddugoliaeth honno mi wahoddwyd y tîm i seremoni cyflwyno'r cwpan yn Llandudno. Felly, ar nos Wener ar ddiwedd y tymor, mi aeth deg ar hugien ohonon ni o Cerrig efo bws i Glwb y Lleng Brydeinig yn Llandudno ac mi gawson ni noson i'w chofio, noson ddaeth i ben i dri ohonon ni tua hanner awr wedi saith ar y bore Sadwrn.

Ar ôl y seremoni dyma ofyn i'r boi ar y drws yn y clwb pryd oedd o'n cau a phan ddwedodd o mai am hanner awr wedi deg, orie llawer yn rhy gynnar i ni feddwl am fynd adre, dyma benderfynu mynd i'r Winter Gardens, clwb nos yn y dre, oedd yn aros ar agor yn llawer hwyrach. Mi gerddon ni i lawr yno fesul dau a thri ac mi aeth rhai o'r hogie i ddawnsio efo'r merched. Mi es inne at y bar i gael diod ac roeddwn i'n sefyll yno pan landiodd criw mawr o sgowsars, tua trigien ohonyn nhw i gyd, ac yn fuan iawn mi aeth pethe'n flêr yno.

Mae'n debyg nad oedd y sgowsars yn meddwl bod hawl gan ein bechgyn ni i ddawnsio efo'r merched, mai eu hawl nhw oedd hynny, ac mai dyna gychwynnodd yr helynt. Beth bynnag am hynny mi gychwynnodd ffeit neu ddwy ar y llawr ac roeddwn inne'n sefyll wrth y bar yn chwerthin pan landiodd rhywun andros o glec yn fy wyneb i, nes bod gen i anferth o lygad du yn fuan wedyn.

Mi aeth pethe'n rhemp yn fuan iawn – cadeirie a

byrdde yn cael eu taflu a'u malu, y merched yn lluchio gwydre ar y llawr nes bod darne o wydr ym mhobman a'r rhai oedd yn syrthio yn cael eu brifo. Roedd hi'n *free for all* go iawn, a'r egwyddor oedd os nad oeddech chi'n nabod rhywun, gelyn oedd o ac roedd o yno i'w ffistio.

Mi geisiodd yr unig fownsar oedd yno reoli'r sefyllfa. Mi gydiodd mewn coes cader a tharo Al Bach, un o'n hogie lleia ni, efo hi. Yn anffodus, wydde'r bownsar ddim ei fod o wedi gneud y dewis anghywir a bod gan Al Bach felt du mewn carate, a'r eiliad nesa yr hyn weles i oedd coes y gader yn mynd un ffordd a'r bownsar y ffordd arall.

Yn y diwedd mi gyrhaeddodd yr heddlu, wedi i bethau am beth amser fod fel golygfa ffilm gowbois a rheini'n ymladd mewn salŵn. Yn raddol mi ddaeth y cyfan i ben, efo nifer o'r sgowsars yn gorfod mynd i'r ysbyty a dim ond un o'n hogie ni. Emyr Wyn Traian oedd hwnnw. Mi ddisgynnodd ar lawr ac mi aeth gwydr i'w ben-glin. Roedd yr heddlu wedi cael gafael ar ein bws ni ac wedi gorchymyn y dreifar i ddod â fo at ddrws y clwb, ac mi gawson ein hel fel defed i mewn iddo fo efo sarjant anferth chwe throedfedd chwe modfedd o daldra, a hynny heb ei helmed, yn actio fel ci, neu fugail!

Wedi iddo'n cael ni i gyd i mewn i'r bws dyma fo'n deud: 'Dene'r peth gore sy wedi digwydd i'r lle ma. Mae'r sgowsars wedi bod yma dri penwythnos ar y trot rŵan ac wedi creu helynt bob tro. Diolch yn fawr i chi,' medde fo. 'Chawn ni ddim trafferth efo nhw eto. Rŵan, cerwch adre a pheidiwch â blydi dod yn ôl yma byth eto.'

Felly mi gawson ni fynd adre heb i neb gael ei

gosbi, ond doedd y noson ddim drosodd i dri ohonon ni. Roedd hi rhwng dau a thri o'r gloch y bore arnon ni'n cyrredd Cerrig ac roedd Med Fodwen wedi gadel ei gar, Triumph Stag bach glas, yno, ac efo fo yr es i a Dei Ty'n Gilfach adre i Lanfihangel. Fel roedden ni'n teithio drosodd i gyfeiriad y pentre a hithe'n dywyll, mi welson ni ole draw yn yr awyr yng nghyfeiriad Coedwig Clocaenog. Dyma benderfynu mynd i weld be oedd yno, rhag ofn ein bod yn dychmygu pethe.

Lwcus ein bod ni'n fusneslyd ac yn ame'n hunen y noson honno, achos roedd rhan o'r goedwig ar dân, a'r tân yn mynd i lawr i gyfeiriad ffarm Tan y Graig lle roedd teulu mawr yn byw. 'Nôl â ni i Lanfihangel a ffonio'r frigâd dân a deud y basen ni'n aros amdanyn nhw ar y bont i ddangos iddyn nhw ble i fynd gan ein bod yn nabod ffyrdd y goedwig fel cefn ein llaw. Roedd y tri ohonon ni'n eistedd ar wal y Crown yn y pentre pan ddaeth y cynta, o Cerrig, ac yn fuan iawn mi ddaeth dwy arall – un o Gorwen a'r olaf o Ruthun. Mi fuon ninne'n helpu drwy guro'r fflamau efo'r fflaps pwrpasol rhag iddyn nhw ymledu ac mi lwyddwyd o'r diwedd i gael y tân dan reolaeth a hynny cyn iddo fynd yn rhy agos i Dan y Graig.

Roedd hi'n tynnu am hanner awr wedi wyth o'r gloch y bore pan aeth Med â fi adre i Fotegir, a chan fod Taid yn sefyll ar y buarth dyma fo'n 'y ngollwng i'n reit sydyn ac yn gneud *hand break turn* a rhuo oddi yno'n swnllyd. Roeddwn i wedi syrthio yn y goedwig, wedi llosgi 'nhrowsus a'n sgidie ac wedi rhwygo 'nghrys, wedi bod yng nghanol y mwg, ac roedd gen i lygad du yn ogystal. Rhaid 'mod i'n edrych fel drychioleth. Pan gerddes i i mewn i'r tŷ mi feddyliodd Nain y gwaetha'n syth. Wedi bod ar y cwrw roeddwn i, ac wedi bod mewn helynt ac yn paffio, er ei bod yn ei chael hi'n anodd credu hynny gan 'mod i fel arfer yn angel yn ei golwg hi. Ond credu wnaeth hi a rhoi 'pigyn clust' go iawn i mi, a doedd hi ddim yn coelio'r stori am y tân. Doedd dim i'w neud ond gadel iddi, mynd i newid ac allan i weithio yn syth heb frecwast na dim y bore hwnnw.

Y dydd Sadwrn canlynol, mi aeth y ddau i Cerrig yn ôl eu harfer – Taid i'r Queens i chware dominos efo'i fêts, a Nain i siopa. Mi glywson nhw holl hanes yr ymladd yn Llandudno ond, yn anffodus, dim sôn am y tân yng Nghlocaenog. Mi es inne allan fel arfer y nos Sadwrn honno ac roedd yn ddiddorol sylwi nad oedd sôn am yr hogie oedd wedi priodi, a chawson nhw ddim dod allan gan eu gwragedd am rai wythnose ar ôl hynny!

Ymhen y mis dyma dderbyn llythyr gan Swyddog Gogledd Cymru o'r frigâd dân a siec am ugien punt tuag at gost y dillad, tâl arbennig o hael yn y cyfnod hwnnw. Mi gafodd y tri ohonon ni'r un llythyr. Doedd Nain ddim yn gwybod be i'w ddeud a hithe wedi rhoi 'pigyn clust' i mi ar gam, yn ei meddwl hi. Fel y dwedes i, roedd hi'n meddwl 'mod i'n angel ac roedd rhyngddon ni berthynas arbennig sy'n bodoli'n amal rhwng nain a'i hŵyr. Mi fydde'n bygwth llawer ond yn gneud dim. Ond roeddwn i'n ôl yn y llyfre ar ôl chware fy rhan i atal y tân yn y goedwig rhag lledu.

Rywbryd yn nechre'r wythdege – tua wyth deg dau, wyth deg tri – mi ddechreuodd tîm da Cerrig chwalu. Mi gafodd Dei Rich y job o fod yn rheolwr tîm Rhuthun ac fel pob rheolwr arall mi aeth â nifer o chwaraewyr efo fo, gan gynnwys Roy Doctor, Iolo Ystrad a finne, ac mi fues i'n chware am ddau neu dri tymor iddyn nhw.

Yr adeg honno, yn 1983, mi fuo Nain farw. Doedd hi, hyd y gwyddwn i, erioed wedi bod at y doctor heb sôn am fod mewn ysbyty. Ond roedd hi'n cwyno ei bod hi'n blino o hyd a finne'n meddwl fawr ddim am y peth, yn credu mai ei hoed hi oedd i gyfri gan ei bod yn heneiddio. Roedd hi'n dal i godi am hanner awr wedi pump, ond yn y diwedd mi ges hi i fynd at y doctor ac mi anfonodd hwnnw hi am brofion i Wrecsam. Sôn am strach ei chael i'r fan honno, ond mynd wnaethon ni yn y diwedd ac mi ges i weld yr arbenigwr ac mi ddwedodd o ei bod yn diodde o lewcemia. Doedd dim mendio i hwnnw bryd hynny, er bod rhyw feddyginieth newydd ar gael i arafu'r cyflwr. Mi droion ni'r hen barlwr yn llofft iddi rhag iddi orfod dringo'r grisie, ond dihoeni wnaeth hi, ac mi fu farw ym mis Rhagfyr y flwyddyn honno. Mi effeithiodd hynny'n arw arna i. Roedden ni'n dipyn o fêts ac mi hitiodd ei marwolaeth fi'n go galed. Mi es oddi ar y rêls yn llwyr am gyfnod.

Roeddwn i a Taid a Haydn, y mab ieuenga, yn dal i fyw ar y ffarm, ond doedd neb i neud bwyd na golchi dillad na dim. Nain fydde'n gneud y cyfan. Roedd Taid wedi cael ei dendans ar hyd y blynyddoedd a doedd o erioed wedi golchi cwpan. Mi newidiodd popeth ar amrantiad bron, a fi bellach oedd yn codi i neud y brecwast ac ynte'n codi tua wyth. Mi fyddwn i'n gneud uwd bob bore ac yn ei roi yng ngwaelod yr Aga i'w gadw'n gynnes tan iddo godi. Mi gymeris i drosodd i edrych ar ei ôl, i neud y bwyd, i olchi a smwddio a llnau.

Carreg las oedd ar lawr y gegin ac roedd Taid yn smocio cetyn ers pàn oedd o'n naw oed, yn smocio Condor a St Bruno. Mi gollodd drydydd bys ei law dde flynyddoedd ynghynt wrth reidio moto beic a rhywun yn agor drws car wrth iddo basio a'i daro. Câi drafferth felly i falu'r baco yn ei law a'i lwytho i'w getyn, ac mi fydde'n colli ei hanner o ar lawr. Roedd o hefyd, ar ôl tanio, yn lluchio'r fatsien i gyferiad y tân ac mi fydde honno'n amal yn landio ar y llawr. Lwcus nad oedd gynnon ni garped.

Yr hyn roeddwn i'n ei weld yn drist oedd nad oedd yr un o'i blant o'i hun yn dod yno i edrych ar ei ôl. Roedd hynny'n andros o beth caled, a fydden nhw ddim yn dod i ymweld ag o'n amal iawn chwaith. Roedd gan Taid a Nain bump o blant – wel, pedwar i fod yn fanwl gywir. Trefor, fu'n byw yn Awstralia ac a fu farw'n weddol ifanc; Jini, y ferch hyna, yn byw yn Rochdale; Mam, oedd yn byw ym Modfari; Medwyn yn byw yn y Betws; a Haydn, yr ieuenga, yn byw efo ni ym Motegir. Wnes i ddim deall tan amser claddu Nain a gorfod edrych yn ei phapure mai mab i Jini, y ferch hyna, oedd Haydn ac nid mab i Taid a Nain fel y ces i fy arwain i gredu.

Yr hyn wylltiodd fi oedd i bawb ddod i Botegir pan fuo Nain farw a bod yno grïo mawr, ond doedd neb wedi cymryd fawr o ddiddordeb yn yr un o'r ddau tra oedd hi'n fyw. Roedd Mam yn dod i Fotegir ryw gymaint ar ôl claddu Nain, y fi'n mynd i'w 'nôl, ond pharodd hynny ddim yn hir.

Ac felly mi setlodd y tri ohonon ni, Taid a fi a Haydn – gwyddwn erbyn hyn mai 'y nghefnder i oedd o. Mi fues i'n canlyn merch o Bentrefoelas *off and on* am oddeutu deng mlynedd, ac mi wnes i ei thrin fel baw a deud y gwir – yr unig beth bron mae arna i gywilydd ohono fo mewn bywyd. Roedd hogie'r un oed â fi wedi priodi, llawer ohonyn nhw yn eu hugeinie, ac roedd hi isio dod ata i i Fotegir i fyw. Finne'n deud nad oedd hi'n deg disgwyl iddi hi edrych ar ôl y tri ohonon ni ac mi ddaru ni ffraeo am hynny. Roedden ni'n mynd yn ôl at ein gilydd o dro i dro ond mi wyddwn na weithie fo ddim.

Ar ôl claddu Nain, roeddwn i'n hitio'r botel yn drymach nag oeddwn i cynt, ac yn chwilio am bob esgus i grwydro. Mi fues i'n mynd dipyn efo Aelwyd Llangwm i steddfode a llefydd felly. Nid bod gen i ddiddoreb yn hynny; roeddwn i'n mynd er mwyn cael mynd am dro a chael cyfle i fynd ar ôl y merched a deud y gwir. Roeddwn i braidd ar gyfeiliorn am gyfnod.

iii

Drwy gydol yr amser y bu Bry yn Southport mi fues i'n cadw dyddiadur drwy sgrifennu ar ein safle ar y we. Gollyngdod cyn amser gwely yn amal oedd cael cyfle i adrodd am yr hyn oedd wedi digwydd yn ystod y dydd ac ambell dro i fwrw bol a chael gwared ar fy rhwystredigaethau. Doeddwn i ddim yn sgrifennu bob dydd, ac âi sawl diwrnod heibio heb 'mod i'n sgrifennu, ond ambell ddiwrnod byddwn i'n sgrifennu fwy nag unwaith.

Braf oedd cael ymateb eraill i'r hyn a sgrifennwn, ac roedd o'n ffordd o gyfathrebu efo ffrindie gan fod amryw byd ohonyn nhw'n ymateb ac yn cofnodi eu negeseuon eu hunain. Yn anffodus, ymhen amser, dechreuodd negeseuon anweddus, ugeinie ohonyn nhw, ddod trwodd i'r safle ac roedden nhw'n fy ypsetio i'n lân. Erbyn hyn dwi'n gobeithio bod Buddug, o gwmni Boyns, wedi datrys y broblem honno a bod yr holl negeseuon aflednais yn cael eu blocio.

Erbyn heddiw, mae'r hyn gofnodwyd yn gymorth i ddwyn i gof fanylion pethe ac i'm hatgoffa o sut roeddwn i'n teimlo. Ar brydie roeddwn i'n teimlo ar goll, yn gorfod gneud popeth fy hun – y dyletswydde teuluol syml fel mynd â'r plant i gêmau pêl-droed, i wersi nofio a phiano. Bry fydde'n gneud hyn i gyd ac yn ystod wythnose cynta'r ddamwain mi ddois i sylweddoli na ellid cymryd dim yn ganiataol, bod yn rhaid gwerthfawrogi'r hyn sy gynnoch chi gan na wyddoch chi byth be all ddigwydd.

Roedd y dyddie a'r wythnose ar ôl iddo symud i Southport yn llawn o ddyletswydde gartre yn ogystal â mynd i'r ysbyty i'w weld. Cafwyd teledu iddo ac roedd hi'n gweithio'n dda, mi aethon ni ati i neud ei gornel yn yr ysbyty ychydig yn fwy cartrefol drwy osod lluniau o Ilan a Teleri yn ymyl y gwely mewn man y galle fo eu gweld a gosod cardie wedi eu gneud gan y plant ar y wal. Ac uwch ei ben, yn hofran yn falch, roedd y ddraig goch a anfonwyd ato gan Dilwyn (Porc).

Pan awn yno byddwn yn ei fwydo a doedd dim o'i le ar ei archwaeth. Doedd dim peryg wrth ei fwydo efo fforc neu lwy ond os mai brechdanau, yna lwc owt, roedd ganddo ddannedd miniog fel dannedd ci! Ac yna mi fydde'n rhaid tramwyo'r daith hir adre'n ôl a'r plant yno'n disgwyl eu swper. Oedd, roedd o'n amser pryderus a gofidus, ond roedd yn rhaid ceisio bod yn hwyliog. Roedd yna rai pethe'n digwydd i godi'r galon, fel y diwrnod yn niwedd Mehefin – wedi wythnose o geisio darllen yr arwyddion, darllen gwefuse a dehongli ambell symudiad efo'r pen a'r llygaid – pan glywais i Bry yn siarad am bum munud. Andros o ymdrech anodd iddo fo, ond yn werth pob eiliad.

Mi ddychwelais i Southport drannoeth ac roedd Bry yn wên o glust i glust, ei lais yn ôl ac yn debyg iawn i'w lais arferol ond ei fod yn swnio fel tase ganddo fo ddolur gwddw. A newyddion da oedd clywed na fydde angen bocs siarad arno, fod ganddo ei lais ei hun. A dyma pryd y chwaraewyd y tric ar TP.

Mi fu'r safle ar y we yn handi iawn hefyd i gyfleu negeseuon i'w ffrindie, a dyma grynodeb o un sgrifennais i ganol Gorffennaf:

Gan fod Yogi gryn bellter o'i gartref, dwi'n credu y galle fo neud efo mwy o ymwelwyr. Fel y gallwch chi werthfawrogi, gan ei fod yn dal yn yr uned gofal arbennig dydi o ddim isio gweld ond y rhai mae o wedi gneud llawer efo nhw yn ystod y misoedd diwethaf neu deulu a ffrindie agos. Mae gan Tony (Parry) rota o ymwelwyr ac mi fydde'n drueni pe bai'r niferoedd yn dechre disgyn.

Yn naturiol, mi fydde Bry yn cael cyfnode isel, yn cael cyfnode lle roedd y cymylau uwch ei ben yn ddu ac ynte'n gweld fawr o ddyfodol iddo. Bryd hynny bydde ymweliade'i ffrindie o gymorth mawr. Yn un peth, mi fydde'n gorfod gneud ymdrech i fod yn siriol yn eu cwmni, ac ar y llaw arall, roedden nhw'n griw mor ffraeth, mor hwyliog, nes bod yn donic go iawn iddo fo.

Roeddwn inne'n manteisio ar bob cyfle i dorri ar undonedd bywyd i Bry ac i dynnu'r plant i mewn i'r gweithgaredde. Roedd Sul y Tadau ar Fehefin yr ail ar bymtheg yn un enghraifft, ac mi gafodd y plant gyfle i ddiolch i'w tad am yr hyn roedd o wedi ei wneud iddyn nhw ar hyd yr amser. Bu ei arweiniad a'i gyngor yn amhrisiadwy, a diolch i'r drefn, mae o'n dal efo ni ac yma o hyd i gynghori ac i arwain er nad i ymgymryd â'r dyletswydde oedd yn rhan mor bwysig o'n bywyde ni i gyd. Ar y Sul arbennig hwn cafodd Ilan a Teleri gyfle i agor eu cardiau iddo a'u darllen a chyflwyno iddo gwpan efo 'No.1 Dad' arni – cwpan oedd yn deud mwy na'r un a gafodd o wrth chware pêl-droed a rygbi. Yna cawsom ginio i ddathlu – cig oen Cymreig, tatws newydd a bresych, a Bry yn mynnu bod y coleslaw wnaeth Ilan yn yr ysgol yn cael ei gymysgu efo'r grefi. Roedd o wedi rhoi deg allan o ddeg iddo amdano beth bynnag, mwy nag a gafodd o gan ei athrawes!

Roedd o'n naturiol wrth ei fodd yn gweld y plant a hwythe'n ei weld o, ac roedd ambell i beth eitha digri'n digwydd. Mi wnaeth Teleri gymryd rhan mewn taith gerdded i godi arian i'r gronfa, a mi ofynnodd i'w thad ei noddi!

Mae'r holl bethe hyn yn swnio mor gyffredin ac mor ddiniwed, ond y cyffredin sy'n bwysig mewn bywyd, ac roedden nhw'n gynhaliaeth hollol angenrheidiol i ni er mwyn cadw gwead yr uned deuluol yn dynn ac yn glos fel roedd hi wedi bod erioed. Y pethau cyffredin sy'n mynd ar goll mewn bywyd pan fydd yr amgylchiade yn gwbwl groes i hynny. Roedd hi'n bwysig hefyd edrych ymlaen, ac roedd Bry eisoes, hyd yn oed pan oedd o yn yr uned gofal dwys, wedi mynegi ei fwriad i ddychwelyd i Faes Gwyniad i hyfforddi'r tîm ieuenctid unwaith y bydde fo adref. Pa ryfedd bod y doctoriaid yn Southport yn hapus efo'r ffordd roedd o'n datblygu ac yn hapus efo'i agwedd.

Fel arfer, bydde fo'n gweld yr ochor ole a'r ochor ore i bethe ac yn mwynhau'r tynnu coes a'r chwerthin. Ac ynte'n dal yn ei wely heb allu codi mi ddwedodd wrtha i ei fod o'n cysgu un pnawn ac wedi deffro i weld rhywun efo tâp mesur uwch ei ben yn ei fesur ar gyfer cader olwyn. Mi ddwedes inne mai'r amser iddo fo ddechre pryderu oedd pan fydde fo'n deffro a gweld Dei ac Eryl Evans (ymgymerwyr angladdau yn y Bala) uwch ei ben yn ei fesur!

Dro arall, pan gafodd o'i osod ar wely yn y *gym* a'r gwely'n cael ei godi nes bod Bry fel pe bai'n sefyll ar ei draed, a hynny am awr ar y tro, mi ddwedes 'mod i wedi cael syniad ac am adel yr heddlu i neud rhywbeth arall. Mi 'drychodd Bry yn hurt arna i a meddwl 'mod i'n gwirioni.

'Mi awn ni o gwmpas y wlad yn gneud *double act*,' medde fi. 'Ti wedi dy rwymo wrth y gwely fel yna a finne'n lluchio cyllyll atat ti, ac os metha i, a dy daro di, fydd o ddim o bwys achos fyddi di ddim yn teimlo poen.'

'Na fydda,' medde Bry, 'ond mi fydda i'n gwaedu!'

Ryden ni i gyd yn teimlo'n isel weithie, ond y tro nesa y digwydd hynny i chi beth am ichi orwedd ar eich cefn yn y gwely a dychmygu nad os gennych chi ddim teimlad yn is na'r gwar. Dyna ydi bywyd i Bry, ac anaml y bydd o'n cwyno. Hyd yn oed pan nad ydi o'n dda mae o'n dal i neud ymdrech. Un diwrnod roedd o wedi cael cur mawr yn ei ben a phan es i i'r ysbyty i edrych amdano, roedd o'n gorwedd â'i lygaid ar gau. Mi es ato fo a sibrwd yn ei glust: 'Oes 'ne rywun adre?' 'Na,' oedd yr ateb. 'Dwi yn Aberystwyth.'

Y pethe bach oedd yn bwysig hefyd, fel yr awel yn

chwythu yn ei wyneb wrth iddo ddod at y drws efo ni am y tro cynta yn ei gader olwyn pan oedden ni'n cychwyn adre un diwrnod. Awel Southport ar ei ruddiau yn fwy gwerthfawr na dim.

Yn ystod haf 2007 mi dyfodd yr ymdrechion i godi arian i'r gronfa fel caseg eira, ac un o'r digwyddiade mwyaf pobologaidd yn lleol oedd y daith gerdded noddedig o gwmpas Llyn Alwen. Mi ddigwyddodd hyn ar y Sadwrn ola ym Mehefin, yr un cyfnod â phan gafodd Bry ei lais yn ôl. Amser arbennig iawn i ni i gyd.

Adran Ieuenctid y Clwb Rygbi drefnodd y daith, taith o saith milltir, ac mi godwyd rhwng pedair a phum mil o bunnoedd i'r gronfa. Fel hyn y cofnodwyd peth o'r hanes gan Teleri (Llwyd Roberts):

Wedi cael taith gerdded hwylus. Roedd y tywydd o'n plaid a phawb mewn hwylie da. Roedd 164 o gerddwyr mewn esgidiau addas ac Euros Puw mewn welingtons... Diolch i Gwyn Awen Meirion, Geraint ac Yvonne am gadw trefn arnynt... Roedd yn wych gweld criw mor dda efo'i gilydd, prawf o ba mor bwysig 'di Bry i gymaint ohonon ni. Diolch i'r trefnwyr a Bethan yn enwedig.

Drannoeth y cerdded roeddwn i yn Southport yn gweld Bry ac roedd hwylie da arno fo. Dyma ddeud hanes y daith wrtho a deud bod rhyw ugien wedi cerdded, ac roedd o'n fodlon iawn ac yn hynod ddiolchgar i'r cerddwyr. Wedyn wnes i ddeud y gwir wrtho fo – fod dros gant a thrigain wedi cerdded – ac roedd o wedi'i syfranu ac roedd y dagre'n amlwg. Mi ofynnes iddo wedyn be oedd o wedi bod yn ei neud – cwestiwn gwirion dwi'n gwybod

– ac mi ddudodd ei fod wedi rhedeg rownd y bloc chydig
o weithie. Na, dydi o ddim wedi colli ei hiwmor a diolch
am hynny.

Roedd y patrwm ymweld wedi'i sefydlu erbyn hyn:
fi'n mynd ddwyweth neu dair yn ystod yr wythnos a'r
plant yn dod efo fi ar benwythnose. Ar ôl rhai wythnose
o ddreifio 'nôl a blaen i Southport fel hyn roeddwn i'n
hen law ar ddod o hyd i'r ffordd, er nad oeddwn i'n
hapus iawn yn gyrru ar y traffyrdd. Erbyn cyrredd adre
mi fyddwn i wedi blino'n lân ond wedi gwerthfawrogi'r
troeon pan fydde'r plant efo fi'n gwmpeini. Ar yr adege
pan fyddwn i yn y car ar 'y mhen fy hun bach y cawn
amser i fyfyrio am yr hyn oedd o'n blaene ni.

6

Newid Siâp y Bêl

i

ROEDD CYFNOD CANOL HAF 2007 yn gyfnod o ddatblygu pellach yn fy hanes, a rhyw bedwar mis bellach ers y ddamwain, roeddwn i'n symud ymlaen o gam i gam o hyd. Y cam pwysig nesa oedd cael 'y mesur am gader – 'Y Gader'. Nid un dros dro ond yr un fydde gen i gartre, un drydan, addas ar 'y nghyfer i a neb arall. Dwy flynedd ydi'r cyfnod arferol i aros am gader felly, ac roedd hi'n Fehefin 2009 cyn i mi ei dderbyn, a finne erbyn hynny wedi bod adre am dros chwe mis.

Roedd mesur am y gader yn baratoad ar gyfer yr amser pan fyddwn i gartre, ac roedd profiad fel hyn yn codi fy nghalon ac yn gneud i mi ddychmygu fy hun yn cael mynd adre o'r ysbyty a defnyddio'r gader o gwmpas y Bala, er mai cader tŷ oedd hi i fod. Yna, yn sydyn, bydde rhywbeth yn digwydd i 'nigalonni drachefn.

Lai nag wythnos ar ôl cael 'y mesur am y gader roedd Susan a'r plant wedi dod draw i 'ngweld pan ges i drafferthion mawr efo'r anadlu. Roedd y teimlad yn union fel rhywun yn gwasgu clustog dros 'yn wyneb i drio fy mygu, ond doedd neb o'r staff yn 'y nghoelio. Roedd y peirianne, medden nhw, yn dangos 'mod i'n cael digon o aer, ond doeddwn i ddim.

Mi fuo'n rhaid i Susan yrru'r plant o'r uned a galw am un o'r nyrsys ar frys, ac nid cyn pryd chwaith.

Roedd y beipen wedi blocio er bod y peiriant yn deud yn wahanol. Be fydde'r hanes tase Susan ddim wedi bod efo fi pan ddigwyddodd hyn, wn i ddim – mi fydde pethe wedi bod yn o ddrwg dwi'n meddwl. Roeddwn i'n flin braidd, ac wedi dychryn hefyd.

Roeddwn i'n dal yn yr uned gofal arbennig pan ddaeth dydd fy mhen-blwydd yn hanner cant a wnes i ddim dychmygu y bydde dim yn digwydd, dim mwy na bod Susan a'r plant wedi dod i aros i'r fflat yn yr ysbyty am noson neu ddwy er mwyn bod wrth law. Mi ddaeth fy chwaer, Joyce, a'i gŵr Dei draw, ond mynd â'r plant i Splashwood i nofio er mwyn i ni gael llonydd roedden nhw. Neu felly roedden nhw'n deud. Ond nid dyna oedd o o gwbwl.

Heb yn wybod i mi, roedd parti wedi'i drefnu yn y *day room* a'r bwyd wedi dod o'r Bala, a hwnnw'n *spread* go iawn wedi'i baratoi gan Eleri Wenallt a Linda Penlan, a chacen ben-blwydd wedi'i gneud yn sbesial gan Rhiannon Ty'n Coed, Rhosygwaliau. Na, doeddwn i'n gwybod dim am y peth, ac eto roeddwn i wedi rhyw ame bod rhywbeth ar droed gan fod y nyrs wedi mynnu 'mod i'n siafio ac yn gwisgo dillad glân a doeddwn i ddim yn un da am newid.

Roedd hi'n benwythnos gŵyl y banc a'r traffig yn ddifrifol o drwm, ond mi ddaeth dros drigain i'r parti – dod mewn confoi o geir o'r Bala, yn deulu, yn ffrindie, yn bobol rygbi, a phob cenhedlaeth yno gan gynnwys nifer o blant.

Doedd y plant, ar wahân i Teleri ac Ilan, erioed wedi 'ngweld i mewn cader olwyn, ac mi gawson nhw dipyn bach o sioc ar y dechre, ond buan iawn y daethon nhw i arfer efo'r peth, fel y bydd plant.

Mi gawson ni ddiwrnod i'w gofio, diolch i bawb wnaeth morol i'w neud yn ddiwrnod sbesial i mi. A doedd y dathliade ddim drosodd chwaith. Drannoeth y parti, pwy landiodd yn Southport ond aelode Côr Meibion Llangwm, dros ddeugain ohonyn nhw, wedi bod yn yr Alban ac wedi gneud *detour* bychan i ddod i 'ngweld, ac roedd effaith diod genedlaethol y wlad honno ar ambell un ohonyn nhw bron yn ddigon i 'meddwi inne hefyd! Mi ganson nhw beder neu bump o ganeuon yn y ward. Roedd o'n brofiad a hanner; gweld pobol o wardiau eraill yn heidio i wrando yn ogystal â nyrsys a doctoried, pawb o gwmpas 'y ngwely i yn gynulleidfa i'r côr. Doedden nhw erioed wedi gweld na chlywed dim byd tebyg, ac mi addawodd y côr ddod draw cyn y Nadolig hefyd i ganu carole.

Ymhen yr wythnos roeddwn i'n croesawu Dilwyn Morgan i'r ysbyty, ac ynte ar ei daith feic noddedig o Land's End i John O'Groats. Roeddwn i'n andros o falch o'i weld o, ond mi gaiff Susan adrodd yr hanes gan iddi hi fod mewn cyswllt efo fo gydol y daith.

Ar ôl y pen-blwydd roedd hi'n gyfnod tawel arna i er y bydde rhwng deg a phymtheg o bobol yn dod i 'ngweld i bob wythnos – rhai roeddwn i'n arfer eu gweld, rhai heb eu disgwyl. Un diwrnod mi ddaeth Sulwen Davies, y Parc – mam Rhian Dafydd, un oedd wedi bod yn driw iawn i mi – i 'ngweld i a dod â bara brith i mi. Mi ddaru hynny godi 'nghalon i'n fawr, gweld pobol hŷn a phobol heb ddim cysylltiad â byd rygbi, pobol nad oedden nhw'n 'y nabod i cynt yn dod i 'ngweld i. Roedd o'n agoriad llygad i mi i weld caredigrwydd pobol, cymaint yn cofio amdana i, a hynny mewn uned lle roedd amryw o gleifion nad oedden nhw'n cael bron neb yn dod i edrych amdanyn nhw. Trist iawn oedd hynny, a finne'n cael cymaint. Mor lwcus oeddwn i o 'nheulu a'm ffrindie.

ii

Do, mi es i oddi ar y rêls braidd ar ôl marwolaeth Nain, ond mi ddois i at fy nghoed hefyd yn weddol fuan. Roedd Martin Rhosfaith yn gweithio rai orie ar nosweithie Mercher a Gwener ar y drws yn y Bridge Hotel yn Bontuchel. Mi fydden nhw'n cynnal partïon disgos yno. Bownsar oedd o mewn gwirionedd ac mi ofynnodd i mi faswn i'n licio cael rhyw gymaint o waith felly ac mi wnes i gytuno ar unwaith.

Tua'r un amser, mi gychwynnodd Mick Ruggiero glwb yn y Rhyl – Maxine's – ac mi ges i a Martin waith yn fan'no hefyd ar nosweithie Sadwrn. Llewys crys oedd hi yn y Bridge yn Bontuchel, ond gwsigo fel pengwin oedd hi yn y Rhyl, efo crys gwyn a dici bo.

Mi ges i lawer o hwyl yn gneud y gwaith achos roedd llawer o'r bobol oedd yn dod i'r dafarn ac i'r clwb yn 'y nabod i. Mi fydde Martin a fi, dim ond ni'n dau, yn mynd yn y car o Cerrig i'r Rhyl ar nos Sadwrn ac yn dod adre efo llond car – rhai wedi colli'r bws ola neu wedi yfed gormod i ddreifio.

Doeddwn i ddim yn gallu yfed llawer wrth neud y gwaith yma, ac mi welais hefyd bod y rhan fwya o'r rhai oedd yn dod i'r clwb a'r dafarn yn llawer iau na fi. Y profiad ddaru fy sadio i oedd gweld y rhain wedi meddwi ac yn methu rheoli eu hunain ac yn methu dal eu diod. 'Nes i sylweddoli 'mod i lawer yn hŷn na nhw a'r rhan fwya o 'nghyfoedion i wedi priodi a chael plant erbyn hynny. A finne'n dal i ymddwyn fel taswn i'n llanc ifanc.

Roedd y dafarn yn Bontuchel yn cau'n weddol resymol hyd yn oed ar nosweithie dawns a disgo, ond nid felly'r clwb. Mi fydde'n dri neu bedwar o'r gloch y bore'n amal, ac weithie, os oedd hi'n noson arbennig o dda, mi fydde'n fore arnon ni'n gorffen. Bryd hynny, mi fyddwn i'n cael brecwast yn y clwb cyn dreifio adre i weithio ar y ffarm.

Yn ystod y cyfnod yma y symudes i i Ruthun i chware pêl-droed ac mi benderfynodd y cadeirydd, Bill Grinder – Gwyddel, a boi clên iawn – drefnu trip i Iwerddon, a dyna wnaeth o: trip i gael hwyl a chware rhyw ddwy neu dair o gêmau.

Mi gychwynnodd tua phump ar hugain ohonon ni ar nos Wener, croesi o Gaergybi ar y cwch a bws wedyn i westy crand allan yn y wlad – gwesty hynod o grand i feddwl eu bod yn fodlon cymryd pump ar hugain o chwaraewrs pêl-droed a'u cefnogwyr. Ymhlith y cefnogwyr roedd Gerallt Llaethwryd ac Ifor Glasfryn, dau oedd ddim yn chware ond mi fu'n rhaid i un ohonyn nhw neud cyn diwedd y daith.

Un arall ar y daith oedd Bryn Jones o Ruthun ac roedd tipyn o hwyl ac yfed wrth groesi. Roedd Bryn am fy yfed i o dan y bwrdd, medde fo, ac mi rois i wahoddiad iddo fo ymuno efo'r criw ohonon ni oedd yn siario rownd, ond doedd o ddim yn fodlon. Roedd o isio sesiwn jyst fi a fo ac mi wrthodes i hynny.

Beth bynnag, roedd bar bychan yn y gwesty ac yn fan'no roedden ni gan fod priodas yn y gwesty hefyd a pharti'r briodas mewn anferth o stafell lawr grisie, stafell oedd yn dal rhwng tri a phedwar cant.

Mi ddechreuodd criw ohonon ni ganu, fel y bydden ni'n arfer neud, ac mi ddaeth tad y briodferch i fyny pan glywodd o'r seiniau ac mi gawson ni wahoddiad i ymuno efo nhw a chanu i'r gwahoddedigion. Roedd 'ne dipyn o hwyl a sbri yno, ond erbyn dau o'r gloch roedd Bryn yn cysgu ar y soffa. Fy yfed i o dan y bwrdd, wir!

Mi gawson ni andros o groeso gan John, perchennog y gwesty. Y fo a'i wraig a'i dair merch oedd yn rhedeg y lle. Roedd yr hyna, Pauline, wedi priodi, yr ail wedi dyweddïo a'r ieuengaf, oedd yn un ar bymtheg, yn helpu yn y bar.

Erbyn pump o'r gloch y bore dim ond y fi a hi oedd ar ôl ac roeddwn i'n malu cachu a doethinebu a siarad am Feibion Glyndŵr a'r IRA a phopeth arall dan haul gan 'mod i wedi yfed cymaint. Roedd hi'n hogan swil iawn, ac yn swnio'n ferch unig dros ben; doedd hi byth yn mynd allan i unman efo neb, medde hi. Am chwech o'r gloch mi gododd y fam a dechre gneud brecwast ac mi es inne ati i'w helpu, i ffrio wyau a bacwn efo un llaw a pheint o Guinness yn y llall. Mi ddois i'n ffrindie mawr efo'r teulu ar y pryd.

Y diwrnod hwnnw roedden ni'n chware pêl-droed a dwi'n cofio fawr ddim am y gêm, ond dwi'n cofio mai'r penwythnos yna yr enillodd Barry McGuigan ei ornest focsio am bencampwriaeth y byd, ac yn naturiol roedd 'ne ddathlu mawr yn Iwerddon. Fel arfer mi fydde'r tafarne'n cau am hanner nos ar y Sadwrn gan ei bod yn Sul drannoeth ond oherwydd y dathlu doedd dim cau y nos Sadwrn honno. Ac felly, fel y noson cynt, roeddwn i'n dal wrth y bar am bump o'r gloch y bore, dim ond y fi a'r ferch ifanc, ac mi ddwedodd wrtha i ei bod wedi cael amser drwg efo hogyn rai blynyddoedd ynghynt ac mai dene pam na fydde hi byth yn mynd allan. Mi ddwedes inne fy hanes wrthi – fi'n chwech ar hugain a hithe'n un ar bymtheg!

Yr un oedd y patrwm ddydd Sul: chware gêm yn y dydd ac aros ar 'y nhraed drwy'r nos. Roedd parti swnllyd a disgo yn y stafell fawr nos Sul a rhwng tri a phedwar cant yno. Ddydd Llun, roedd gynnon ni gêm arall ac mi fu'n rhaid i mi fynd i chware yn y gôl; doeddwn i'n da i ddim yn unman arall, a fawr o les yn y gôl chwaith! Gan fod cymaint o'r hogie'n sâl ar ôl gor-yfed mi fu'n rhaid i Ifor Glasfryn chware un gêm a hynny yn ei sgidie cowboi. Doedd ganddo fawr o glem arni!

Mi brynodd pobol y gwesty set o bedwar gwydryn crisial drud i'w cyflwyno i glwb pêl-droed Rhuthun, ond mi dynnon nhw un o'r gwydrau o'r bocs a'i roi i mi, felly tri gafodd y clwb a fi gafodd y pedwerydd gan 'mod i wedi gneud ffrindie efo nhw.

Y rheswm 'mod i'n deud y stori yna ydi imi dderbyn, ryw chwe mis yn ddiweddarach, lythyr gan y tad a'r fam yn diolch i mi am siarad efo'r ferch ieuengaf a gwrando ar ei stori. Roedden nhw, yn naturiol, wedi bod yn poeni amdani, ond yn dilyn yr ymweliad roedd hi wedi dechre byw bywyd normal a mynd allan efo'i ffrindie ar ôl cyfnod o aros i mewn o olwg pawb. Bedair blynedd yn ddiweddarach, mi ges wahoddiad i'w phriodas. Es i ddim, wrth gwrs, ond mi anfones lythyr yn diolch am y gwahoddiad, a nodyn i'w darpar ŵr yn ei rybuddio rhag ei chamdrin neu mi fyddwn yn anfon Meibion Glyndŵr ar ei ôl! Roeddwn i wedi bod yn sôn am y busnes llosgi tai haf wrthi a hithe wedi bod yn sôn am yr IRA. Chlywais i ddim byd oddi wrthyn nhw yn Iwerddon ers blynyddoedd, ond gobeithio ei bod hi'n hapus ble bynnag mae hi.

Roedd Rhuthun yn chware mewn cynghrair uwch na Cerrig, sef y Wrexham Area Division 1. Mi chwalodd tîm Cerrig yn fuan wedyn gan i'r Conwy and District League ddod i ben a newid i fod yn Subaru League. Ond y drafferth fawr oedd nad oedd neb yn fodlon rheoli'r clwb ar ôl i Dei Rich symud i Ruthun.

Mi chwaraeais i bron i ddau dymor efo Rhuthun a chael fy mwcio sawl gwaith a 'ngyrru oddi ar y cae hefyd. Mi roedd Dei Rich yn eitha strict fel rheolwr ac yn mynnu bod yn rhaid ymarfer. 'Dim ymarfer, dim chware', dyna oedd ei orchymyn. *'No training, no game'* fydde ei ddywediad mawr. Ond unwaith, a finne wedi 'ngwahardd rhag chware ar y pryd, mi adawodd i un boi – dwi ddim yn cofio'i enw fo – chware er nad oedd o wedi bod yn ymarfer. Roedd o'n chwaraewr da, dwi ddim yn deud, ond yr un rheol i bawb, felly roeddwn i'n teimlo ac mi ddwedes hynny wrth y rheolwr. Wnaethon ni ddim ffraeo a mi dwi'n dal yn ffrindie mawr efo fo, ond rhwng y gwaharddiad a'r annhegwch yna, mi ddangoses 'y nhin iddyn nhw, a dod draw i'r Bala i weld gawn i chware efo nhw gan 'mod i'n nabod rhai o bobol y clwb, gan gynnwys Tubby Edwards, Llanuwchllyn, y rheolwr.

Ond, wrth gwrs, roeddwn i wedi 'ngwahardd, ac mae gwaharddiad yn cario dros bob cynghrair ac yn gyffredin i'r timau i gyd, felly chawn i ddim chware efo neb nes y bydde'r gwaharddiad ar ben.

Gan ei bod yn nos Sadwrn mi es i mewn i'r Plas

Coch a chyfarfod â Robin Penlan, un o'r rhai oedd wedi cychwyn Clwb Rygbi'r Bala. Dyma ddechre siarad a holi a sôn am y bêl-droed a'r ffaith 'mod i wedi 'ngwahardd. Sôn am y clwb rygbi hefyd, a'r diwedd fu imi gael gwahoddiad i drênio efo'r clwb ar y nos Fawrth ddilynol. Roeddwn i'n credu mewn trênio ac yn ei golli oherwydd y gwaharddiad.

Ar y nos Fawrth dyma fynd i Faes Gwyniad heb wybod be i'w ddisgwyl gan na wyddwn i ddim byd am rygbi, a phrin 'mod i'n gwybod nad oedd y bêl yn un gron. Rhyw le digon cyntefig oedd yno – generadur bach yn cynhyrchu trydan i oleuo rhyw bedair lamp digon gwantan a'r man trênio yn ddim mwy na rhyw ddeg llath ar hugain sgwâr. Dewi Twm oedd yn hyfforddi; doeddwn i ddim yn gwybod ei enw iawn, sef Dewi Davies, tan i'r plant fynd i Ysgol y Berwyn lle mae o'n brifathro. Roedd Irwyn, brawd Rhys Llandrillo, yno a Gwyndaf Hughes a sawl un arall.

Dyma rywun yn cicio'r bêl yn uchel i'r awyr a galw arna i i'w dal hi. Mi wnes, a'r eiliad nesa dyma glec – tri hogyn Gwern Biseg wedi 'nhaclo, a 'nharo i nes 'mod i'n fflat ar lawr ac yn fwd i gyd. Mi godais ar 'y nhraed ac mi ddigwyddodd yr un peth wedyn, dal y bêl, cael fy nhaclo. Dwi'n grediniol bod Robin Penlan wedi cynllunio hyn i gyd ymlaen llaw.

Beth bynnag am hynny, dwi'n greadur styfnig a wnes i ddim ildio, dim ond dal ati. Doedden nhw ddim yn mynd i gael y gore arna i. Doedd gen i ddim syniad pwy oedd pwy ond mi ddaliais 'y nhir hyd ddiwedd yr ymarfer. Doedd dim lle i molchi ar y cae, felly roedd rhai'n mynd adre fel roedden nhw, a'u dillad a'u sgidie'n fwd i gyd, a'r lleill yn gwisgo'u dillad dros eu dillad ymarfer cyn mynd am y Plas Coch, a dene wnes inne.

Bedydd mwd nid bedydd tân ges i i rygbi felly, ac ar ôl mynd i'r Plas dyma rai ohonyn nhw'n mynd ati i ddewis y tîm i chware i ffwrdd yn erbyn Harlech y dydd Sadwrn canlynol. Rhaid eu bod yn andros o brin yn y cyfnod hwnnw achos mi ges i 'newis i chware yn y tîm cynta, a hynny fel canolwr. Doedd gen i mo'r syniad lleia am y rheole ond roedd Arwyn Hughes, y canolwr arall, diolch byth, yn eu gwybod.

Penderfyniad ac nid 'y ngwybodeth oedd yn 'y ngharu i'r diwrnod hwnnw. Aeth un o chwaraewyr Harlech heibio imi efo'r bêl ac roedd o'n mynd i sgorio cais. Dyma fi'n ei faglu. Wyddwn i ddim fod yna reol mewn rygbi yn deud bod yn rhaid i bob tacl gynnwys y dwylo a'r breichie. Ei faglu faswn i wedi'i neud ar y cae pêl-droed, ond yma roedd pethe'n wahanol, mae'n amlwg. Mi aeth yn helynt ac roedd hogie Harlech wedi gwylltio a rhai'n dechre paffio efo bois y Bala ar ochor y cae. Mi ddaeth y reff ata i ac roedd o'n mynd i 'ngyrru oddi ar y cae, a finne yn 'y ngêm gynta! Mi 'nes i ymddiheuro a deud na wyddwn i am y rheol ac roedd Rhys a Robin yn nabod y reff ac mi ddwetson wrtho fo mai dyma'r tro cynta erioed imi chware.

Beth bynnag am hynny, mi ges i bardwn ac aros ar y cae ac mi ddaru ni guro Harlech. Yn y clwb wedyn, mi brynes i beint i'r boi roeddwn i wedi'i faglu ac ymddiheuro iddo fo, ac roedd y boi'n iawn. Dyna un o nodweddion rygbi: mae unrhyw elyniaeth ar y cae yn cael ei anghofio'n syth, a phawb yn dod yn ffrindie. Gawson ni fin nos difyr dros ben cyn dychwelyd i'r Bala, pedwar ohonon ni yn yr un car, a mynd i'r Plas wedyn tan amser cau – un ar ddeg bryd hynny. Ac wedyn adre â fi yn fy nghar, wedi chware 'ngêm gynta o rygbi – gêm oedd yn mynd i olygu cymaint imi, ac yn mynd i newid 'y mywyd i'n llwyr.

iii

Un peth oedd myfyrio ar 'y mhen fy hun ynghylch y dyfodol a dychmygu sut y bydde pethe, peth arall oedd realaeth y sefyllfa, oedd ar adege'n wahanol iawn i ffrwyth fy myfyrdod.

Tua diwedd Mehefin, mi ddaeth swyddogion o'r ysbyty yn Southport a'r awdurdod iechyd lleol i Tŷ Ni ac mi eglurais iddyn nhw fy syniade am addasu ein cartref ar gyfer anghenion Bry. Roedd pawb o'r farn fod yr hyn oedd gen i mewn golwg yn bosib, ond mi ddois i sylweddoli rhai pethe nad oeddwn i wedi breuddwydio amdanyn nhw cynt. Mi fydde angen gofal dwys dau ofalwr ar Bry am bedair awr ar hugain, a bydde'n angenrheidiol i un fod ar ei draed drwy'r nos. Mi wyddwn y bydde'n rhaid cael lifft i Bry, ond mi fydde'n rhaid i'r lifft honno fod o faint arbennig i'w gario fo, y gader olwyn ac un o'r gofalwyr. Mi fydde'n rhaid inni gael generadur bychan hefyd i gynhyrchu trydan rhag ofn y byddai toriad yn y cyflenwad. Hyn a llawer rhagor – lledu'r dryse, adeiladu ramps, adeiladu ystafell molchi arbennig, offer codi, a llawer mwy.

Proses hir ac araf, proses i brofi'r amynedd ydi'r broses gynllunio ond roeddwn i'n meddwl y bydde cais i addasu, yn enwedig addasu ar gyfer person anabl, hyd yn oed o fewn terfyne'r parc, yn mynd drwodd yn weddol ddidrafferth, ac y bydde'r gwaith yn cychwyn yn eitha buan.

Ond nid felly roedd hi. Ganol Awst, mi ges lythyr gan Awdurdod y Parc Cenedlaethol a 'ngwnaeth i'n benwan. Roedd y llythyr yn deud bod yn rhaid imi gael cadarnhad gan Adran Gwasanaethau Cymdeithasol yr awdurdod perthnasol, sef Gwynedd, fod Bry wedi'i gofrestru'n anabl gan yr awdurdod hwnnw.

Wrth gwrs, roedd Bry yn dal yn Southport a heb gael ei asesu a doedd dim gobeth i hynny ddigwydd am fisoedd. Roeddwn i'n rhagweld y galle fod yn barod i ddod adre ond yn methu am fod y tŷ fisoedd ar ei hôl hi, ac mi ddysges yn ystod y cyfnod hwnnw fod diffyg disgresiwn o unrhyw fath yn rhywbeth cyffredin iawn. Roedd Bry ar ei gefn yn yr ysbyty, yn ddiffrwyth o'i war i lawr, heb obaith y bydde ei gyflwr yn gwella, ac yn anadlu drwy gyfrwng fentilator. Onid oedd hynny'n ddigon o anabledd?

'Den ni bob amser wedi gneud popeth yn onest – *by the book* – ond mae rhywbeth fel hyn yn gneud i chi ofyn ydi gonestrwydd yn talu. Ond wedyn, dwi'n gallu cysgu'r nos.

Mi benderfynes ofyn i Margaret (rheolwr achos Bry) oedd yna ffordd i oresgyn hyn, er enghraifft, drwy gael llythyr o'r ysbyty. Y peth ola roeddwn i isio'i neud oedd treulio orie ar y ffôn yn cael fy nghyfeirio o un person i'r llall wrth geisio datrys y broblem. Ond os mai dyna fydde'n rhaid ei neud, dyna fydde'n rhaid. Mi feddylies am ffonio'r Parc, gofyn iddyn nhw faint fydde'r cais yn ei gostio, a thalu amdano fy hun, ond wedyn, pam dylwn i?

O'r diwedd, ar ôl nifer o alwade ffôn ac esbonio'r

sefyllfa, mi ddealles y gallwn fodloni gofynion Adran 29 o Ddeddf Cymorth Cenedlaethol, 1948, drwy gael llythyr gan yr arbenigwr meddygol yn Southport yn tystio i ddifrifoldeb anabledd Bry. Roedd yr argyfwng drosodd ac mi ddaeth fy mhwysedd gwaed yn ôl yn normal.

Nid gartre'n unig roedd yn rhaid imi frwydro dros hawlie Bry, ond yn yr ysbyty hefyd. Nid brwydro 'di'r gair cywir chwaith, gan ei fod yn rhoi camargraff o'r ysbyty, oedd yn hynod gefnogol a chadarnhaol ei agwedd. Ond chewch chi ddim byd heb ofyn amdano, felly tua diwedd Gorffennaf 2007, wrth weld Bry yn dod yn ei flaen yn dda, mi wnes i atgoffa'r *physio* 'mod i wedi sôn ynghynt am y posibilrwydd i Bry gael mynd i'r pwll nofio. Ar y pryd roedd yr adwaith yn un o syndod gan nad oedd neb efo traci wedi bod yn agos i'r pwll o'r blaen. Ond mae'n amlwg i'r gwahanol adrannau siarad efo'i gilydd a thrafod y mater, achos mi ddwedodd y *physio* wrtha i y base'n bosib iddo fynd cyn diwedd Awst pan fydde'r pwll wedi'i atgyweirio.

Ond roedd Bry yn dal yn gefnogol i mi hefyd. Roeddwn i wedi bod yn astudio am radd allanol mewn Datblygiad Proffesiynol (Addysg) o Goleg y Brifygol yn Abertawe, wedi pasio ac i dderbyn y cap a'r gown mewn seremoni yn y ddinas honno. Roedd hi'n anodd ar y gore adel Bry pan fyddwn yn mynd adre o'r ysbyty, er y gwyddwn i ei fod mewn dwylo da yn yr adran. Ond pan fyddwn i ar 'y mhen fy hun ar ôl i'r plant fynd i'w gwlâu mi fyddwn yn hel meddylie, ac yn colli dagre. Roedd y syniad o fynd i Abertawe – mor bell – yn boen meddwl, ond mi fynnai Bry 'mod i'n mynd. Roedd o wedi bod mor gefnogol. Unwaith, mi golles ddwy fil o eiriau ar y cyfrifiadur a phan ddwedais i 'nghŵyn wrtho, y cyfan ddwedodd o oedd, 'Dos yn d'ôl a dechre eto!' A dyna oedd angen i rywun ei ddeud wrtha i. Ac wrth gwrs y byse fo'n mynnu 'mod i'n mynd i Abertawe.

Ac felly mi es, a Mam a Dad a Teleri efo fi, gan aros dros nos yn y Marriott a mynd allan i'r ddinas i gael bwyd. Roedd Ilan yn yr Eidal efo trip ysgol. Yn Neuadd y Brangwyn roedd y seremoni ac mi ges i amser i'w gofio – penllanw cyfnod hir o waith, o astudio ac o sgrifennu traethodau. Mi es â llun ohonof yn 'y nghap a gown i Bry iddo fo gael ei weld ac roedd dagre yn ei lygaid pan welodd o fo. Mi ges gyfle hefyd i ddiolch am yr holl gefnogaeth roeddwn i wedi'i chael ganddo.

Gan ei bod yn ben-blwydd Bry ar y seithfed ar hugain o Awst a pharti wedi ei drefnu ar ei gyfer, mi ges i a'r plant ddefnyddio'r fflat yn yr ysbyty am ddwy noson ddechre'r wythnos, ac roeddwn i dan orchymyn i fynd â het iddo gan y galle'r tymheredd oeri. Ers y ddamwain doedd o ddim yn ymwybodol o oerni na gwres ac roedd yn rhaid cymryd ei dymheredd yn rheolaidd. Mae hi felly o hyd.

Beth bynnag, mi ddois o hyd i het *Goofy* werdd a du efo clustie mawr arni ac mi es â hi efo fi. Roedd golwg mawr arno ynddi a'r nyrsys yn cael hwyl am ei ben. Ond roedd het Clwb Rygbi'r Bala gen i yn y bag hefyd. Roedd pethe bach fel hyn yn help i godi'r ysbryd a chadw pawb yn siriol.

Ddiwedd yr wythnos, mi gynhaliwyd cynhadledd i'w achos efo Awdurdod Iechyd Gwynedd, tîm meddygol Bry a'i reolwraig, Margaret, er mwyn trafod gofal i Bry pan fydde gartre. Mi aeth popeth yn dda iawn ac roedd yn galondid sylweddoli y bydde'r Awdurdod

Gyda fy chwaer, Joyce, ar ddechrau'r chwedegau

Fy nghariad cyntaf!!

Ar fuarth Bodtegir, Llanfihangel Glyn Myfyr yn fy arddegau cynnar

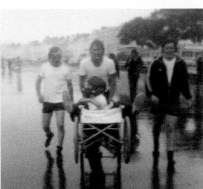

Noson yn y Crown yn Llanfihangel
i ddathlu buddugoliaeth yn y
Ras Pramiau am y trydydd tro yn olynol.
(Yn y canol gyda'r gwpan)

Yn gwthio'r pram yn Ras
Pramiau Llandudno

Tîm Summer League Bodfari, 1979.
Yn y canol, crys melyn a het
(ta bwced?) ar fy mhen

Gyda'm rhieni, fy nhaid (ochr dad) Dei Wils
a'm hen-daid a nain (ochr fy nhad)

Taid Bodtegir, Harry Roberts

Nain Bodtegir. Roeddwn yn meddwl
y byd ohoni

Ffarm Bodtegir a Nain Bodtegir
i'w gweld yn sefyll yn y drws

Diwrnod ein priodas,
25 Awst, 1990. Gwnes
i heneiddio blwyddyn
dros nos!

Ar ein mis mêl yn Tunisia,
Awst 1990

Fi, Susan ac Ilan, 11 Mehefin 1995

Susan a fi mewn priodas

Tîm Llanuwchllyn, enillwyr Cwpan Bragdy, 1995. Rhes gefn, pedwerydd o'r dde

Tim rygbi'r Bala. Trydydd ar y dde, rhes ôl

Rhes gefn, pedwerydd o'r chwith, canol y nawdegau

Tîm pêl-droed Ifor Williams a gystadlodd yng nghystadleuaeth Cwpan Cynwyd, 2004

Hogiau'r Bala

Efo tîm y *minis*, Bala 2005/06. Tels (Teleri) trydydd o'r chwith, rhes gefn

Fi ac Ilan, Haf 1995

Euro Disney, 2002

Fi, Ilan a Teleri ym maes awyr
Caernarfon, Haf 1997

Yn Menorca, 1999. Druan o'r fuwch!

Gwyliau yn Fflorida, 2005

Gyda Ilan a Teleri,
tua 2003

Gwyliau yn
y Caribî,
Ebrill 2007.
Wythnos cyn y
ddamwain, gyda
fy ffrind newydd

Gyda Susan
(Llun: Daily Post)

Teulu Tŷ Ni gyda Dic a Morfudd (rhieni Susan)

Y tu allan i Plas Coch ar y diwrnod pan ddes i adre, 5 Tachwedd 2008
(Llun: Daily Post)

Y pedwar ohonom yn Southport, 2008

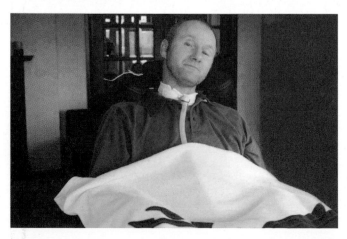

Ar ôl cyrraedd adre,
Tachwedd 2008
(Llun: Daily Post)

(Llun: Daily Post)

Teulu Tŷ Ni,
Nadolig 2008
(Llun: Erfyl
Lloyd Davies)

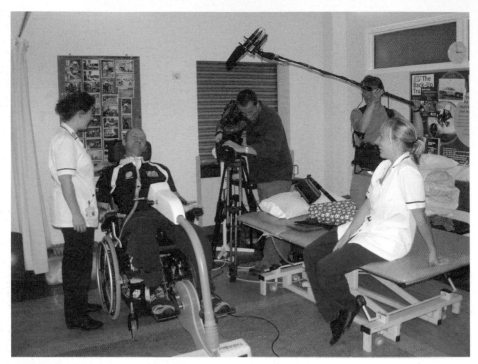

Ffilmio *O'r Galon* yn yr adran ffisiotherapi, Hydref 2007
(Llun: Catrin M S Davies)

Brechdan bacwn ar ôl dod adre
(Llun: Daily Post)

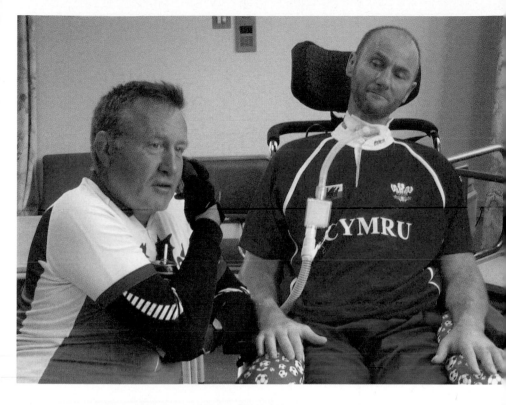

Dilwyn ar ymweliad a
Southport yn ystod y daith o
Land's End i John o' Groats
(Llun: Catrin M S Davies)

Dilwyn ar gychwyn ei daith
beic noddedig

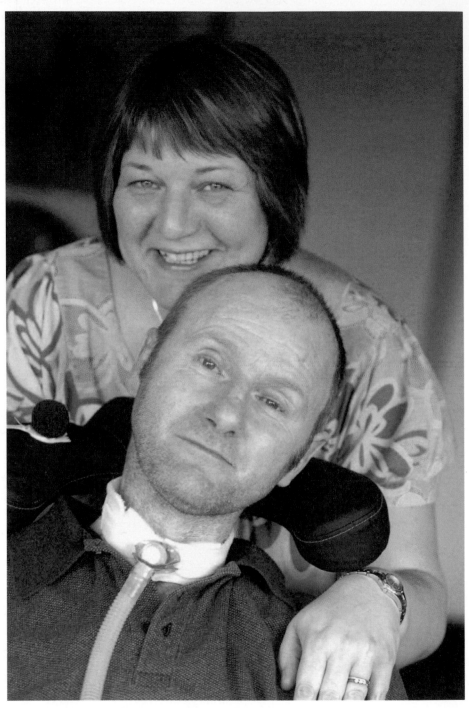

Adre o'r diwedd!
(Llun: Daily Post)

Iechyd yn gneud popeth yn eu gallu i sicrhau y bydde'r gynhaliaeth ar gael iddo yn Tŷ Ni. Roeddwn i'n teimlo 'mod i'n dechre gweld gole ym mhen draw'r twnnel.

Rhan o'r broses oedd 'nghael i i ymarfer glanhau'r tiwb yng ngwddw Bry, newid y traci a defnyddio'r *ambi bag*. Wna i byth nyrs, ond dwi'n trïo 'ngore, a fydd dim yn ormod o drafferth i mi. Ei gael o adre sy'n bwysig.

Yn ystod y cyfnod yma, roedd y spasms yn parhau ac, yn wir, yn gwaethygu. Mi ddwedodd y tîm meddygol wrtha i eu bod am geisio eu rheoli efo tabledi, ac mi fuo'n rhaid i minne ddeud wrth bobol fydde'n ymweld â fo i beidio'i gyffwrdd os bydde'n cael plycie tra bydden nhw yno, ac i beidio poeni gan na fydden nhw'n para'n hir.

Ddechre Medi, aeth y plant yn ôl i'r ysgol ac yn ystod yr wythnos gynta mi ymosododd cyn-ddisgybl ar Ilan ar dir yr ysgol yn ystod yr awr ginio. Wrth lwc, chafodd o ddim anaf difrifol, ond roedd y digwyddiad wedi'n digalonni ac wedi taflu cwmwl du dros y diwrnod. Yn naturiol, roedd Bry wedi cynhyrfu pan glywodd o a falle y bydde rhai'n ei weld o'n beth rhyfedd 'mod i wedi deud wrtho am y digwyddiad yn hytrach na chelu'r cyfan, ond dyna'r ddealltwriaeth sy rhyngon ni: osgoi cadw dim oddi wrth ein gilydd. Y tebyg ydi y bydde rhywun ar ymweliad wedi crybwyll y peth beth bynnag.

Roedd o'n beth trist i ddigwydd, oedd, ond roedden ni fel teulu yn ddigon call i sylweddoli ac i gydnabod bod mwyafrif ieuenctid yr ardal wedi bod yn gefn i ni yn ystod y misoedd diwetha; trueni bod ambell un heb fedru dilyn eu hesiampl. Ond doedd y diwrnod ddim heb ei newyddion da chwaith gan i Nia ffonio i ddeud bod Dilwyn wedi cyrredd John O'Groats ar ôl seiclo o Land's End. Ond mwy am hynny eto.

Gydol Gorffennaf ac Awst, ac ymlaen at y Nadolig, roedd pethe'n datblygu yn yr ysbyty a gartre. Bry yn cael ei fesur am gader – nid un dros dro ond yr un barhaol fydde'n addas iddo fod adre ynddi; cael peiriant anadlu cludadwy oedd yn golygu y gallai grwydro ymhellach o'i wely; cael sgan oedd yn dangos nad oedd dim newid yng nghyflwr ei asgwrn cefn. Gartre, roedd yr ymdrechion codi arian yn datblygu'n gyflym: naid parasiwt Lois; gala rygbi – y tro cynta i mi fynd i'r cae rygbi ers y ddamwain; ac ocsiwn addewidion, a finne a Teleri ac Ilan yn eistedd ar y *top table* ar yr un bwrdd â neb llai na Glanmor Griffiths, Llywydd Undeb Rygbi Cymru, a'r un, rai wythnose ynghynt, a ddaeth â neges i Bry oddi wrth John Howard, Prif Weinidog Awstralia.

Roedd y gala rygbi a'r ocsiwn addewidion yn enghreifftiau da o'r math o ddigwyddiadau a gâi eu cynnal i godi arian. Roedd dros bum cant o bobol yn bresennol yn y gala rygbi, lle chwaraewyd dwy gêm: un rhwng timau un ar hugain y Bala a Harlech, a'r llall rhwng y Bala a Llanymddyfri, deiliaid Cwpan Konica Minolta ar y pryd. Roedd bar a barbeciw ar y maes a gwnaed elw o tua £5,000.

Yna, yn yr hwyr, codwyd dros £15,000 yn yr ocsiwn addewidion ac ymhlith yr eitemau a werthwyd roedd gwylie ym Mhortiwgal, Tenerife a Malaga, diwrnod o saethu ffesantod oedd yn werth £3,000, a bocs lletygarwch i ddeuddeg yn y gêm rygbi rhwng Cymru a Ffrainc yn Stadiwm y Mileniwm. Mi werthwyd yr eitem honno am £1,200.

Erbyn Nadolig 2007, roedd y gronfa wedi pasio'r can mil, ac ymhlith y digwyddiade gyfrannodd at y swm hwnnw, roedd cyfraniade gan rai redodd Farathon Llundain, gweithgaredde mewn clybie ac ysgolion a chymdeithase, treialon cŵn defaid, WA Bala, cyngherdde, cwisie, Siôn a Siân – pobol o bob cwr yn dangos eu parodrwydd i gyfrannu a'u dyfeisgarwch wrth feddwl am wahanol ffyrdd o godi arian yn rhyfeddol.

Roedd yr holl weithgarwch yn tanlinellu'r parch oedd gan bobol at Bry ac yn adlewyrchu hefyd yr ewyllys da sy'n bodoli yn ein cymunede a'n cymdeithase.

Diolch mai yma ryden ni'n byw.

7

Hanner Amser

i

MI FUO'R CYFNOD RHWNG Awst a'r Nadolig yn gyfnod prysur iawn rhwng popeth i 'nheulu a fy ffrindie a phawb o'r bobol garedig fu'n codi arian i'r gronfa. Ac mi fu'n gyfnod pwysig yn fy hanes inne yn yr ysbyty.

Ddiwedd Awst a dechre Medi mi aeth Dilwyn Morgan ar ei daith feic o Land's End i John O'Groats, ac yn fuan wedyn mi ddechreues inne ar farathon, ond un tipyn yn wahanol, sef cael gwersi ar y cyfrifiadur. Doeddwn i rioed wedi troi cyfrifiadur ymlaen cyn hyn heb sôn am ei ddefnyddio, ac roedd yn rhaid gneud popeth efo 'ngheg. Andros o job, ac mi fues am hydoedd cyn gallu pwyso *Start* heb sôn am neud dim byd wedyn. Dwi 'di penderfynu nad ydw i isio'i ddefnyddio i bob math o bethe dim ond i anfon ambell e-bost a gallu syrffio'r we. Swnio'n hawdd ond dydi o ddim!

Ond ymhen yr wythnos roeddwn i wedi llwyddo i argraffu un neges ar gyfer Teleri ac Ilan, a hynny heb help fy hyfforddwraig, oedd yn Saesnes:

Teleri and Ilan this is my first go.

Bythefnos yn ddiweddarach, mi lwyddes i anfon y neges yma at Susan:

*Hello, Hitler. Got this far. You can now reach me by
e-mail. Will practice more until I get 'perfect'. Guess
who!!!*

Ganol Hydref, mi ddaeth Catrin i'r ysbyty i ffilmio ar
gyfer rhaglen S4C, *O'r Galon*, ac fel hyn yr adroddodd hi
beth o hanes y diwrnod ar y we:

... Yn garedig iawn roedd yr ysbyty wedi trefnu i mi gael
ffilmio Bryan yn cael ffisio ac un o'i sesiynau OT lle mae o'n
dysgu sgiliau trin cyfrifiadur. Ro'n i'n teimlo bod y ddau beth
yna yn ddigon a bod gofyn cwestiyne iddo ar ben hynny'n
ormod.

... dyma gael sgwrs fer a finne'n deud 'Gwell inni beidio
â gneud gormod o gyfweliad heddi, Bryan – dim ise dy flino
di.'

'O na,' medde Bryan. 'Tyrd i ni gael o o'r ffordd.'

A fel hynny y bu. Dechreuon ni am ddau ac roedd y
therapydd yn ein cicio ni allan o'r ystafell am chwarter i
bump gan ei bod hi angen mynd adre. Ges i gyfweliad gwych
gan Bryan... a roedd o'n waith caled iddo fo gan ei fod e'n
seiclo am hanner awr ar y cychwyn, ac yna'n teipio a gorfod
ateb cwestiyne gen i... Roedd yn rhaid i fi ei stopio bob hyn
a hyn a gneud iddo gymryd diod o ddŵr... Pan welwch chi'r
rhaglen peidiwch â chael eich siomi nad ydych chi'n cael eich
enwi. Mi alla i eich sicrhau chi bod Bryan wedi enwi pawb
yn yr ardal, a hanner gogledd Cymru – ond mi fydda i wedi
gorfod eich golygu chi allan gan fod dwy awr o gyfweliad gen
i... a dim ond hanner awr o slot...

Roedd e'n edrych braidd yn flinedig ar ôl cyrredd yn ôl
i'r ward a finne'n poeni ei fod wedi gorwneud pethe. Beth
oedd yn poeni Bryan? Bod gen i siwrne hir adre!

Gwych iawn oedd yr holl brofiad a gwnaeth i mi deimlo mor
lwcus ydw i yn fy ngwaith yn cael creu rhaglen fel hon a
threulio amser gyda'r fath berson a'r fath deulu anhygoel.

Cyn y Nadolig hefyd mi ddaeth tua deg ar hugien o
blant o ysgolion fel Bro Tryweryn, Parc a Llangwm i
ganu carole, ond chawson nhw ddim mynd o gwmpas y
wardiau gan y staff, dim ond canu mewn un lle, am eu
bod yn canu caneuon crefyddol – carole – ac roedd yna
beryg o bechu yn erbyn rhai oedd yn credu'n wahanol.
Roedd llawer o'r cleifion yn siomedig iawn am hyn, yn
enwedig y rhai oedd yn styc yn eu gwlâu ac yn methu
dod i'w clywed, a 'dallwn inne ddim deall y peth chwaith,
pam yr holl ffys. Mi gynigies i fynd rownd y gwlâu i ofyn
i bobol oedden nhw isio clywed y carole neu beidio.
Cofiwch, dwi ddim erioed wedi bod yn grefyddol nag
yn ddyn capel. Mi roedd fy nhaid, ar un adeg, yn mynd
i'r Ysgol Sul ym Melin y Wig, ac mi fydde'n sôn ambell
waith sut roedd pethe ers talwm, ac yn dyfynnu o'r Beibil
a phethe, ond roedd ynte wedi ffraeo efo nhw ymhell
cyn i mi gael 'y ngeni a byth yn mynd i unlle. A phan
laddwyd Bob ar y tractor roeddwn inne'n gofyn pam, a
neb yn gallu ateb.

Roedd y rhai oedd yn dod i ymweld yn rheolaidd yn
gymorth mawr i mi yn ystod y cyfnod yma rhwng Medi
a'r Dolig. Un diwrnod, mi ddaeth Trefor Trow i 'ngweld
i – un o Benllyn yn wreiddiol ond yn byw yn Lerpwl
ers dros bymtheng mlynedd ar hugain. Roedd o'n arfer
cael tocynne gême rhyngwladol gan glwb y Bala ac
mi drefnodd Tony Parry i'w gyfarfod yn yr ysbyty un
min nos fel y gallai dderbyn y pres amdanyn nhw pan
fyddai o'n dod i 'ngweld i.

Mi fuo Trefor yn dod yn rheolaidd wedyn bob nos Iau, gan aros am ddwyawr neu dair i sgwrsio. Roedd o'n help mawr i mi i wybod bod rhywun yn dod yn gyson felly. Y tro cynta, roedd o'n siarad Saesneg gan ei fod wedi priodi hogan o gyffinie Lerpwl a heb siarad Cymraeg ers blynyddoedd, ond yr eildro iddo ddod, mi ddechreues i siarad Cymraeg efo fo ac ymhen chwe wythnos roedd ei Gymraeg yn ôl yn berffaith. Mae o'n dal i ffonio ac mae o wedi bod yma yn y Bala yn 'y ngweld i hefyd.

Tua'r un adeg, mi ddaeth Clwb Rygbi Southport i wybod 'mod i'n yr ysbyty, wn i ddim sut, ac mi ddaeth eu hyfforddwr a'r cadeirydd a'i wraig i 'ngweld i a chyflwyno crys clwb Southport i mi. A, rywsut, drwy'r clwb rygbi, mi glywodd Mark Vine, rheolwr clwb golff Ainsdale, 'mod i yno ac mi ddechreuodd o a'i wraig a'i blant ddod i 'ngweld i unweth bob pythefnos yn y pnawnie. Dwi'n ddyledus iawn i'r bobol yma fuo mor ffyddlon imi.

Roedd yr adeg o gwmpas y Nadolig yn adeg eitha drwg i mi. Roeddwn i'n dal i gael y spasms, ac roedd rhai ohonyn nhw'n ddrwg iawn ac yn para drwy'r nos weithie. Mi fyddwn inne yn 'y ngwely yn methu gneud dim am ddyddie wedyn.

Rhyw ddiwrnod, mi ddaeth Mr Soni, y *consultant*, heibio a deud ei fod o am roi rhyw feddyginieth o'r enw *baclophen* i mi. Roedd yn rhaid ei roi yn y bol, a thrwy'r bol, ac roedd o wedi dyfeisio pwmp i bwmpio'r stwff y tu mewn i 'nghorff i – rhywbeth tebyg i gloc larwm wedi'i neud efo titanium, tua thair neu bedair modfedd o led a rhyw fodfedd o drwch. Roedd o'n mynd o gwmpas y byd i arddangos y peiriant yma.

Mi fydde gosod y peiriant yn golygu trinieth o dros bedair awr: gosod y pwmp a gosod peipen i redeg ohono i ganol fy mol ac i fyny 'nghefn at fy sgwydde. Yr ail ar hugien o Ragfyr oedd y diwrnod mawr. Roedd o wedi dod heibio yr wythnos cynt i ofyn oeddwn i'n fodlon iddo neud y drinieth, a finne'n deud 'mod i'n fodlon trïo unrhyw beth os oedd gobaith y byddwn i'n well.

Roedd Mr Soni yn gneud tair o'r triniethe yma yr un pryd, gan symud o un theatr i'r llall a dysgu dau o'r doctoried erill sut i neud y gwaith, sef Dr Oo a Dr Anthony. Pedair awr a hanner gymerodd y cyfan ac mi fues i yn 'y ngwely heb bron symud am dair wythnos ar ôl hynny, ar wely oedd yn troi o ochor i ochor a fyny a lawr a matres o aer o dana i.

Fedrwn i ddim codi 'mhen, ac mi osodwyd drych arbennig fel y medrwn i wylio'r teledu yn y drych.

Mi ddwedes wrth Susan a'r plant am beidio â dod i 'ngweld i dros y Dolig, ond mi ddaethon nhw ar ddiwrnod Dolig ei hun. Doeddwn i ddim isio gweld cinio Dolig mwy na chic yn 'y nhin, ond allen nhw ddim cadw draw ac roedd yn rhaid i finne neud ymdrech.

Roedd y cyfnod rhwng y Dolig a'r Flwyddyn Newydd yn adeg drwg iawn i mi. Mi ges i boene dychrynllyd fel roedd effaith y tabledi a'r injections yn lleihau a'r pwmp yn pwmpio hylif i mewn i asgwrn 'y nghefn ar raddfa o 300 mililitr ar y dechre ac yna'n cael ei newid a'i reoli gan gyfrifiadur. Tase rhywun wedi gofyn imi faint o boen oedd o ar raddfa un i ddeg mi faswn i wedi deud ugien, dyna mor ddrwg oedd o. Roedd dagre yn powlio i lawr fy wyneb i a tase gen i wn yr adeg honno mi faswn i wedi'i iwsio fo.

Doedd y nyrsys yn gallu gneud dim gan na allwn

gael fy symud, ond roedd eu gofal yn anhygoel. Noson Dolig, ar ôl i Susan a'r plant fynd adre, mi steddodd Nyrs Kelly, nyrs a gwallt coch ganddi, efo fi drwy'r nos yn gafael yn fy llaw ac yn siarad efo fi, ac yn ystod y cyfnod drwg yma, mi ddaeth amryw o'r nyrsys erill i neud yr un peth, gan gynnwys Helen. Roedd ganddi ŵr ac efeilliaid naw oed gartref. 'Be ti'n neud yn fama?' medde fi wrthi. 'Adre dylet ti fod efo dy deulu.' 'Ges i ddiwrnod Dolig adre,' medde hi. 'Dene'r cyfan oeddwn i isio.'

Oedd, roedd o'n amser drwg, ond mi ddysges i be oedd ymroddiad a gofal staff oedd, a defnyddio'r ymadrodd Saesneg, *'beyond the call of duty'*, ac efo'u help nhw mi ddois i drwyddi.

ii

Un o'r pethe drawodd fi pan newidies i o chware pêl-droed i chware rygbi oedd y gwahanieth rhwng y gymdeithas oedd yn bodoli o gwmpas y ddwy gêm. Ar ôl chware gêm o bêl-droed mi fydde pawb yn gwasgaru ar y diwedd neu'n hel yn glicie bach o ffrindie. Ond mewn rygbi roedd pethe'n hollol wahanol. Un gymdeithas oedd 'ne ac roedd pawb yn perthyn iddi, dim clic, dim criw bychan yn hel at ei gilydd, ond pawb fel un, a phawb yn ffrindie. Roedd yr un teimlad o bawb yn cyd-dynnu a chydgymdeithasu yn digwydd ar ôl ymarfer, ac roeddwn i wrth fy modd yn ymarfer. A deud y gwir, ro'n i'n cael mwy o bleser erioed wrth ymarfer nag wrth chware. Ymarfer efo gweddill y sgwad, wrth gwrs, ond ymarfer ar 'y mhen fy hun hefyd.

Pan oeddwn i'n chware pêl-droed yr unig beth oedd gen i ar y ffarm oedd pêl yn hongian wrth raff o ddistyn yn y sgubor, a bob tro y byddwn yn ei phasio byddwn yn neidio i fyny i'w phenio. Ond roedd yn rhaid wrth fwy o ymarfer i chware rygbi, yn enwedig gan nad oedd gen i'r syniad lleia sut i daclo. Roeddwn i'n lwcus 'mod i'n gry, felly dyma fynd ati i lenwi sach deucant efo ceirch a hongian honno yn y beudy a'i thaclo bob tro yr awn heibio, bwrw iddi a lapio mreichiau amdani. Rhois ddarn o ledr o dan bwyse cant hefyd a'i osod ar 'y mhen neu 'ngwar a'i godi. A'r trydydd peth wnawn i oedd cario clamp o deiar tractor mawr i fyny ac i lawr y buarth ar gyfnode segur megis pnawn Sul. Mae'n siŵr fod golwg od arna i yn gneud y ffasiwn bethe i rywun diarth! Dysgu sgiliau, ie, ond cryfhau'r corff hefyd, ac mi wyddwn y bydde hogie erill y clwb yn gneud yr un peth.

Pan ddechreues i chware rygbi o ddifri yn yr wythdege, roeddwn i yn y tîm cynta o'r cychwyn, yn chware yn erbyn timau fel Pwllheli a Blaenau Ffestiniog ac yn cael andros o gweir. Chware yn erbyn timau llai hefyd – Harlech a Phorthmadog – a'u curo fel arfer. Pan aethon ni i gynghrair Gogledd Cymru roedden ni'n cael tripiau i lawr i'r de a chware mewn cystadlaethe megis y Brewers' Cup, ar lefel trydydd tîm Caerdydd. Amaturiaid oedd pawb bryd hynny.

Ac felly y bu pethe am ddwy neu dair blynedd, popeth yn mynd yn ei flaen a'r unig newid yn 'y mywyd i oedd fod rygbi wedi disodli pêl-droed, ond nid yn llwyr chwaith gan i rai o'r hogie ailgychwyn tîm yn Cerrig ac mi fyddwn i'n chware efo nhw weithie.

Yna, yn 1984, mi ddigwyddodd rhywbeth oedd yn

mynd i newid 'y mywyd yn llwyr. Bu farw Glasebrook, perchennog Botegir, a fydde pethe ddim yr un fath ar ôl iddo fo fynd. Roedd Mam yn byw yn un o dai rhent Glasebrook ac mi ges i gynnig ei brynu, pryniant fydde'n diogelu Mam. Mi es i weld y twrne yn Ninbych a chael gwybod ganddi y bydde'r ffarm yn cael ei gwerthu yn y man, ond y bydde hi o leia flwyddyn a hanner cyn i bethe ddod i ben. Deunaw mis, felly, imi hel digon o arian i brynu'r tŷ, a dyna wnes i, safio tan y funud ola cyn talu amdano. Ac roeddwn i'n dal ym Motegir yn ystod yr amser yma ac mi fues i yno tan 1987. Roeddwn i'n awyddus i'w phrynu, taswn i'n gallu, gan mai ffarmio oedd popeth imi. Ac yn ystod y cyfnod yma roeddwn i'n dal i chware rygbi i'r Bala a phêl-droed i Cerrig.

Mi es i ati i neud cynllun busnes a mynd at fanc y Midland yng Nghorwen i ofyn am fenthyg arian i brynu'r ffarm, ac mi ges i gytundeb gan y banc i wario hyd at £350,000. Roedd hwn yn swm go fawr bryd hynny, ond mi wydde'r banc beth oedd ei gwerth, ac roeddwn inne'n meddwl y bydde fo'n ddigon i'w phrynu pan werthid hi ar ocsiwn. Ond siom ges i. Mi aeth i £375,000 ac roedd pum mil ar hugain yn ormod o wahanieth rhwng ei phris a'r hyn a addawyd i mi gan y banc.

Perchennog Agri Electrics, siop yn Llanelwy – dyn o'r enw Mr Smith – brynodd hi. A fo brynodd Plas Newydd hefyd, fferm ar y ffordd rhwng Rhewl a Llandyrnog. Mi werthodd y busnes a'r adeilad yn Llanelwy er mwyn prynu'r ddwy.

Mi arhosais ym Motegir tan 1987 cyn symud, yn ddeg ar hugain oed i 17, Maes Aled, Cerrig y drudion.

Mi ges i gynnig aros ar y ffarm ond roeddwn i wedi torri 'nghalon gan na fedrwn ei phrynu. Mi gafodd Haydn a fi arian diswyddo reit dda ond chafodd Taid yr un geiniog goch y delyn er iddo fod yno am dros hanner can mlynedd. Roedd o wedi pasio ei chwe deg pump ac felly'n swyddogol ar ei bensiwn, er ei fod yn dal i weithio. Mi ypsetiodd hynny fi'n fawr.

Roedd Glyn Doctor a'i wraig wedi prynu tŷ cyngor yn Cerrig, ond doedd hi ddim yn dda rhwng y ddau ac roedd o isio gwerthu. Mi brynson ni'r tŷ efo'r arian diswyddo ac arian Taid a symud yno i fyw, y tri ohonon ni. Roedd Mam yn iawn gan fod ei thŷ hi yn eiddo i mi, ac roedd y cyngor yn talu ei rhent o £35 yr wythnos i mi gan fod hynny'n rhatach iddyn nhw na gorfod chwilio am dŷ arall iddi. Felly, gan fod Mam yn ddiogel yn y fan honno, roedd yn rhaid i mi morol amdanaf fy hun. Doedd Haydn ddim yn dreifio a doedd Taid ddim ffit mewn car, felly fi wnaeth y symud o Fotegir efo Cortina a threlar bychan fesul tipyn nes bod y cyfan oedd ei angen arnon ni wedi'i shifftio. Doedd dim lle i hanner y dodrefn oedd ym Motegir mewn tŷ cyngor, felly roedd yn rhaid gwerthu. Cafodd Taid ddewis be oedd o ei isio a'r pethe roedd o'n meddwl y base Nain am eu cadw.

Roedd tair dreser fawr yno ac mi ddaeth rhyw ddyn o'r Merica i'w prynu a phrynu llawer o'r pethe erill hefyd. O edrych yn ôl, mi gafwyd pris rhy isel o lawer am y dodrefn, ac mi gollwyd ffortiwn. Ond mi ges i set o lestri Nain, set roedd Taid wedi'i phrynu iddi yn Ffair y Bala rywdro. Dydi hi ddim yn werth llawer heddiw, ond dyna'r unig beth sy gen i i gofio am Nain. Mi fues i'n dal i redeg y ffarm nes gwerthwyd hi i Smith, ac am ddau neu dri mis wedyn, gan drefnu i werthu'r defaid a phethe felly. Yn ystod y cyfnod hwn, roeddwn i'n chware pêl-droed i Cerrig a rygbi i'r Bala.

Ar ôl symud i Faes Aled mi ges i waith yn ddigon rhwydd. Roedd Eifion Evans yn byw ar yr un stad ac roedd ganddo fo fusnes mawr, yn hunangyflogedig, yn tendro am goed yng Nghoedwig Clocaenog i'r Comisiwn Coedwigo, ac yn mynd ati wedyn i'w torri a'u llifio a'u stacio ar gyfer eu cario oddi yno. Mi alwodd heibio i gynnig gwaith i mi, ac felly mi es inne yn hunangyflogedig a mynd ati i dorri coed – job beryg ar y naw, job ddiflas, ond job oedd yn talu'n dda gan 'mod i'n cael £22 y dunnell am dorri coed a'u stacio ar fin y ffordd. Y Comisiwn Coedwigo fydde wedyn yn eu casglu.

Y sioc fwya oedd newid o fod yn gyflogedig i fod yn hunangyflogedig. Ym Motegir, doedd dim trethi i'w talu, dim biliau trydan na ffôn, popeth am ddim a'r cyflog yn gymharol fychan. Yn awr, roeddwn i'n cael cyflog mawr ond roedd angen talu am bopeth allan ohono. Doedd dim byd i'w gael am ddim bellach. Roedd yn rhaid rheoli arian mewn ffordd wahanol. Fu Taid ddim yn gweithio ar ôl symud i Cerrig, a dim ond gwaith achlysurol ar ffermydd oedd Haydn yn ei gael, felly mi ddisgynnodd y rhan fwya o'r cyfrifoldeb ar fy sgwydde i unwaith eto.

Mi fydde'r rhan fwya o'r gweithwyr yn cyrredd y coed rhwng hanner awr wedi saith ac wyth o'r gloch, ond roeddwn i, gan 'mod i wedi arfer felly, yn codi tua pump ac yn dechre ar y gwaith yn gynnar ac yn gorffen am bump fel pawb arall. Yn ystod fy wythnos gynta yn y gwaith mi enillais i £300 oedd yn bres mawr bryd hynny ac yn dipyn o sioc i'r system. Y swm mwya enillais i mewn wythnos oedd £870 ond roedd honno'n wythnos hir a chaled. Roedd rhyw bump neu chwech ohonon ni'n gweithio ochor Llanfihangel i'r goedwig a chriw tebyg ochor Gyffylliog, ac mi fydden ni'n chware castie ar ein gilydd, yn symud a chuddio tractors a phethe gwirion felly. Ond roedd hynny'n torri ar undonedd y gwaith.

Roedd cychwyn mor fore a bod yn y goedwig ar 'y mhen fy hun yn groes i reolau'r Comisiwn Coedwigo, ond wnaethon nhw ddim deall bod hynny'n digwydd, ac mi fydde Eifion yn dod heibio lle roeddwn i'n gweithio tua hanner awr wedi saith ac yn canu corn arna i er mwyn iddo fo gael gwybod 'mod i'n iawn.

Mi fydde'r coed yn cael eu clirio'n llwyr: y boncyffion mawr ar gyfer adeiladu, y darnau llai yn bolion, a gweddill y stwff yn mynd i'r Waun i'r ffatri fawr yno i gynhyrchu *chipboard*. Roedd o'n waith caled ond roeddwn i'n gry ac yn iach a digon o ynni gen i i weithio ar ffarm Llaethwryd ar fin nosau, i helpu efo'r cynhaea gwair ac i ennill cyflog ychwanegol am hynny hefyd. Roeddwn i'n ffrindie efo Gerallt, y mab, ac yn adnabod John, y tad, yn dda, a Meinir, chwaer Gerallt, ddaru gymryd y ffarm drosodd oddi ar ei thad ar ôl priodi Iwan Glasfryn, un arall o'm ffrindie.

Felly y bu pethe am ddwy neu dair blynedd, ac, wrth gwrs, ar nosweithie Gwener a Sadwrn mi fyddwn yn gweithio ar y drws yn y Bridge yn Bontuchel a Maxine's yn y Rhyl. Yn y man, mi rois i'r gore i'r nos Wener ond dal ati yn Maxine's. Yno y deue hogie'r wlad i fachu merch, a mynd bron bob tro, nid efo'r merched ddeue o lannau Dyfrdwy a chyffinie Lerpwl, ond efo merched lleol, merched o'u hardaloedd eu hunain. Roeddwn i'n cael hynny'n od! Ond roedd digon o gyfle gen i i gyfarfod merched o ffwrdd gan 'mod i ar y drws, ac yn siarad yn gall gan nad oeddwn i'n yfed ar ddyletswydd. Ond roedd y Saesneg yn mynnu dod allan o chwith yn amal gan 'mod i'n cyfieithu o'r Gymraeg.

Mi gwrddais i ag amal i ferch yn y ffordd yma ac mi fyddwn i'n mynd i'w cyfarfod nhw ar nos Fercher, sef nos Sadwrn bach, i Queensferry, i Benarlâg a mannau tebyg. Roedd lot o sbort i'w gael yn ystod y dyddie hynny. Yna, ddiwedd 1988, mi rois i'r gore iddi yn Maxine's hefyd.

Roedd dau lawr i'r clwb: y llawr isa lle roedd y disgo a'r dawnsio, a'r llawr ucha'n dawelach lle roedd cyfle i bobol yfed ac eistedd wrth y bar a chymdeithasu. Un noson, roeddwn i ar ddyletswydd ar ben y grisie pan welais i'r gole'n wincio y tu ôl i'r bar, yn arwydd bod helynt i lawr grisie. Felly i lawr a fi ac roedd ffeit yno. Mi es ati i helpu i daflu dau neu dri allan o'r clwb ac wrth neud hynny mi deimlais rywbeth gwlyb yn fy ochor, ac mi welais fod gwaed yn socian fy nghrys. Roedd hic yn y cnawd dan fy senne ac mi gofiais 'mod i wedi teimlo rhywbeth yn llosgi fy ochor wrth imi helpu'r bownsers i stopio'r paffio. Roedd rhywun wedi defnyddio cyllell neu flêd rasal arna i.

Wrth lwc, doedd y briw ddim yn un mawr nac yn un dwfn, ond yn y fan a'r lle mi benderfynes roi'r gore iddi. Doeddwn i erioed wedi cael profiad o ddim byd o'r fath cyn hynny, a, sut bynnag, roedd rheole newydd yn dod i rym oedd yn golygu y bydde'n rhaid i mi gael trwydded i weithio yn y clwb.

Ond cyn gadel mi ges i barti efo'r bownsers eraill

rywbryd cyn Dolig – parti ddaru bara am y rhan fwya
o'r nos ac mi gyrhaeddes adre tua phump. Yn fuan ar
ôl saith, roeddwn i ar fy ffordd am y gwaith yn y coed,
ac wrth fynd drwy Lanfihangel a throi i'r ffordd am
fferm y Fodwen a'r goedwig, dyma gar heddlu allan o'r
tu ôl i'r siop ac ar fy ôl, a dwi'n grediniol hyd heddiw
ei fod o'n aros amdana i, neu be arall oedd o'n neud yn
Llanfihangel yr adeg honno o'r bore?

Mi wyddwn 'mod i dros y limit ac y collwn i
'nhrwydded pe cawn fy nal felly doedd dim i'w neud
ond rhoi troed lawr a'i gwadnu hi i gyfeiriad y fan lle
roeddwn i'n gweithio. Mi wyddwn y bydde'r plismon
yn ffonio o'i gar i gael help i ddod i 'nghyfarfod i, ond
roeddwn i'n nabod yr holl ffyrdd culion fel cefn fy llaw
gan 'mod i wedi bod yn eu defnyddio gymaint o weithie
ar hyd y blynyddoedd. Ras ar hyd ffyrdd y coed oedd hi
wedyn ac roedd criw o'r gweithwyr yn sefyll yn un twr
ac yn siarad pan welson nhw fi'n dod amdanyn nhw
a char y polîs yn fflachio tu ôl i mi. Mi wnes i *hand
brake turn* a gwibio i fyny ffordd arall, ac mi drïodd y
plismon neud yr un peth ond mi sglefriodd i'r ffos.

Erbyn iddo gael ei gar yn rhydd, roeddwn i wedi
diflannu, wedi cyrredd lle roeddwn i'n gweithio ac wedi
gadel y car yn y fan honno. Mi glywn i lais y plismon yn
gweiddi ar fy ôl ond doedd ganddo ddim siawns dod o
hyd i mi yng nghanol y goedwig. Mi ges lifft oddi yno
yn fan un o'r gweithwyr eraill ac mi fues i'n cuddio am
dri diwrnod gan ffonio adre i adael i Taid wybod 'mod
i'n iawn.

Ond, wrth gwrs, mi wydde'r heddlu pwy oeddwn i
ar ôl cael rhif y car, a lle roeddwn i'n byw, ac mi fuon
nhw yn y tŷ droeon yn ystod y tridie yn holi amdana i,

a Taid yn deud na wydde fo ble roeddwn i, oedd yn wir wrth gwrs.

Ond dod adre fu raid a wynebu'r cyfan. Mi ges i lys barn mewn chwe mis, canpunt o ffein a thri pwynt ar fy nhrwydded am beidio stopio i'r heddlu, ond roedd hynny'n well na colli 'nhrwydded!

Gweithio, ymarfer, yfed, mynd efo merched, chware rygbi ac ychydig o bêl-droed, dyna batrwm bywyd i mi yn yr wythdegau. Ac yna, mi wnes i gyfarfod â Susan.

iii

Roedd Bry yn cael mwy o ymwelwyr na'r holl gleifion eraill oedd yn yr uned yn Southport ac mae 'niolch i a'r teulu yn fawr i bawb aeth i'w weld, ac yn enwedig i'r rhai ddaliodd ati i fynd wythnos ar ôl wythnos. Yn naturiol, roedd y nifer yn lleihau fel roedd amser yn mynd yn ei flaen, a finne, erbyn diwedd Medi, wedi hen flino ac yn bwrw 'mol fel hyn ar y we:

Bry heb gael ymwelwyr ddydd Mawrth ac mae hyn yn fy mhoeni i yn fwy na Bry.

Rhai pobol yng gofyn i mi 'Sut mae Bry?' a dwi o hyd yn ateb ''Run fath ag arfer... mae'n bositif.' Weithiau, yr ymateb yw 'Cofia fi ato,' a dwi wedyn yn deud:

'Pam nad ewch chi draw i'w weld?' Ac yna mwy na thebyg mi gaf yr ateb, 'Dwi'n brysur ar hyn o bryd, mi af pan ddistewith pethe.'

Wel, hwyrach bod hyn yn sioc i rai ohonoch chi, ond dwi'n andros o brysur hefyd... yn wraig, yn fam a'r unig un sy'n dod â chyflog i mewn i'r tŷ; yn rhedeg y plant o un gweithgaredd i'r llall, yn ymweld â Bry yn Southport bedair gwaith yr wythnos – fy hun gan amlaf, yn gneud yn siŵr fod y biliau'n cael eu talu, fod y dillad yn lân ac wedi eu smwddio i ni i gyd, fod bwyd yn y cypyrddau ac ar y bwrdd, fod y tŷ yn rhesymol lân, o ia, a gweithio hefyd – dim ond i enwi rhai pethe. Am chwe diwrnod o'r wythnos dwi hefyd yn fam sengl. Prysur? Andros o brysur. Wedi blino? Mor flinedig ag erioed. Poeni? Ydw, am bopeth – a mwy.

Yn anffodus roedd pobol wedi fy rhybuddio y byddai hyn yn digwydd, yr ymwelwyr yn lleihau, ond fel arfer fi â 'mhen yn y gwynt. Serch hynny mae yna griw go helaeth wedi bod yn driw i Bry ers y cychwyn ac yn parhau ar y siwrne hir a diflas i Southport, unwaith yr wythnos neu unwaith bob pythefnos – rhai wedi bod yn selog iawn i Bry o'r cychwyn, diolch o waelod fy nghalon i chi. Dwi ddim yn hoff iawn o'r siwrne, ond does gen i ddim dewis, mae'n rhaid imi fynd, ond yn fwy na hyn dwi isio mynd. Mae yna ddyddiau pan hoffwn i gloi'r drws ac anghofio. Ond does gen i ddim dewis.

Y seithfed ar hugain o Fedi ydi dyddiad y cofnod yna, ond ymhen tridiau roeddwn i'n gallu sgrifennu yn fwy gobeithiol – a chadw fy hiwmor hefyd:

Heb sgrifennu ers rhai dyddiau... dim llawer i'w ddeud... a diffyg amynedd... felly dwi'n ymddiheuro. Dad wedi colli ei ffôn symudol... Mam yn dod o hyd iddo mewn sosban... y ffôn nid Dad!

A dyma weddill y cofnod:

Wedi bod yn teimlo braidd yn isel y diwrnodau diwethaf...
ond wedi rhoi ysgydwad i mi fy hun... ac fel mae'r Saeson
yn deud back on track rŵan. Gweld hi'n anodd iawn symud
ymlaen ar y foment... pawb yn camu mlaen â'u bywyde...
a phethau yn aros fel maent yma. Dim newid yng nghyflwr
Bry... dim newid gyda'r cais cynllunio, ac felly y tŷ fel roedd
bum mis yn ôl. Pawb yn holi am Bry... ond y fi... wel... isio
anghofio ac anwybyddu... teimlo fel bod beichiau'r byd i gyd
ar fy sgwyddau.

Dydd Gwener cefais ddiwrnod i fyfyrio... cau'r drws ar
bawb... a wyddoch chi... dwi'n teimlo'n llawer gwell erbyn
hyn. Yn barod i wynebu pawb a phopeth.

Ac, wrth gwrs, yn ystod cyfnod hir pan oedd Bry yn
yr ysbyty roedd yna gymaint yn digwydd oedd yn codi
calon rhywun hefyd ac yn symud y meddwl. Un o'r prif
ddigwyddiade oedd taith feic Dilwyn (Porc) o Land's
End i John O'Groats.

Mi adawodd o'r Bala – Nia, y fo a'r beic yn y *camper
van* – ar ddydd Sadwrn y pumed ar hugain o Awst â'r
bwriad o gychwyn ar ei feic o Land's End fore Sul a
chyrraedd Southport i dalu ymweliad â Bry ddydd Iau
ar ôl teithio am bum niwrnod.

Ddaru pethe ddim dechre'n dda. Funud neu ddau ar
ôl cychwyn ar ei feic, roedd o yn ei ôl lle cychwynnodd
o, wedi seiclo'n syth i mewn i'r maes parcio! Ond wedyn
mi aeth pethe'n ddigon hwylus, ac mi seiclodd dros gan
milltir i Oakhampton y diwrnod cynta, a 95 milltir i
Clevedon yr ail ddiwrnod – dros ddau gan milltir mewn
deuddydd, ar ôl bron i wyth awr o seiclo y diwrnod
cynta, a saith yr eilddydd. Chwe awr wedyn y trydydd
diwrnod nes cyrredd i'r gogledd o Leominster.

Ac yn ystod y seiclo roedd o wrthi'n gneud pethe erill hefyd, yn rhoi galwad i Bry yn yr ysbyty, yn siarad efo Jonsi ar y radio ac yn cael ei ffilmio ar gyfer y rhaglen deledu *O'r Galon*.

Roedd y dydd Iau yn ddiwrnod mawr. Mi es i gyfarfod Nia a Dilwyn i ymyl Caer lle roedden nhw'n aros mewn gwersyll carafanau, ac yno hefyd y daeth Catrin, oedd yn ffilmio ar gyfer y rhaglen *O'r Galon*, ac Alun Elidyr, oedd yn mynd i seiclo efo Dilwyn i Southport.

Mi ddaru ni gyrredd yr uned tua dau ac roedd Bry yn cael ei siafio yn barod ar gyfer yr achlysur. Yn anffodus, doedd o ddim wedi cysgu'n dda y noson cynt ond roedd o mewn hwylie ardderchog. Cafodd ei wisgo a'i godi i'r gader ac yna i'r *day room* lle y cafwyd yr aduniad rhyngddo fo a Dilwyn – achlysur emosiynol iawn ar y cychwyn cyn iddyn nhw ddechre cymharu dolurie a thynnu ar ei gilydd fel y byddan nhw bob amser.

Mi wnaeth ei ymweliad fyd o les i hwylie Bry a chefais inne gyfle i ddiolch i staff yr ysbyty am bopeth roedden nhw'n ei neud a'r ffordd roedden nhw'n ymdopi efo digwyddiade fel hyn.

Erbyn bore Sadwrn roedd Dilwyn wedi cyrredd Carlisle ac yn ystod y dydd mi groesodd y ffin i'r Alban a chyrredd cyn belled â Crawford, gan obeithio cyrredd Fort William drannoeth. Ond bu'n rhaid iddo aros yn Ardlui ger Loch Lomond gan i'r daith fod yn araf oherwydd gorfod mynd rownd Glasgow am ei bod yn ddiwrnod marathon ar gyfer achosion da yn y ddinas a bod y traffig yn drwm.

Pan oedd o'n teithio i gyfeiriad Inverness aeth un o lorïe L E Jones heibio a'r dreifar yn canu ei gorn a chodi hiraeth arno, ond yn sbardun iddo badlo'n gyflymach, medde fo.

Ddydd Mercher y pumed o Fedi, a finne ar fy ffordd i Southport, mi ddaeth galwad ffôn gan Nia yn deud bod Dilwyn wedi cyrredd John O'Groats ar ôl dros naw can milltir o daith.

Mi gododd yr ymdrech dros ddeng mil o bunnoedd i'r gronfa, heb sôn am dynnu sylw eraill at yr achos, yn enwedig drwy raglenni radio'r BBC. Bu Jonsi'n ffyddlon iawn iddo gydol y daith, yn dilyn ei hynt a'i helynt ac yn cysylltu ar ei raglen.

Roedd camp Dilwyn yn un anhygoel, yn enwedig o gofio iddo roi'r gore i chware rygbi oherwydd anaf i'w glun a'i fod o'n aros am drinieth i gael clun newydd.

Mi gafodd ei enwebu gan gymdeithas John O'Groats a Land's End i dderbyn tlws coffa Charlie Hankins, a gollodd ei goesau yn y rhyfel yng Ngogledd Affrica yn 1943 ac a deithiodd y naw can milltir mewn cader olwyn. Mae'n cael ei ddyfarnu i rai sy'n dangos dewrder, dyfalbarhad a gwroldeb wrth gyflawni'r daith rhwng y ddau le, a Dilwyn yw'r trydydd person i'w dderbyn. Mae hanes y ddau arall erbyn hyn yn y *Guinness Book of Records*.

Pan oedd yr hwylie'n isel a'r galon yn drom, roedd ymdrechion a ffyddlondeb rhai fel Dilwyn, yn ogystal â phenderfyniad Bry ei hun i ddod dros y ddamwain, yn ysbrydolieth.

I fyny ac i lawr roedd pethe yn fy hanes i yn ystod y cyfnod o Awst i'r Nadolig; teimlo ar adege fod pethe'n symud yn eu blaene, yna rhywbeth yn dod i godi gwrychyn ac i'm digalonni.

Ganol Hydref, mi ges i newyddion a'm gwnaeth

yn benwan. Pan oedd Bry yn yr uned gofal dwys yn Wrecsam mi wnes i addo iddo fo y bydde fo yn y man yn dod adre, ac roeddwn i'n benderfynol o gadw at fy addewid. Roedd pethe'n edrych yn addawol pan gawson ni gynhadledd 'achos' efo'r awdurdod iechyd lleol, ac yn dilyn y gynhadledd honno roedd Bry a finne dan yr argraff y bydde pecyn gofal yn cael ei baratoi ar ei gyfer trwy asiantaeth ac y bydde fo'n derbyn y gofal hwnnw gartref.

Erbyn hyn doedden ni ond ychydig wythnose o ddechre ar y gwaith addasu ar y tŷ, ond yna mi ddaeth y sioc. Er bod yr Awdurdod Iechyd yn y cyfarfod gawson ni wedi addo mai gartre y bydde Bry yn cael y gofal, mi benderfynon nhw anfon llythyre at gartrefi preswyl yma a thraw i ofyn a oedd ganddyn nhw'r adnodde a'r cyfarpar priodol i ofalu amdano.

Roeddwn i'n syfrdan, yn drist ac yn ddig dros ben. Onid oedden ni wedi deud yn ddigon plaen wrth yr awdurdod nad oedd anfon Bry i gartre yn opsiwn, a rŵan dyma nhw'n mynd yn hollol groes i hynny. Fel hyn y sgrifennais i yn y dyddiadur ganol Hydref:

Dwi wirioneddol yn teimlo fel rhoi'r ffidil yn y to, fel claddu fy mhen yn y tywod – yr holl fiwrocratiaeth a rhagrith. Allwch chi ddim rhoi pris ar fywyd teuluol. Teulu cyffredin yden ni, erioed wedi hawlio budd-dal, erioed wedi bod yn ddi-waith, y plant yn ymdrechu gore gallan nhw ym mhob dim maen nhw'n ei neud. Y ffaith ydi nad yden ni wedi gneud dim o'i le. Ryden ni'n parchu'r gyfreth ac yn talu ein trethi heb gelu dim.

Roedd Bry isio i mi ddal yn ôl ar addasu'r tŷ nes clywed yn derfynol gan yr awdurdod. Ond roeddwn i'n anghydweld. Adre y bydde Bry yn dod, costied a gostio. Tra bydde chwythiad yno' i, châi o ddim mynd i gartre gofal. Mi gawson ni gefnogaeth llawer o bobol yr adeg honno, a'r rhai oedd yn ymwybodol o'r sefyllfa yn gynddeiriog ac yn chwythu bygythion o bob math.

Ddeuddydd yn ddiweddarach, mi ges i sgwrs hir efo'r person oedd yn gyfrifol am drefnu pethe pan fydde Bry yn dod adre, ac wedi'r sgwrs roedd y sefyllfa beth yn gliriach i mi a finne wedi tawelu peth!

Mi ddywedodd nad oedd dim wedi ei benderfynu gan yr Awdurdod Iechyd a bod y system ariannu yn un gymhleth – hanner y pecyn, sef gofal a'r ochr feddygol, yn cael ei ariannu gan yr awdurdod a'r hanner arall, sef yr offer a'r cyfarpar, gan Gomisiwn Iechyd Cymru.

Yn ôl a ddealles i, mi fydde panel priodol yn penderfynu ar yr achos. Cyn i'r panel hwnnw gyfarfod, roedd yn rhaid i'r Awdurdod Iechyd ystyried pob opsiwn, a dene'r rheswm am gylchlythyru'r cartrefi i ofyn am eu darparieth nhw. Wel, mi allen nhw fod wedi deud wrtha i, 'yn gallen, ac arbed llawer o ddagre, gofid a chynddaredd. Ond mi wyddwn ar ôl y sgwrs nad oedd dim i'w neud ond aros yn amyneddgar am benderfyniad y panel.

Roedd pethe cadarnhaol yn codi 'nghalon i yn ystod y cyfnod yma: Bry yn cael ei ddatgysylltu oddi wrth y peiriant anadlu am ddau funud ac yn aros yn binc, llwyddo i newid traci, gallu dangos cynllunie terfynol y tŷ iddo fo ac ynte'n cael ei symud, chwe mis ar ôl y ddamwain, o'r uned gofal dwys. Yn ei ôl y bydde fo, mae'n debyg, ar ôl y llawdrinieth i reoli'r spasms roedd o'n eu cael. Mi gafodd un pan oeddwn i'n newid y traci – adwaith i'm dwylo anghelfydd i falle!

Rhaid imi nodi dydd Sadwrn y pedwerydd o Dachwedd gan inni fel teulu gael pryd o fwyd efo'n gilydd. Dim byd yn anarferol yn hynny, medde chi, ond mi roedd o i ni gan mai dyna'r tro cynta ers y ddamwain dros chwe mis ynghynt inni fwyta efo'n gilydd, ar wahân i ddiwrnod ei ben-blwydd. Mi gafodd Bry bitsa tri chaws, rhywbeth roedd o wedi bod yn ei ffansïo ers tro, a chan fod rhai o'r Parc wedi bod yno – Rhun, Rhian Dafydd ac Arwel – roedd mwy o ddanteithion o gwmpas y gwely nag sydd i'w cael yn siop Somerfield.

I fyny ac i lawr roedd pethe yn hanes Bry yn ystod y cyfnod cyn y Nadolig; cael ambell i bwl drwg a finne'n gorfod gofyn i bobol beidio ymweld, wedyn Bry yn well, a gofyn iddyn nhw fynd draw i godi ei galon. Y spasms oedd y drwg ac mi drefnwyd iddo gael llawdrinieth ychydig ddyddie cyn y Nadolig. Doedd o o'r herwydd ddim isio i ni fynd yno ddiwrnod Dolig, a doedd o ddim yn ein disgwyl, ond fase byddin ddim wedi gallu'n cadw ni draw. Yno yr aethon ni'n tri ac roedd hwylie da arno. Roedd o'n ddiolchgar iawn i bawb am yr holl gardie a'r anrhegion roedd o wedi eu derbyn. Doedd bwydo ei ginio Dolig iddo ddim yn hawdd ac ynte ar wastad ei gefn, ond mi lwyddes drwy ei falu'n fân, a chan nad ydi o'n hoffi pwdin Dolig, roeddwn i wedi gneud treiffl iddo fo.

Mi wnes i addo dathliad mawr iddo yn 2008. Mi fydde adre erbyn hynny. O bydde!

8

Wedi'r Egwyl

i

MI FUES I YN y gwely yn soled am dair wythnos ar ôl y Nadolig, y gwely arbennig oedd yn cael ei droi bob dwy awr.

Yn ystod y cyfnod yma, mi aeth Mr Soni i ffwrdd i'r Swisdir, nid i sôn am y *baclophen*, ond am ddyfais arall roedd o wedi'i chreu, sef y *phrenic pacemaker*, peiriant tebyg i'r un sy ar gael i reoli curiad y galon ond bod hwn yn rheoli'r anadl. Roedd rhan ohono'n cael ei roi o dan yr asenne a'r rhan arall ar y frest, y tu allan, ac roedd 'ne fatri bach maint paced o sigaréts efo'r peiriant. Y syniad oedd fod y peiriant yn rhoi sioc drydanol i'r sgyfaint a hynny'n helpu'r anadlu. Mi rydw i wedi cael un prawf i weld oedd fy sgyfaint wedi gwella digon i mi gael hwn, ac mi fydda i'n cael prawf pellach ymhen y flwyddyn.

Y ddau ddoctor ifanc oedd wedi eu hyfforddi gan Mr Soni oedd yn edrych ar fy ôl i ac yn monitro y pwmp oedd yn pwmpio'r *baclophen*, ac mi ges i amser reit ddrwg gan 'mod i'n dal i gael y spasms mwya dychrynllyd er 'mod i wedi cael y drinieth i'w stopio. Ar un adeg roeddwn i'n cael trafferth efo'r gwddw ac yn gorfod cael traci mwy o hyd, gan gychwyn efo rhif saith a gweithio i fyny i rif naw gan fod y twll yn mynd yn fwy, ac roedd y beipen yn blocio o hyd hefyd a finne'n methu anadlu am fod y corff yn rhy wan i glirio'r fflem.

Roedd y pwmp yn pwmpio deuddeg can miligram o *baclophen* i 'nghorff i bob dydd, ac yn yr un ward roedd boi oedd wedi cael yr un drinieth â fi yn eistedd yn ei gader y rhan fwya o'r amser ac yn cael dim ond pedwar cant a hanner bob dydd. Mi ddwedodd wrtha i y bydde fo ar lawer llai na hynny hyd yn oed cyn mynd adre.

Erbyn hyn, roeddwn i wedi symud o'r uned gofal arbennig i'r ward ac mi fues i'n lwcus i gael gwely wrth y dryse patio oedd yn agor allan i falconi bychan. Doedd neb isio'r gwely hwnnw gan fod y gwynt a'r glaw yn amharu arno. Ond roeddwn i wrth fy modd yn cael digon o awyr iach. A gydol yr amser roedd yr holl *baclophen* yn cael ei bwmpio i mewn i mi; doedd neb o'r blaen wedi cael cymaint.

Roedd y nyrsys yn andros o dda efo fi ac roedd ymwelwyr yn dal i ddod i 'ngweld i, ond roedd y spasms yn parhau cyn waethed ag erioed. Erbyn canol Mai, roeddwn i'n cael dros ddwy fil dau gant miligram o'r stwff, digon i ladd eliffant yn ôl y doctoried ond doedd pethe ddim gwell, ac roedden nhw'n methu â deall pam. Mi ddaeth Mr Soni yn ei ôl o'r Swisdir, ond gan fod ei gefn yn ddrwg, ddaeth o ddim yn ei ôl i'r ysbyty ar unwaith.

Roedd y beipen oedd yn mynd i 'ngwddw i wedi'i phinio wrth gynfas y gwely er mwyn ei dal yn sownd rhag iddi symud a dod allan. Un diwrnod mi flociodd y beipen ac mi ganodd y larwm dros y lle. Mi ruthrodd dwy o'r nyrsys yno ar unwaith a heb feddwl mi roddodd un blwc i'r gynfas nes y daeth y beipen a'r cyfan allan gan rwygo 'nghorn gwddw i. Doedd dim amdani wedyn ond cael peipen fwy, un ddeg milimedr y tro hwn ac roedd awdurdode'r ysbyty yn gneud ffys mawr am y peth, ac isio gwybod pwy oedd yn gyfrifol. Mi ofynnon nhw i mi wneud datganiad yn enwi'r nyrsys ond mi wrthodes.

Chware teg iddyn nhw, roedden nhw wedi safio 'mywyd i. Roeddwn i wedi dechre troi'n biws yn fy wyneb a 'dallwn i glywed dim ond lleisie ymhell bell i ffwrdd yn rhywle. Dau ddewis oedd ganddyn nhw: gneud y peth iawn yn y ffordd iawn a finne'n marw, neu ymateb yn sydyn ac achub 'y mywyd i. Mi alle'r awdurdode weld pwy oedd ar ddyletswydd beth bynnag, dim ond iddyn nhw edrych ar y records, ond isio i mi ddeud, isio i mi eu cyhuddo nhw roedden nhw er mwyn iddyn nhw gael disgyblu'r nyrsys, ond faswn i ddim yn deud dim byd yn erbyn y staff, roedden nhw mor dda wrtha i.

Erbyn yr adeg yma, a'r ddamwain wedi digwydd ers dros flwyddyn, roeddwn i wedi dod i ddeall 'y nghorff yn go dda, ond yn dibynnu ar y nyrsys ynglŷn ag anghenion toilet. Ond mi ddois i arfer, a chan 'mod i mor gegog ac yn dallt fy nghorff roedd y *Sister* yn dod â myfyrwyr ata i er mwyn iddyn nhw ddysgu, er bod rhai'n rhy swil a fydde'r rheini ddim yn dod yn agos. Roeddwn i'n trïo 'ngore i'w tynnu nhw allan o'u cregyn ac yn deud pethe mawr wrthyn nhw!

Mi wydde'r *Sister* pwy i'w anfon a phwy i beidio, ac roedd y rheini oedd yn dod yn gorfod gneud popeth imi – doedd ganddyn nhw ddim dewis. Mi fydde'r *Sister* a'r *Staff Nurse* yn eu gadel ar eu pennau eu hunain efo fi, ond yn dod at y gwely nesa a chymryd arnyn eu bod yn tendio'r claf hwnnw, ond ar yr un pryd yn gwrando be oedd yn mynd ymlaen wrth 'y ngwely i.

Allwch chi ddysgu dim drwy sefyll a sbio a gneud dim. *Have a go* ydi'r unig ffordd, dene dwi'n gredu beth bynnag, a mwya'n y byd roeddwn i'n gallu eu helpu, gore'n y byd iddyn nhw. Mi fyddwn i'n deud wrth y myfyrwyr, 'Does gynnoch chi ddim dewis heddiw, rhaid i chi fynd â fi i'r toilet, a 'nglanhau i wedyn'. A mwya'n y byd roedden nhw'n ei ddysgu, hawsa'n y byd oedd y gwaith iddyn nhw. Mi dries i helpu gymaint ag y medrwn i ar y nyrsys i gyd tra oeddwn i yn Southport gan eu bod nhw mor anhygoel efo fi.

Tua'r un adeg mi ges i sgan MRI a chan fod gen i fentilator roedd yr holl broses yn anoddach o lawer na taswn i heb yr un. Dr Watts a Sue Perrie Davies oedd yn gneud y trefniade a finne wedyn yn mynd yn ara drwy'r twnnel a ffrâm o gwmpas 'y mhen i 'nal i'n llonydd, ac roedd yn rhaid gneud yn siŵr nad oeddwn i'n gwisgo dim byd metel chwaith. Roedd Sue Perrie Davies yn dod efo fi reit at geg y sganiwr i neud yn siŵr fod popeth yn iawn, a'r eiliad nesa dyma glec dros bob man a hithe'n sownd yn y peiriant, a'r hyn oedd wedi digwydd oedd ei bod yn gwisgo *underwired bra* ac roedd y magned wedi sugno hwnnw a'i dal yn sownd gerfydd ei bra. Sôn am hwyl!

Wedyn ymlaen â'r gwaith a bwydo'r beipen anadlu i mewn yn ofalus i'r sganiwr a hwnnw'n clecian fel dwn i ddim be, a'r sŵn fel hanner dwsin o ddriliau niwmatig.

Roedd y sganiwr yn symud bob ugien eiliad ac yna'n stopio a'r sŵn yn newid wrth archwilio rhannau gwahanol o'r corff: y pen, y cefn, y breichie ac ati.

Y rheswm am y cyfan oedd i weld a oedd llinyn y cefn wedi gwella neu ddirywio ac a oedd esgyrn y gwddw wedi altro mewn unrhyw ffordd. Dwi'n meddwl eu bod yn chwilio am fy mrên i hefyd, ond eu bod yn methu dod o hyd i ddim!

Cyn diwedd Mai, mi ddaeth Mr Soni yn ei ôl i'r ysbyty ac roedd ganddo lawer iawn o waith ar ei ddwylo. Mi ddwedes wrtho fo am y spasms a 'mod i'n dal i'w cael, ac mi aeth i chwilio'r records. Mi ddaeth yn ei ôl a deud na wydde fo sut roeddwn i'n dal yn fyw gan nad oedd neb wedi cael mwy na deuddeg can miligram o'r blaen. Doedd o ddim yn deall be oedd yn bod. Mi roddodd injection *baclophen* i mi yn fy nghefn a gorchymyn i'r nyrsys fynd â fi rownd yr ysbyty ac allan ar y pafin a 'mownsio i i fyny ac i lawr. Mi wnaethon nhw hynny a ches i ddim spasm drwy'r dydd, roeddwn i'n teimlo'n berffaith.

Wedyn, mi ddwedodd wrth y nyrsys am fynd â fi am *x-ray* gan nad oedd o'n deall be oedd yn digwydd. Mi sticiodd nodwydd bedair modfedd yn fy mol ac i mewn i'r pwmp ac edrych ar y sganiwr i weld be oedd yn digwydd. Ac mi welodd fod blaen y nodwydd yn plygu y tu mewn i'r pwmp.

Mi dynnodd y nodwydd allan a deud: 'You're back on the slab on Friday', a dene'r cyfan! Ond mi ddaeth heibio nos Iau i egluro. Roedd y pwmp yn pwmpio'r *baclophen* yn iawn ond am fod cinc yn y beipen doedd o ddim yn mynd i'r lle iawn ac felly doedd o ddim yn effeithiol – diolch am hynny neu mi fase'r holl stwff ges i wedi fy lladd i falle. Na, erbyn meddwl, tase fo'n gweithio'n iawn faswn i ddim angen hanner cymaint.

Fore Gwener roedd o'n rhoi pwmp arall i mewn yno

i. 'You're only a guinea pig,' medde fo wrtha i. Popeth yn iawn; un o'r pethe cynta bron oedd o wedi'i ofyn i mi yn yr ysbyty yn Wrecsam oedd a fyddwn i'n fodlon bod yn *guinea pig*, ac roeddwn inne wedi nodio 'mhen.

Doeddwn i ddim yn ffansïo gorfod gorwedd am dair wythnos ar ôl y drinieth yma. Roeddwn i wedi cryfhau llawer ers pan ges i'r un gynta ac yn meddwl falle 'mod i'n fwy tyff nag oeddwn i. Ond roeddwn i'n well, er mai gorwedd fu'n rhaid i mi, a hynny am dair wythnos, a finne'n teimlo'n annifyr ac isio codi ac yn trio perswadio'r nyrsys 'mod i'n iawn, ond 'whatever Soni says, we do' oedd hi!

Roeddwn i wedi stopio fy ffrindie rhag dod i 'ngweld i gan feddwl y baswn i'n sâl fel y tro cynt, felly dim ond Susan a'r plant oedd yn dod. Ond roeddwn i'n llawer gwell ac roedd y pwmp yn gweithio. Pan ddois i allan o'r theatr mi ddaru'r staff fy neffro i a 'nghadw i'n effro am dri diwrnod. Gan fod cymaint o *baclophen* wedi dianc i 'nghorff i o'r pwmp, taswn i wedi mynd i gysgu ac wedi mynd i goma, mae'n beryg na faswn i byth wedi deffro. Felly roedd y nyrsys yn eistedd efo fi drwy'r dydd a'r nos ac yn siarad yn ddi-stop i 'nghadw i'n effro, a dene pryd mewn gwirionedd y sylweddoles i mor galed ydi gwaith nyrs. Ond mi weithiodd mae'n rhaid achos dwi yma o hyd – ac yn dal i draethu!

ii

Gan 'mod i naw mlynedd yn hŷn na Susan, mi dwi'n 'i chofio hi'n blentyn ifanc yn Cerrig; a deud y gwir roeddwn i'n rhyw lun o'i nabod hi ers pan oedd hi'n fabi bach gan y byddwn i'n mynd i Cerrig i siopa efo Nain ac yn mynd efo hi i siop Mrs Jones, dros y ffordd i dŷ'r heddlu lle roedd Susan yn byw. Roedd ei thad, Dic, yn blismon yn Cerrig yr adeg honno, ond roedd o wedi hen adael cyn i mi ddechre dreifio a mynd i dafarne. Mi aeth yn blismon i Landyrnog am rai blynyddoedd ac oddi yno i Gaernarfon.

Pan oedd hi'n ddeunaw, a finne erbyn hynny yn saith a'r hugien, mi ddyweddïodd Susan am gyfnod efo Rhys Derwydd, sef mab y ffarm oedd ar draws yr afon i Botegir, felly mi fyddwn i'n ei gweld o dro i dro gan y bydde hi'n dod yno ac i'r Crown yn Llanfihangel. Gan 'mod i'n ei ffansïo bryd hynny mi ofynnes iddi ddod allan efo fi, ond chymrodd hi ddim sylw ohona i, a dene fel y buodd hi nes y daeth hi ei hun yn blismones i'r un orsaf ag roedd ei thad wedi bod.

Roedden ni, y criw rygbi, yn naturiol yn siarad am ferched o dro i dro ac yn tynnu coes ac mi ddwedes 'mod i wedi ffansïo Susan ers talwm ac mi adroddes wrthyn nhw fel roedd hi wedi fy anwybyddu pan ofynnes iddi fynd allan efo fi. Un noson, ar ôl ymarfer, tua diwedd Awst, dechre Medi 1989, roedd yr hogie yn tynnu 'nghoes i – yr hogie oedd yn y clwb o ochre Cerrig a Llangwm – a dyma nhw'n deud na faswn i ddim yn mentro mynd i dŷ Susan a gofyn am baned o goffi.

Doeddwn i ddim yn un i wrthod sialens, felly mi ddwedes yr awn i ac un noson ar ôl ymarfer, a minne'n dal yn fy nghit rygbi, dyma stopio'r car yn Cerrig a chroesi'r ffordd at ddrws ei thŷ. Pan ddaeth hi i'r drws dyma fi'n deud: 'Gwranda, paid â sbio rŵan ond mae dau neu dri o'r bois yn swatio tu ôl i'r gwrych yn fan'cw ac maen nhw wedi fy herio i ddod i ofyn am baned o goffi.'

'Well i ti ddod i mewn 'te,' medde hi, ac i mewn â fi.

Roedd cyfnither iddi yno'r noson honno a dyma gael paned a bisged a sgwrs a dyna'r tro cynta i mi siarad yn iawn efo hi. Wn i ddim be ddigwyddodd i'r hogie'r noson honno ond roedd hi wedi hanner arna i'n mynd adre, ar ôl rhoi sws ar ei boch a rhedeg oddi yno fel taswn i'n hogyn ysgol!

A dyna pryd y dechreuson ni weld ein gilydd, a gneud hynny yn y dirgel am ddau fis go dda rhag i neb ddod i wybod am y peth. Tase'r hogie wedi dod i wybod mi fase 'ne andros o le – y fi o bawb, efo'r hanes oedd imi, yn mynd efo plismones! Ond mewn rhyw ddau fis dyma benderfynu bod yn bryd i bobol ddod i wybod, felly dyma fynd efo'n gilydd i'r Crown yn Llanfihangel, a phan gerddes i i mewn efo hi mi allech chi glywed pin yn disgyn, roedd pobman mor ddistaw, ac roeddwn i bron yn gallu teimlo llygaid yn 'y nghefn i.

Mi basiodd y noson yn reit hwylus, ond fel roedd amser yn cerdded a finne'n yfed yn y tafarne ar ôl amser cau, roeddwn i'n gorfod bod yn ofalus achos pan oedd hi ar ddyletswydd roedd hi'n dod i mewn i'r tafarne ar ôl stop tap i weld pwy oedd yno, a'r cwbwl fydde hi'n ei weld oedd fi'n diflannu allan drwy'r drws cefn a hithe'n dod i mewn drwy'r drws ffrynt.

Roedd hi'n gwbod yn iawn be oedd yn digwydd. Pan oeddwn i wedi bod yn trênio efo'r criw rygbi yn y Bala ac yn mynd adre'n hwyr roedd hi wedi parcio wrth ochor y garej yn Cerrig ac yn fflachio'i gole arna i. Roedd merched y pentre yn deud wrthi na 'ddaw dim byd ohonot ti yn mynd efo fo', gan fod fy hanes i wedi cyrredd yno o 'mlaen i. Merched Glan Gors oedd yn rhedeg y Queens yr adeg honno ac roedd Susan yn ffrindie mawr efo nhw. Ond ges i wybod yn fuan iawn pwy oedd fy ffrindie i a phwy oedd ddim. Cyn imi ddechre canlyn roeddwn i'n cael gwybod popeth oedd yn digwydd yn Cerrig ac yn y Bala, pwy oedd yn gneud dryge, ond wedyn fydde rhai ddim yn deud gair wrtha i, er eu bod yn 'y nabod i'n dda ac yn gwybod na faswn i byth yn prepian nac yn deud dim byd wrth Susan.

Mi ddaeth hogie'r coed i wybod 'mod i'n canlyn plismones a finne wedi bod yn rasio'r heddlu a phethe felly. Roedd gen i Gortina melyn lliw pibo llo bryd hynny a be wnaethon nhw un pnawn ond ei sbreio efo paent pinc llachar, paent oedd yn dangos yn y nos, y geirie 'Yogi loves PC Sue', ar y bonet, y to, a'r ochre. Mi fues i'n dreifio'r car am dri neu bedwar mis ar ôl hynny ond ddaeth y paent ddim i ffwrdd!

Ond dene'r math o beth faswn i wedi'i neud iddyn nhw hefyd. Ydi, mae'r hen olwyn yn dod rownd, yn tydi, a'r cywion yn dod adre i glwydo.

Erbyn hyn roedd pawb yn gwybod 'mod i'n canlyn ac un noson mi es i mewn i'r Queens yn Cerrig ac roedd y lle mewn twllwch a finne'n methu dallt be oedd yn bod. Yn sydyn dyma ole glas yn fflachio dros bob man a'r hyn oedd wedi digwydd oedd bod rhai o'r hogie wedi dwyn lampe coch y cownsil ac wedi'u peintio nhw'n las. Roedd 'ne lawer o gastie felly yn ystod y misoedd cynta y bues i a Susan yn canlyn.

Pan ddaeth hi'n Ddolig mi es â choeden i Susan, coeden roeddwn i wedi'i thorri yn y coed, a mynd â hi ar ben y car. Ond roedd hi'n llawer rhy fawr ac yn cyrredd y nenfwd.

Yn Ionawr dyma ddechre sôn am ddyweddïo a phriodi. Roedd y ddau ohonon ni'n byw yn Cerrig, fi ym Maes Aled a hithe yn nhŷ'r heddlu. Ond cyn dyweddïo roedd yn rhaid cyfarfod ei rhieni – Dic a Morfudd – ac mi gefais fy ngwadd, efo Susan, am ginio dydd Sul yng Nghaernarfon. Fel y digwyddodd pethe, mi ges i ddau lygad du wrth chware rygbi y diwrnod cynt, heb sôn am frifo 'nghoes, felly roeddwn i fel panda cloff!

Ond mi ges i andros o groeso gan y ddau a doedd sgwrsio ddim yn broblem o gwbwl gan i Dic fod yn blismon yn Cerrig ac yn Llandyrnog, ac roeddwn inne'n gwybod am Saron a Prion, yr ardal lle magwyd Morfudd, ac yn nabod ei brawd oedd yn gweithio i'r Bwrdd Dŵr. Ac roedd y ffaith fod Dic wedi mopio efo Man U yn help i'r trafod hefyd. Mi ges i groeso anhygoel a dod ymlaen yn llawer gwell efo nhw nag efo 'nheulu fy hun. Mi ddwedes wrth Mam 'mod i'n canlyn Susan ond dim gair wrth weddill 'y nheulu nes imi ddyweddïo.

A finne'n un tyn efo fy arian, fel y bydde pawb yn dannod imi, roedd mis Ionawr yn amser da i ddyweddïo gan y gallwn i brynu modrwy yn y sêls, a dyna wnes i, yn H Samuel, Wrecsam. Ond cyn hynny roedd yn rhaid mynegi ein bwriad wrth Dic a Morfudd ac mi'u gwahoddwyd i swper yn nhŷ'r heddlu yn Cerrig. Mi ofynnes i Dic, a hynny yng ngŵydd Morfudd, a gawn i briodi Susan – do, gofyn am ei llaw yn hollol ffurfiol. A'r ateb ges i oedd: 'Os wyt ti'n ddigon gwirion i'w chymryd hi, gei di hi â chroeso.'

Wedyn y dwedes i wrth Taid ac roedd o'n falch iawn gan 'mod i erbyn hynny yn fy nhridege. 'Mae'n amser i rywun gael gafel arnat ti a gneud mistar arnat ti,' medde fo, ac yn ffodus mi ddaeth Susan a fo i ddeall ei gilydd a dod ymlaen efo'i gilydd o'r dechre.

Mi wydde Susan na fyddwn i'n troi cefn ar Taid tra bydde fo gan ei fod o wedi gneud cymaint i mi, felly doedd dim sôn am briodi'n syth ar ôl dyweddïo. Ymhen blwyddyn neu ddwy falle, ond yn sicr ddim cyn hynny.

iii

Mi ddechreuodd 2008 efo cyfarfod yn y Plas Coch i ymdrin â'r holl newidiade angenrheidiol i'r tŷ. Fydde Bry ddim yn gallu dod adre nes y bydde'r cyfan wedi'i gwblhau felly roedd yn rhaid morol ati ar unweth.

Mi gafodd o amser eitha drwg ar ôl y llawdrinieth a wnaeth y spasms ddim gwella. Chafodd o'r un tra oedden ni yno ddydd Calan ond roedd o wedi cael un anferthol y noson cynt. Roedd hwylie da arno fo, fodd bynnag, ac mi fwynhaodd ei ginio cig eidion, cinio a roddwyd iddo gan Ilan – talu'n ôl, medde fo, am ei fwydo fo pan oedd o'n blentyn bach, a defnyddio'r un dull: 'Tamed i mi, tamed i ti!'

Roedd hwylie da ar bawb ar y ward ac roedd y doctoried a'r staff wedi bod yn arbennig. Erbyn hynny, roedd Bry yn cael eistedd i fyny ar ongl o ugain gradd ac roedd pob datblygiad bach yn codi calon.

Ar y pumed o Ionawr mi ddechreuwyd ar yr estyniad i'r tŷ. Paul Morgan, adeiladwr o'r Bala, oedd yn gyfrifol am yr holl waith, a'r job gynta oedd clirio a gosod y sylfeini. Mi gafwyd nifer dda o wirfoddolwyr i neud hynny. Cyn i mi ei chychwyn hi am Southport, roedd amryw wedi casglu ynghyd – El a Megi Tŷ Nant, Ynyr Aeddren, Dewi Disgarth ac Eryl Vaughan. Mi ddaeth rhai erill hefyd ond gan na allwn ddychmygu pwy oedden nhw drwy ddisgrifiade Mam, alla i neud dim ond diolch i bawb fu wrthi. Codai calon Bry wrth glywed y newyddion.

Erbyn canol Ionawr roedd o wedi dod dros ei drinieth ac yn barod i dderbyn ymwelwyr eto, ac roedd o wrth ei fodd yn gweld llunie'r gweithwyr o gwmpas y tŷ er ei fod o'n deud bod gormod o yfed te yno!

Ar y pymthegfed o Ionawr mi deledwyd y rhaglen *O'r Galon*, rhaglen y bu Catrin yn gweithio mor galed arni ers misoedd. Mi roedd hi'n rhaglen dda ac mae'r ymateb iddi wedi bod yn anhygoel.

Roedd yr ymdrechion codi arian yn dal i fynd o nerth i nerth, a hynny mewn lleoedd annisgwyl. Mi fues i mewn achlysur yn ffarwelio ag Inspector Arfon Jones yn Wrecsam ac mi benderfynodd ei wraig gynnal raffl, ac un arall oedd yno yn gwneud casgliad at y gronfa, ac mi gafwyd dros £300. Yr un pryd mi ges i siec am £100 gan ffrind a chydweithreg arall, Helen Lloyd Jones, elw gwerthiant crys wedi'i lofnodi.

Ganol Chwefror roedd digwyddiad pwysig yn y Plas Coch ac mi es i, Ilan a Teleri yno. Roedd Aled ac Edwina wedi trefnu noson hwyliog i godi arian i'r gronfa. Yno'n cymryd rhan roedd Glesni Fflur, ddaeth yn unswydd o Lunden, Ffarmwr Ffowc a Geraint Roberts a'i fand. Dilwyn, wrth gwrs, oedd yn arwain. Coeliwch neu beidio roedd yr elw'n £2,000.

Rwy'n nodi'r enghreifftiau yma i ddangos bod pob math o bethe'n digwydd i godi arian a fedrwn ni ddim diolch digon i bobol am eu caredigrwydd mawr.

Roedd y cyfan nid yn unig yn hwb i'r gronfa ond yn hwb i'r galon hefyd.

Ddiwedd Ionawr mi ges fynd â Bry allan o'r ward ac i'r *day room* yn y gader olwyn, y tro cynta imi gael mynd ar 'y mhen fy hun efo fo, ar ôl sicrhau bod yr holl offer gen i, yr *ambi bag*, traci sbâr a'r pwmp sugno. Roedd o'n brofiad tebyg i fynd ag Ilan allan am y tro cynta pan oedd o'n fabi. Rhywbeth dros dro oedd hyn; yn fuan mi fydde gynno fo gader olwyn y bydde fo'n gallu ei rheoli ei hun.

Mi gafwyd datblygiad arall ganol Chwefror pan aethon ni'n tri i aros am dridie mewn gwesty yn Southport, a Dad a Mam efo cwmni Arfonia yn aros yn yr un lle â ni. Mi aethon ni â Bry allan am ginio i'r Richmond, y tro cynta iddo fod allan o dir ysbyty ers y ddamwain. Doedden ni ddim yn cael mynd heb fod nyrs yn dod hefyd, wrth gwrs, ac mi ddaeth Jeannette efo ni er ei bod ar ddiwrnod o wylie. Alla i ddim peidio rhyfeddu at ymroddiad y staff.

Ond, yn anffodus, doedd y diwrnod ddim heb ei dreialon chwaith, achos mi gaeodd Teleri ei bys yn nrws y car ac mi fu'n rhaid imi fynd â hi i Alder Hay drannoeth ac aros drwy'r dydd am drinieth ar ôl iddi gael ei hasesu am fod achos argyfwng wedi dod i mewn. Torri ei bys ac anafu gwaelod ei gewin yn ddrwg oedd ei hanaf. Yna, am bedwar, mi ddwedwyd wrthon ni am ddod â hi'n ôl erbyn wyth fore trannoeth. Ac felly y bu. Mi aethpwyd â hi i'r theatr am naw o'r gloch ac roedd hi'n ei hôl ac yn barod i fynd adre erbyn chwarter wedi deg.

Mi fydde'n rhaid dychwelyd i Alder Hay ymhen wythnos i dynnu'r pwythe. Pwrpas y trefniant i ni aros am gyfnod yn Southport, gyda llaw, oedd arbed i mi ddreifio cymaint! Mae damweinie fel hyn yn digwydd i rywun o hyd, wrth gwrs, ond pan fydd yr un sy bob amser yn delio efo argyfynge teuluol ar ei gefn mewn ysbyty mae'r cyfan yn fwy o faich rywsut.

Cyn diwedd Chwefror mi gafwyd cyfarfod efo'r Bwrdd Iechyd i drafod offer a chyfarpar ac mi aeth y cyfarfod yn dda iawn. Roedd pethe'n gwella. Erbyn hyn roedd Bry yn ei gader olwyn newydd, ac yn dechre arfer efo'r *chin control*. Ond mi aeth rhywbeth o'i le arni ac mi fu hebddi am dros chwe wythnos.

Y flwyddyn yma, yn groes i'r arfer, mi fuo'n rhaid i mi fynd i ragbrofion Eisteddfod yr Urdd, ac i'r eisteddfod ei hun, efo Teleri. Yr arfer oedd i Bry fynd i'r rhagbrofion a finne i'r eisteddfod tra bydde fo'n chware rygbi. Ond dene fo, un arall o ddyletswydde Bry wedi disgyn arna i. Mi gafodd hi ail ar yr unawd telyn a thrydydd am ganu ar yr unawd i flynyddoedd 5 a 6.

Wythnos yn ddiweddarach ac roedd gan Ilan andros o broblem. Mi gafodd gynnig tocyn i fynd i Old Trafford i weld Man U, ei hoff dîm, yn chware, ond roedd o hefyd wedi edrych ymlaen at fynd i Southport i weld ei dad. Mi ffoniodd ei dad yn Southport i ofyn ei farn, ac mi wyddwn i'r ateb cyn iddo ofyn, gan mai un sy'n meddwl am bawb arall cyn meddwl amdano fo'i hun ydi Bry. Mi gafodd Ilan fynd i Fanceinion a'i gydwybod yn dawel. Ond colli fu hanes Man U!

Ddechre Ebrill, mi ges i beder noson yn Lanzerote efo fy ffrindie a'm cydweithwyr, Sam, Gail, Petra, Helen, a'i merch, Ellis. Mi ges i amser ardderchog yno, er ei bod hi'n anodd mynd mor bell oddi cartre, ond roeddwn i'n ffonio'r ysbyty bob dydd ac yn tecstio'r plant yn amal.

Doedd y drinieth gafodd Bry cyn Dolig i atal y spasms ddim wedi gweithio ac roedd yn edrych yn debyg y bydde'n rhaid iddo fo gael trinieth arall.

Un arall o ddyfeisiade Mr Soni oedd un i reoli'r anadl yn y sgyfaint. Mi gafodd Bry brawf i weld oedd o'n addas ar ei gyfer ond yn anffodus doedd o ddim, ac roedd o'n siomedig iawn am hynny.

Ond mi gododd ei galon pan ddaeth y gader drydan yn ei hôl, ac roedd o fel plentyn wedi cael tegan newydd. Mae o'n adrodd hanes y beipen yn hollti pan aethon ni am dro drwy'r ysbyty efo Alwyn Ambiwlans, felly wna i ddim ailadrodd, ond mae Bry a chader olwyn ac iddi dipyn o sbîd yn gyfuniad peryglus dros ben ac yn gneud dim lles i 'mhwysedd gwaed i!

Mi wawriodd dydd Sadwrn y pedwerydd ar bymtheg o Ebrill 2008, flwyddyn union ers y ddamwain, a dyma sgrifennes i ar y we y diwrnod hwnnw:

Flwyddyn yn ôl i heddiw, aeth Bry ag Ilan i Wrecsam i chware pêl-droed. Yna, daeth adre, newid, ac yna mynd lawr i'r cae rygbi i chware ei gêm olaf yn erbyn Nant Conwy. Dwi'n cofio'r diwrnod fel petai'n ddoe. Gweld Bry yn gadel 'Tŷ Ni' gan ddweud y bydde'n hwyr adre gan ei fod isio mynd draw i Lanuwchllyn i weld Osian (a anafwyd wrth chware rygbi y noson cynt).

Newidiodd ein bywydau am byth y diwrnod hwnnw, a phwy fydde'n meddwl, hyd heddiw, ein bod yn dal i aros i Bry ddod adre.

Ydi, mae heddiw'n ddiwrnod anodd i mi, yn emosiynol yn fwy na dim byd. Ydw, dwi'n dal i gael deigryn neu ddau, a na, dydi amser ddim yn gneud i'r boen gilio. Rydym wedi dygymod â'r sefyllfa, ond ni fydd pethau byth yr un fath i Bry, i llan, i Tels, i ni i gyd.

Hoffwn ddiolch i bawb am yr holl gefnogaeth, y cymorth, y codi arian, ac yn fwy na dim byd am yr holl ymweliadau i Walton, Wrecsam ac i Southport.

Ond roedd y tŷ yn dod yn ei flaen yn dda, a phob gobeth y bydde Bry adre erbyn mis Awst. Y seithfed ar hugain oedd y targed – dydd ei ben-blwydd. Newyddion da arall oedd fod Comisiwn Iechyd Cymru wedi cytuno i ariannu ei drinieth. Newyddion gwell oedd fod yr ail drinieth wedi bod yn llwyddiannus a bod gobeth fod problem y spasms erchyll wedi'i datrys.

Felly, roedd bywyd yn mynd yn ei flaen, o obaith i anobaith, o ddigalondid i godi calon, ond o feddwl sut roedd Bry flwyddyn yn ôl, roedd ei ddatblygiad wedi bod yn rhyfeddol.

9
I'r Tir Agored

i

AR ÔL Y TRI diwrnod o 'nghadw i'n effro am fod cymaint o *baclophen* yn fy nghorff, mi ddechreuodd pethe wella, er bod y gwddw yn achosi trafferthion i mi o hyd. Ond fu dim rhaid imi fynd yn ôl i'r uned gofal arbennig y tro yma, mi ges aros ar y ward, ac roedd hynny'n arwydd da. Mi wnaeth yr ail drinieth andros o wahanieth i'r spasms, ac mi aeth y dos i lawr o dros ddwy fil miligram i o dan bum cant.

Ymhen tair wythnos, roeddwn i'n eistedd i fyny yn y gwely a phobol wedi ailddechre dod i edrych amdana i, ond y cam nesa oedd mynd i'r gader, ac roedd hwnnw'n gam mawr. Fel o'r blaen, mi es allan fel gole am fod 'y mhwysedd gwaed i'n disgyn mor gyflym. Mi fuo'n rhaid i'r nyrsys godi pen blaen y gader i fyny reit sydyn i gael 'y nhraed i mor uchel ag oedd bosib er mwyn i'r gwaed lifo'n ôl i 'mhen i.

Mi ddois ataf fy hun yn raddol a deud mai dene'r ffordd roeddwn i isio marw taswn i'n cael 'y nymuniad, gan ei fod o'n andros o deimlad braf, yn benysgafn a dim poen yn agos, fel taswn i ar gwmwl ac yn gweld sêr yn mynd rownd a rownd. Roedd pawb yn chwerthin pan glywson nhw hyn, ond roeddwn i o ddifri.

Mi fuo hi'n blwc distaw arna i wedyn a finne'n cryfhau bob dydd ac yn cael mynd o gwmpas y ward yn y gader olwyn drydan oedd wedi'i benthyg i mi, ac ymweld â'r cleifion erill a gneud ffrindie efo nhw, deud fy hanes i wrthyn nhw a nhwthe'n deud eu hanes wrtha i.

Roedd straeon rhai ohonyn nhw yn eitha anhygoel. Dyna i chi Gerry, peilot efo *British Airways*, boi tal dros 6' 4' ac yn fain fel matsien. Mi aeth ar 'i wylie i Mecsico ac un diwrnod pan oedd o'n ymdrochi yn y môr ac yn sefyll yn y dŵr mi ddaeth ton enfawr a'i daro i lawr ac mi dorrodd ei gefn mewn dau le. Mae o 'run fath â fi rŵan, yn methu symud o'i frest i lawr, ond does dim angen peiriant anadlu arno.

Ond y stori ryfedda oedd un y boi oedd yn dod o'r ochor draw i Preston – dwi ddim yn cofio'i enw. Doedd o ddim yn briod ond roedd o wedi cymryd ffansi at y ddynes drws nesa. Roedd ganddi gi bach a phan aeth hi ar ei gwylie mi ddwedodd y base fo'n edrych ar ei ôl iddi. Ac felly y bu. Mi aeth â'r ci am dro ac mi faglodd ar draws y *lead*, syrthio, taro'i ben ar y llawr a thorri'i war. Ond, yn wahanol i mi, mi dorrodd o'n berffeth sgwâr yn ymyl yr ail *vertebrae* ac le lwyddwyd i binio'r toriad yn ôl at ei gilydd drachefn. Mi fu'n gwisgo ffrâm am dri mis yn yr ysbyty ac yna mi gerddodd allan fel tase dim wedi digwydd. Dwedes wrtho fo y dylse fod wedi neidio dros y ffens at y ddynes a gadel llonydd i'r ci!

Roedd deugien o gleifion ar y ward a doedd dim un ohonon ni efo'r un anaf yn union.

Roeddwn i'n cryfhau'n arw yn ystod yr wythnose yma ac yn cael fy ffrindie'n dod draw yn ystod yr wythnos a Susan a'r plant ar benwythnose, a ninne'n cael mynd allan efo'n gilydd. Dyma'r cyfnod pan oedd Susan yn dysgu newid y traci ac, ar ôl iddi hi ddysgu, tro'r plant oedd hi wedyn, ac maen nhwthe hefyd yn gallu erbyn hyn.

Yn ystod y cyfnod yma – tua dechre Awst, dwi'n meddwl – a finne wedi bod yn cael gwersi cyfrifiadur, mi weles i hanes cader gyrriant peder olwyn ar y we, ac mi brintiodd y nyrsys y dudalen i mi. Roedd rhyw ddyn yn Telford yn eu gwerthu ac mi'i ffoniwyd o i ofyn be oedd hanes y cadeirie yma. Mi ddaeth i Southport i 'ngweld i ac i siarad am y peth. Mi ddwedodd eu bod yn costio deuddeng mil o bunnoedd a'u bod yn dod o Awstralia. Eu mewnforio a'u gwerthu roedd o. Gan fod llawer o arian wedi'i gasglu i'r gronfa, chware teg i bawb fu wrthi, mi benderfynes yr awn i am un ohonyn nhw, ac mi ddechreuodd ynte ar y broses o'i harchebu a'i chael i mi.

Ond yna mi ddaeth y Bwrdd Iechyd i mewn i'r mater a deud y bydden nhw'n fodlon talu am y gader. Mi ddwedes inne hynny wrth y gwerthwr o Telford ac mi wariwyd yr arian oedd i fod am y gader fel rhan o'r gost am newid y tŷ ar 'y nghyfer.

Yna, mi drodd y Bwrdd Iechyd yn eu carn a deud na fydden nhw'n talu wedi'r cyfan, a chan fod yr arian wedi'i wario ar addasu'r tŷ erbyn hynny, roeddwn i mewn penbleth be i'w neud, ac mi siarades am y peth efo awdurdode'r ysbyty. Mi ddwetson nhw, os oedd yr addewid ar ddu a gwyn – ac mi roedd o – yna y bydde'n rhaid iddyn nhw gadw at eu gair. Mi ddwedodd y gwerthwr y bydde fo'n cadw'r archeb yn agored i mi nes y cawn i'r arian. A dene ddechre cyfnod hir o ymladd. Mi gymrodd flwyddyn bron i'r gader ddod, ac mae'r hanes yn y *Daily Post* ar yr ail ar hugien o Fedi 2009. Anhygoel!

Sôn am gadeirie, ganol Awst mi ddaeth y gader fenthyg a addawyd i mi, ac mi ddwedwyd wrtha i y cawn fynd allan o'r uned ynddi er mwyn imi arfer. Ac mi fentrwyd i'r cantîn am y tro cynta y pnawn y daeth Alwyn Ambiwlans a Susan i 'ngweld i. I lawr yn y lifft i ddechre, ac ar hyd y coridor yn y gwaelod. Roeddwn i'n benderfynol o drïo mynd fy hun heb help neb, gan ei bod yn bosib i mi reoli'r gader efo 'ngên – *chin control*, fel roedd o'n cael ei alw – ac roedd peipen yn arwain o 'ngên i fraich y gader. I'r coridor â fi a dreifio fy hun ar hyd y coridor hwnnw, yn bihafio fel plentyn wedi cael anrheg newydd, wedi mopio'n lân ac yn mynd fel herc a phobol yn gweiddi ar fy ôl i gan 'mod i'n mynd chwit chwat yn y gader gan nad oeddwn i wedi arfer efo'r *chin control.*

Roedd y cantîn i fyny'r grisiau, felly i mewn i'r lifft â fi. Gan nad oedd lle i droi, roedd yn rhaid bacio allan ar ôl cyrredd y pen arall, ac wrth neud hynny mi fachodd y beipen yn y drws a mynd yn styc yno. A dyma'r larwm yn canu dros bob man. Mi dorrodd y beipen anadlu yn ei hanner fel nad oeddwn i'n gallu anadlu i mewn, dim ond allan, ac roeddwn i'n eistedd yno yn graddol fygu a Susan yn panicio a gwylltio!

Mi ddefnyddiwyd yr *ambi bag* yn reit sydyn – y bag sydd wrth gefn i roi aer i mi tase rhywbeth yn digwydd i'r beipen, y bag sy'n 'y nghadw i'n fyw mewn argyfwng, a does dim argyfwng gwaeth yn bosib na bod rhywbeth yn digwydd i'r fent. Mi gydiodd Alwyn Ambiwlans yn nau ddarn y beipen oedd wedi torri a'u dal wrth ei gilydd. A dyna sut y cyrhaeddes i'n ôl i'r ward yn fyw os nad yn iach!

Roedd Susan yn flin fel tincar, ac yn bygwth na chawn

i byth fynd allan yn y gader wedyn. Finne'n deud dim, dim ond gwenu'n wirion arni! Mi ddaeth Sister Carol i mewn ac mi faswn i wedi meddwl y base hi'n storm go iawn efo honno o gwmpas y lle. Mi ddwedodd Susan wrthi be oedd wedi digwydd, gan ddisgwyl y bydde'n fy rhoi yn fy lle am neud rhywbeth mor wirion â pheryglu 'mywyd, ond roedd ei hymateb hi'n hollol wahanol i'r hyn roedden ni i gyd wedi'i ddisgwyl. Mi ddwedodd 'mod i'n gneud popeth fedrwn i i wella ac y cawn i fynd ar 'y mhen fy hun yn y gader, cyn belled â bod Susan neu rywun arall efo fi. Os gwnaethoch chi ymdopi efo peipen wedi torri, mi allwch chi ymdopi efo unrhyw beth, medde hi.

Doedd dim stop arna i wedyn.

Mi ges i help gan rai aelode o staff yr ysbyty i fynd allan hefyd ac mi fydda i'n fythol ddiolchgar iddyn nhw. Lucy Gough oedd un ohonyn nhw, nyrs fydde'n dod i mewn ar ei diwrnod i ffwrdd er mwyn mynd â fi allan. Alison King – neu 'Smiler', fel y bydden ni'n ei galw – oedd un arall.

Ar ôl imi feistroli'r gader mi fydden ni'n mynd yn deulu o bedwar ar y Sadwrn i dafarn fach heb fod ymhell o'r ysbyty i gael cinio, ac roedd y plant yn swnian o hyd eu bod isio gosod y bag – yr *ambi bag* – arna i. Roedden nhw wrthi'n ymarfer tynnu'r beipen o 'ngwddw i a gosod y bag yn ei lle yn y ward un diwrnod pan ddaeth Alison i mewn. Roedd hi'n meddwl eu bod wedi cael hyfforddiant i neud hynny gan yr ysbyty, a phan ddalltodd hi mai wrth eu hunain roedden nhw ac yn gneud heb gael eu dysgu, roedd hi'n flin iawn ac mi ddwedodd y galle hi golli'i swydd pe bai rhywun yn darganfod be oedd wedi digwydd ac mai hi gâi'r bai am ei bod hi yno.

Ond dene sut ddaru nhw ddysgu ac roedd yn well eu bod nhw'n dysgu ar y ward nag allan o'r ysbyty. Wedi hyn, roedd ganddyn nhw hyder ac am hynny roedd gen inne hyder ynddyn nhw.

Ym mis Medi, mi ddechreuwyd chwilio am gwmni fydde'n gallu edrych ar fy ôl wedi imi ddychwelyd adref, ac mi fu'n rhaid dewis rhwng pump cwmni a wnaeth gynnig. Yng nghanol yr holl holi be oeddwn i isio a be oedd ar gael, a chynigion y gwahanol gwmnïau, roedd y cyfan y tu hwnt i mi ac roeddwn i'n ei chael hi'n anodd iawn penderfynu dim. Finne'n deud na wyddwn i be i'w ddisgwyl, ond roedden nhw'n addo'r byd i mi.

Mi steddodd Carol, y *sister*, efo fi ac esbonio be i'w ddisgwyl, be i'w dderbyn a be i beidio â'i dderbyn. Roedd hi'n gwybod be oedd be, ac mi ddwedodd y byddwn i'n lwcus i gael hanner yr hyn roedd y cwmnïau yn ei addo. Mi ddwedodd hefyd, wrth drafod pwy bynnag fydde'n dod i edrych ar fy ôl i, y cymere hi dri mis iddyn nhw ddod i 'nabod i a thri mis i mi eu nabod nhw. Ac roedd hi'n berffeth gywir.

Yn y diwedd, mi adawes i bopeth i Susan. Y cwmni gafodd y contract oedd Inclusive Lifestyle o Gaer, a chyn iddyn nhw ei gael roedd un oedd yn gweithio fel *consultant* i'r cwmni wedi bod i 'ngweld i – un oedd yn amlwg yn gwybod ei waith, yn gwybod popeth roeddwn i isio'i wybod ac yn ateb pob cwestiwn roeddwn i'n ei ofyn – ac mi ddwedodd mwy na thebyg mai fo fydde'n rheoli'r pecyn gwasaneth. Mi es i rownd y cleifion erill a holi'r nyrsys ac roedden nhw i gyd yn deud bod yr hyn oedd yn cael ei gynnig yn swnio'n dda. Ond, ar ôl i'r cwmni gael y gwaith, weles i mo'no fo wedyn. Mae eu contract newydd ddod i ben ar y dydd ola o Fedi 2009 – a diolch byth am hynny!

Cyfnod tawel oedd hi arna i wedyn efo ambell ymweliad yn torri ar bethe, fel ymweliad Iwan Tai Foel, Cerrig, ac Elgan, mab Jac Arth, ar eu ffordd i lawr o Carlisle lle buon nhw'n gwerthu teirw. Doedd dim lle i barcio'r lori wartheg yn y maes parcio felly yr hyn naethon nhw oedd parcio reit tu allan i ddrws ffrynt yr ysbyty a cherdded i mewn yn dail gwartheg i gyd.

Doedd y nyrsys erioed wedi gweld y fath olwg ar neb, ac mi ddwedes i wrthyn nhw fod dau darw yng nghefn y lori. Doedden nhw ddim yn coelio felly mi ofynnes i Iwan symud y lori rownd i'r talcen dan y balconi ac wedyn roedd y nyrsys i gyd yn ffenest y balconi yn edrych, ac wedi rhyfeddu – erioed wedi gweld y fath beth. Roedd eu hwynebau yn werth eu gweld.

Wydden nhw ddim am fywyd y wlad ond mi fyddwn i'n adrodd straeon wrthyn nhw pan fydden nhw'n eistedd wrth fy ngwely – rhai o'r straeon sydd yn y llyfr yma, a rhai nad ydw i am eu rhoi rhag ofn imi landio yn y jêl – ac mi fues i'n ddigon agos i hynny fwy nag unweth!

Erbyn hyn, roedd sôn am fynd adre yn y gwynt a phobol yn dechre holi pryd y bydde hynny'n digwydd. Finne'n ddigon call i beidio cymryd llawer o sylw o addewidion, gan 'mod i wedi clywed cleifion erill yn cael gwybod y bydden nhw adre mewn mis, a nhwthe'n dal yno mewn deufis. Ond roedd pethe'n dechre symud.

Mi ddaeth merch o'r enw Natasja i 'ngweld i gan mai hi oedd yn mynd i fod yn rheoli'r contract ar ran y cwmni o Gaer, a rheoli'r staff. Mi gawson nhw, efo help Susan, afel ar chwech o ofalwyr ac mi ddaethon nhwthe i 'ngweld i ac i ymarfer ar gyfer y gwaith. Dwi ddim yn un da efo enwe felly mi gafodd Susan lunie o'r chwech i mi ac mi wnes i roi ffugenwe iddyn nhw a thrwy'r rheini roeddwn i'n gallu cofio pwy oedden nhw.

Roedd un hogan ifanc o'r enw Sheryl yn dod o Wrecsam, a 'Blondie' oedd hi; Kelvin o Lanrwst yn 'Baldy' am ei fod o'n foel; Kate o Gorwen yn 'Smilie'; a Mair o'r Bala, Elfed o Stiniog, a Julie o Gorwen yn 'The Good, the Bad and the Ugly' – er, dwi'n prysuro i ddeud nad oedd Julie yn hyll, roedd hi'n hogan ddel iawn mewn gwirionedd.

Ym mis Medi, mi ddaethon nhw i Southport i gael eu trênio, a Sister Carol gafodd y gwaith hwnnw. Yr hyn oedd yn digwydd yn ystod yr hyfforddiant oedd patrwm o ddau yn gweithio shifft diwrnod a noson – yr un math o batrwm ag a fydde'n bod ar ôl imi ddychwelyd adre. Mi fydden nhw'n aros mewn llefydd gwely a brecwast yn Southport bob yn ail â mynd adre. Roedd gan y chwech ryw gymaint o brofiad o ymwneud â'r anabl: Julie a Sheryl yn gweithio i Inclusive beth bynnag, Mair wedi gweithio yn y gymuned yn y Bala, Elfed mewn cartre ym Mlaenau Ffestiniog, Kelvin yn hyfforddwr ffitrwydd ym Metws y Coed, a Kate yn gogyddes yng ngholeg St David's yng Ngharrog.

Y fi oedd yn dangos iddyn nhw sut i newid traci a chlirio'r beipen ac mi gafwyd y chwech ohonyn nhw efo'i gilydd. Roedd y gwddw dipyn bach yn ddolurus ar ôl hyn i gyd ond mi gawson ni lawer o hwyl ac mi fuon nhw'n gweithio'n galed am y chwe wythnos y buon nhw yn Southport. Cynta'n y byd y bydden nhw'n dysgu, cynta'n y byd y byddwn i'n cael mynd adre, a hwnnw fydde'r digwyddiad mawr nesa yn fy hanes – a'r pwysica ers y ddamwain.

ii

Dyweddïo ym mis Ionawr a phriodi ymhen rhyw flwyddyn neu fwy, dene'r bwriad ar y cychwyn, ond pan sylweddoles i rywbryd tua mis Ebrill fod pen-blwydd Susan ar ddydd Sadwrn y flwyddyn honno, dyma awgrymu ein bod yn priodi ar y dyddiad hwnnw, ac roedd hithe'n cytuno. Un o'r prif resyme pam y gwnes i awgrymu hynny yn y lle cynta, ac mae hyn yn ffaith, oedd i osgoi gorfod prynu dau anrheg iddi bob blwyddyn – anrheg pen-blwydd ac anrheg pen-blwydd ein priodas!

Roeddwn i wedi dweud wrthi na fyddwn i'n gadel Taid ac roedd hi'n deall hynny. A doeddwn i ddim yn ei adel o mewn gwirionedd gan fod tŷ'r heddlu bron ar draws y ffordd i Maes Aled, yn ddigon hwylus i mi dendio arno a gneud yn siŵr ei fod yn cael ei frecwast bob bore a phethe felly.

Mi gawson ni ambell ffrae cyn priodi, wrth gwrs, gan fod y ddau ohonon ni'n debyg iawn i'n gilydd, a 'run ohonon ni'n barod i ildio. Dwi'n cofio un ffrae am rywbeth – dwi ddim yn cofio'r achos pam erbyn hyn, ond a finne'n benstiff fel arfer dyma adel y tŷ a mynd i 'ngwaith yn y coed a hithe'n dal mewn tempar. Tua naw o'r gloch mi welwn i gar yn dod i lawr ffordd y goedwig at y fan lle roeddwn i'n torri coed. Susan oedd hi – wedi dod i ymddiheuro. Mi gymres arnaf nad oeddwn wedi'i gweld a dal ati i dorri coed am ryw chwarter awr, a hithe'n eistedd yn y car yn goch ei hwyneb.

Yn y diwedd, mi gafodd lond bol ar hynny ac yn ei thempar wrth geisio troi i fynd oddi yno mi aeth ar ei phen i'r ffos, a 'dalle hi ddim symud cam oddi yno.

Mi es ati bryd hynny a chwerthin yn ei hwyneb cyn mynd i godi pen blaen y car a hithe'n ceisio'i yrru oddi yno. Mi ddaeth y car o'r ffos yn ara deg ond y hi gafodd y gair ola achos roedd yr olwyn flaen yn sbinio fel coblyn ac yn taflu cawod o fwd ar 'y mhen i nes 'mod i wedi fy nghyfro o 'mhen i'm sawdl. A'r hyn wnaethon ni'n dau wedyn oedd chwerthin fel pethe gwirion ac anghofio popeth pam ein bod wedi ffraeo yn y lle cynta.

Ie, dau benstiff fel y dwedes i, ond ei bod hi'n chwythu'i thop yn syth a finne'n araf i wylltio. Dwi'n cymryd wythnose i chwalu, ond pan fydda i wedi gneud, lwc owt, mae hi'n amen wedyn!

Gan ein bod wedi penderfynu priodi ar ddydd pen-blwydd Susan, sef y pumed ar hugien o Awst, roedd yn rhaid ffonio ei mam a'i thad yn syth, am fod Susan wedi deud wrthyn nhw wrth ddyweddïo na fasen ni'n priodi am flwyddyn neu ddwy. Roedd Morfudd wedi ypsetio pan glywodd hi gan ei bod wedi meddwl yn siŵr cael ffenestri dwbwl i'r tŷ y flwyddyn honno, ac mi fydde'n rhaid i'r pres fynd at y briodas. Mi ddaeth ei thad, Dic, ar y ffôn i ofyn i mi oedd hi'n disgwyl gan ein bod ni wedi penderfynu priodi mor sydyn.

Doedden nhw ddim wir yn gallu fforddio'r briodas yr adeg honno ac roedden nhw wedi meddwl y caen nhw amser i gynilo ar gyfer yr achlysur, ond mi wnaethon nhw gytuno yn y diwedd, chwara teg. O hynny ymlaen, fuo gen i ddim i'w neud â'r trefnu, dim ond 'troi i fyny' ar y diwrnod. Y merched – Susan a'i mam – wnaeth y trefniade i gyd, ac mi fuo'i rhieni yn hynod o gefnogol.

Yng Nghapel Seilo, Caernarfon, roedd y gwasaneth a'r Parch Harri Parri oedd yn ein priodi. Gan nad oeddwn i wedi cael fy medyddio na fy nerbyn, mi gostiodd y briodas £70 i mi – tâl i'r capel am gael priodi yno – a dwi ddim wedi gadel i Susan anghofio hynny! Ond doedd 'ne ddim problem felly efo hi.

Mi aeth hi i Gaernarfon dridie cyn y briodas ac aros efo'i mam a'i thad, a finne'n teithio yno ar y diwrnod efo 'mrawd yng nghyfraith, Deio, gŵr Joyce fy chwaer, oedd yn was i mi. Gan nad oedd o'n dreifio, y fi oedd y sioffar ac roeddwn i wedi cynhyrfu gymaint fel y bu'n rhaid inni alw mewn ambell i dafarn ar y ffordd.

Roedd Susan wedi trefnu i rywun wneud ffilm fideo o'r briodas, ond y cyfan welson nhw ohonon ni'n dau oedd y fi'n parcio'r car ac yna'r ddau ohonon ni'n cerdded i'r dre gan ein bod wedi cyrredd yn gynnar. Ond roedd y fideo yn dangos Susan yn paratoi'n ofalus ar gyfer y diwrnod, ac erbyn hyn mae o'n drysor gwerth ei gael ac mae'n braf cael edrych yn ôl.

Roedd yn rhaid inni ddod yn ôl mewn digon o bryd achos roeddwn i wedi bygwth os bydde Susan fwy na phum munud yn hwyr y byddwn i wedi gadel a fyddwn i ddim yn dod yn ôl! Karen Lewis, ffrind iddi o'r heddlu, oedd un o'r morynion, a Lisa, merch fach Russell a Jackie, sef plismon arall a'i wraig oedd yn byw drws nesa inni yn Cerrig, oedd y llall.

Roedd y chwys yn llifo i lawr fy wyneb ac i flaen fy nhrwyn yn ystod y gwasaneth ac mi ddwedodd Harri Parri wrth lond y capel nad oedd o erioed wedi gweld neb yn chwysu cymaint mewn priodas. Ond mi aeth popeth yn werth chweil ac mi gawson ni'r wledd yng ngwesty Seiont Manor yn Llanrug. O'm hochor i, roedd Mam yno a 'mrawd a'm chwiorydd, cefnder o Goedpoeth a'i deulu, a Taid. Gan fod teulu Susan yn deulu mawr allwn i ddim gwahodd fy ffrindie i gyd, felly yr hyn a benderfynwyd oedd peidio gwadd neb ohonyn nhw rhag inni droi'r drol. A deud y gwir doedd amryw ohonyn nhw ddim callach 'mod i'n priodi gan nad oeddwn i wedi lledaenu'r stori ar hyd y lle. Faswn i byth wedi cyrredd Caernarfon tase'r hogie'n gwybod.

Mi wnes i drefnu efo Dr Owen, Cerrig, ein bod yn cael menthyg fila bach oedd ganddo fo yn Ibiza ar gyfer ein mis mêl, ond rhyw bythefnos cyn y briodas mi ddaeth heibio a deud bod y ferch isio'r lle, ac felly doedd 'ne ddim Ibiza i fod. Doeddwn i rioed wedi bod dros y dŵr o'r blaen a doedd dim llawer o amser i aildrefnu. Doedd dim i'w neud ond mynd at y *Travel Agent* i ofyn lle oedd ar gael am y pres roedden ni wedi'i wario'n barod am awyren. A lle landiodd y ddau ohonon ni ond yn Tunisia. Yn fy marn i ar ôl bod yno, un o'r llefydd gwaetha yn y byd.

Mi gyrhaeddon ni amser brecwast a chael wyau wedi eu ffrio mor galed nes eu bod nhw fel lledr. Mi fasen nhw'n sefyll ar y wal taswn i wedi eu gosod yno. A taswn i wedi lluchio'r sosej ar lawr mi fase wedi bownsio'n ôl ar y plât. Doedd y gwesty fawr o beth; doedd dim gwlâu yno, dim ond matresi a rhyw goncrid blocs oddi tanyn nhw, a sut bynnag mi dreulies i'r rhan fwya o'r tridie cynta yn y toilet yn swp sâl – effaith yr wyau lledr falle. A doedd Susan fawr gwell yn nes ymlaen yn yr wythnos. Roedd hi wedi mynd ag eli haul efo hi ond roedd hwnnw wedi gorffen ac felly mi es i brynu chwaneg iddi. Doeddwn i ddim callach be oeddwn i'n brynu ond mi ges i rywbeth oedd yn edrych fel eli, ond erbyn dallt, oel oedd o, ac yn yr haul poeth roedd hwnnw'n waeth na bod heb ddim byd. Mi gafodd Susan *sun stroke* ac mi losgodd mor ddrwg nes y bu'n rhaid iddi dreulio dyddie yn y gawod yn trio stopio'i chroen rhag blistro, a'r cwbwl oedd hi'n ei neud oedd crïo a gofyn am ei mam!

Mi fuon ni yno am ddeng niwrnod, a lle ofnadwy oedd o. Doedden ni ddim yn cael rhoi papur i lawr y toilet; a deud y gwir, doedden nhw ddim yn defnyddio papur, dim ond cerrig! Doedd dim pwrpas mynd o'r gwesty i'r dre o gwbwl achos bod pobol – a phlant yn arbennig – yn begera ym mhobman, a phawb ar eich ôl isio i chi brynu hyn a'r llall. Roedd Susan wedi lliwio'i gwallt yn ole ar gyfer y briodas ac roedd gwallt gole yn boblogaidd iawn yn Tunisia. Mi ges i gynnig cant o gamelod amdani. Mi ddwedes yr adeg honno nad awn i dros y môr i unman byth wedyn. Dwi ddim wedi cadw at hynny, ond roedd hi'n bum mlynedd cyn inni fentro'r eildro.

iii

Roedd pethe'n gwella a'm negeseuon ar y we yn adlewyrchu hynny; llawer llai o bethe negyddol i'w nodi a llawer mwy o negeseuon calonogol o safbwynt Bry a'r paratoade ar ei gyfer.

Ar y deunawfed o Fehefin, mi sgrifennes i fod yr ail drinieth gafodd Bry i leihau'r spasms wedi bod yn llwyddiannus, a'r dos dyddiol o *baclophen* oedd yn cael ei bwmpio i'w gorff wedi cael ei leihau'n sylweddol. Dyna'r newyddion da. Dim cystal oedd y ffaith fod ei wddw yn achosi cryn drafferth iddo, rhywbeth oedd yn digwydd yn amal, yn anffodus, ac sy'n dal i ddigwydd.

Yr un diwrnod, mi rois i beth o hanes datblygiad y tŷ, oedd yn dod yn ei flaen yn dda. Roedd tîm gweithgar gan Paul Morgan yr adeiladydd. Bu Nia, Pete, Stan, Raymond, Robin Wyn a Shelley yn brysur efo'r peintio, Pete a Shane yn gosod y dryse a'r sgyrtins, Howard yn gneud y gwaith plymio a Hywel y gwaith trydan. Roedd y gobeth o gael Bry adre fis Awst yn dal yn fyw.

Cyn diwedd y mis, mi gofnodes i hanesyn a ddigwyddodd ar ddydd Gwener y trydydd ar ddeg o Fehefin – nid 'mod i'n ofergoelus! O edrych yn ôl, roedd y cyfan yn eitha diniwed a doniol, ond ar y pryd roedd o'r math o beth oedd unweth eto yn tanlinellu pwysigrwydd cael dyn o gwmpas y lle gan y bydde Bry wedi ymdrin â'r peth yn llawer gwell na fi.

Y cyfan ddigwyddodd oedd i Teleri ddod i ddeud wrtha i am chwarter wedi saith y bore fod buwch a lloi a defed yng ngardd Alan drws nesa, wedi dod drosodd o'r cae i'n gardd ni ac yna i'w ardd o. Mi es allan yn fy mhyjamas i anfon yr anifeilied yn eu holau. Ond, yn anffodus, gan mai llo ydi llo, mi benderfynodd un fod yn styfnig a'i gwadnu hi y tu ôl i dŷ gwydr Alan, a'r peth nesa glywson ni oedd sŵn gwydr yn malu'n deilchion, cyn i'r llo fynd ar ei hyll drwy erddi Jaqui, Bill a Mandi. Yn ffodus, doedd dim niwed mawr i'w gerddi nhw ac mi gynigies dalu am drwsio tŷ gwydr Alan. Nid ei fod o wedi derbyn, wrth gwrs. Fy nghri oedd, 'Brysia adre, Bry, iti gael rhoi trefn ar ein bywyde ni unweth eto.'

Yn ystod y cyfnod yma, roedd Bry wrth ei fodd yn clywed hanesion am yr hyn oedd yn digwydd ac yn gweld y llunie roeddwn i'n eu tynnu bob hyn a hyn o'r tŷ er mwyn iddo weld y newidiade. Ond roeddwn i ar adege yn gwastraffu ein hamser efo'n gilydd yn adrodd hanes fy nyddie yn y gwaith a chyfleu iddo fy holl ofidie a'm rhwystredigaethe. Un da am wrando fu Bry erioed ac roeddwn i'n colli'r gwrando hwnnw gymaint â dim, ond ar yr un pryd yn flin efo fi fy hun am wastraffu ein hamser cyswllt yn cwyno.

Un o'r pethe roedd yn rhaid ei benderfynu cyn iddo dod adre oedd y math o gerbyd i'w brynu, un addas ar ei gyfer o a'r gader olwyn. Mi roddwyd ystyrieth i bob math o gerbyd, ac roedd o wrth gwrs yn frwd am fan fydde'n ei ddal o a'i gader olwyn ac yn cynnwys lle i blant hefyd – ar gyfer yr adeg pan fydde fo'n mynd â nhw ar deithie rygbi unweth eto. Oedd, roedd o mor gadarnhaol ei agwedd ac mi gafodd ei ddymuniad yn y diwedd. Fel arfer! Ac mi archebwyd y fan. Ac mi dalwyd amdani gan un o ymddiriedolaethe'r Undeb Rygbi.

Ond doedd popeth ddim yn gweithio o'n plaid a'r pryder mwya oedd diffyg gofalwyr. Wyth oedd y nifer delfrydol, a'r nifer a addawyd gan y cwmni, ond pan hysbysebwyd ddechre Gorffennaf dim ond dau gais dderbyniwyd. Roedd y gobaith o'i gael adre erbyn ei ben-blwydd yn Awst yn pylu'n gyflym, a hynny yn ei dro yn golygu mwy o amser iddo fo orfod ei dreulio yn yr ysbyty, a mwy o draul arna inne yn teithio 'nôl a blaen i Southport.

Doedd y tŷ ddim yn mynd i fod yn barod beth bynnag, er ei fod ar y pryd yn dod yn ei flaen yn dda. Ond mi fydde'n rhaid i bopeth fod wedi'i orffen yn llwyr cyn mentro ei gael adre.

A hithe'n wylie haf, mi aeth y tri ohonon ni i Tenerife am wythnos, a hynny ar awgrym Bry. Ychydig cyn hynny, roedd Ymddiriedolaeth Elusennol yr Undeb

Rygbi wedi anfon arian i Bry fel y gallai o fynd ar wylie, a'i awgrym o oedd ein bod *ni*'n defnyddio'r arian. Jyst fel Bry. Dyna wnaethon ni beth bynnag a chael wythnos dda o ymlacio, ond nid o anghofio, gan ei bod hi'n anodd dygymod â mynd mor bell oddi cartre, a finne'n gofidio er gwaetha'r ffaith 'mod i mewn cysylltiad parhaus â'r ysbyty. Roedd y plant yn ei chael yn chwith hefyd wrth weld tade plant erill yn nofio a chael hwyl yn y dŵr efo'u teuluoedd, a rhag eu gwaetha, yn cymharu ein sefyllfa ni efo'u sefyllfaoedd nhw. Ond mae'n rhywbeth y bydd yn rhaid i ni i gyd ddygymod â fo a chaledu iddo.

Mi wawriodd diwrnod fy mhen-blwydd a phen-blwydd ein priodas unweth eto, yr eildro efo Bry yn yr ysbyty. Mi dreuliwyd rhan o'r diwrnod yn mynd am ginio i'r Richmond, oedd erbyn hynny wedi dod yn rhyw fath o ail gartre i ni. Yr un pryd, mi gyrhaeddodd y fan ac mi fentrais i Southport ynddi er bod y profiad bron fel dreifio bws ar y dechre. Mi aeth y siwrne'n berffeth ond wrth barcio ym maes parcio'r uned mi es dros y *kerb* a phwy, o bawb, oedd yn digwydd bod yn gwylio drwy'r ffenest ond Bry! Ei gwestiwn cynta i mi oedd 'Oes 'ne olwynion sgwâr ar y fan 'ne'?

Yna, ar y trydydd o Fedi, mi nodais i hyn:

Wel, erbyn hyn gallaf ddweud mai mis nesa y bydd Bry yn dychwelyd adre.

Mae'r amser yn llusgo iddo yn Southport, y dyddie a'r nosweithie'n hir. Ambell ddiwrnod yn mynd heibio heb ymwelydd, ond dydi o ddim yn cwyno.

Roedd Bry yn gaeth i'w wely am rai dyddiau, ond erbyn hyn mae o 'nôl yn ei gader.

Mae'r gwaith o addasu'r tŷ bron â dod i ben. Tipyn o waith tacluso, a llawer o'r manion angen sylw. Serch hynny dwi'n gobeithio bod y gwaetha drosodd.

Ond mae tipyn o waith peintio a glanhau angen ei wneud eto, a dwi'n apelio am wirfoddolwyr. Dwi'n ymwybodol fod pawb efo bywydau prysur iawn a dwi'n dallt os na allwch roi help law.

Unwaith eto mae'r wythnos yn carlamu heibio. Tels wedi cychwyn yn yr ysgol uwchradd a hyd yn hyn yn mwynhau'n fawr. Ilan yn dal i dyfu – tua 6' 3" erbyn hyn a newydd gael bŵts pêl-droed maint 14. Mae wedi dechre fy ngalw i'n 'short a***'. Ond mi gafodd ail ddydd Sul pan ddaeth Siôn Goronwy heibio, ac mae o'n llawer talach nag Ilan, a'i draed o'n fwy!

Roedd Bry yn ysu am gael bod adre ac roedd pethe'n symud; chwech o ofalwyr yn yr ysbyty yn dysgu eu gwaith dan oruchwyliaeth ofalus Carol, a'r cwmni'n addo y bydden nhw'n hysbysebu am ragor – er ei bod yn gwestiwn faint o goel y gellid ei roi arnyn nhw, gan fod trafferthion wedi bod efo nhw o'r cychwyn. Ond mae Bry yn deud mwy am hynny felly 'daf i ddim i ailadrodd, dim ond nodi i nifer y gofalwyr godi i chwech.

Ddiwedd Hydref dyma sgrifennais i:

Wythnos i fynd ac mi fydd Bry adre. 'Den ni i gyd yn edrych ymlaen yn arw at hyn. Wrth gwrs, mi fydd yna gyfnod o addasu, o setlo i lawr i drefn newydd.

Ond mi nawn ni ymdopi a chymryd pethe un dydd ar y tro.

Y flaenoriaeth yr wythnos yma ydi cael y tŷ i drefn yn barod ar gyfer y diwrnod mawr. Mae hynny'n golygu llawer iawn o llnau ac o sortio, a dwi'n ddiolchgar iawn i Mam am ddod draw i fy helpu i efo'r holl waith. Allwn i ddim bod wedi'i neud heb ei help.

Mae llawer i'w neud eto, ond mae golau ym mhen draw'r twnnel, a hwnnw'n olau disglair!

10
Croesi'r
Llinell Fantais

i

ROEDDWN I WEDI BOD yn ôl adre unweth o'r blaen, ar
Fai yr wythfed. Roedd hi'n ben-blwydd ar Tony
Parry yn hanner cant ac mi ges i fynd i'w ddathliad pen-
blwydd a hynny ryw bythefnos cyn cael yr ail bwmp.

Dr Watts a Nyrs Lucy ddaeth efo fi a chan fod y gader
oedd gen i bryd hynny mor fawr, âi hi ddim i mewn i
fws mini'r ysbyty ac felly mi fu'n rhaid imi deithio bob
cam ar wastad fy nghefn. Roedd hi'n dipyn o strach ac
mi gymrodd y siwrne dros dair awr.

Roedd y stori 'mod i'n dod adre wedi mynd o gwmpas
y Bala fel tân gwyllt ond rywsut fe lwyddwyd i gadw'r
newyddion rhag cyrredd clustie TP. Mi ges fy nreifio
at y tŷ ond gan 'mod i fwy neu lai ar wastad 'y ngefn,
doeddwn i ddim yn gallu gweld yn iawn faint oedd o
wedi'i newid y tu allan.

Yna ymlaen i'r clwb golff lle roedd y parti ac roedd
wyneb TP yn bictiwr pan welodd o fi. Roedd hi'n
bwysig 'mod i yno gan iddo fod mor ffyddlon i mi, yn
dod i 'ngweld i'n gyson, yn trefnu ymweliade, yn gyswllt
efo clybie erill ac efo'r bobol oedd yn codi arian. Mi
arhosais yn y parti am ddwy awr ac wedyn roedd hi'n
deirawr o siwrne yn ôl i Southport.

Dene'r hira fues i allan o 'ngwely tra bues i yn yr ysbyty – dros wyth awr i gyd, ac mi gymrodd wsnos dda imi ddod dros y siwrne a'r ymweliad. Pan ddaeth Susan a'r plant i 'ngweld i ar y penwythnos mi ddwedes i wrthyn nhw y byddwn i, y tro nesa y down i adre, yn dod adre am byth. Ac felly y byddwn i'n deud wrth bawb oedd yn dod i 'ngweld i o hynny allan – adre am byth, a byth yn mynd yn ôl.

O'r diwedd, mi ddaeth y diwrnod mawr ac fe fu Margaret Maule a Sue Perrie Davies o'r ysbyty yn brysur yn trefnu popeth, yn llwytho'r peirianne i'r fan a pharatoi ar gyfer y daith. Roedd fy symud adre yn *major operation* yn y fan newydd sbon oedd wedi'i rhoi'n anrheg i mi gan *Charitable Trust Fund* yr Undeb Rygbi.

Y dyddie cynt, roeddwn i wedi bod yn fy myd bach fy hun. Roedd cymaint wedi digwydd yn ystod y pythefnos ola, cynifer wedi bod yn fy ngweld a chymaint o fynd a dod nes 'mod i bron â drysu a ddim yn deall yn iawn be oedd yn digwydd. Ac wedyn roedd yn rhaid ffarwelio efo pawb, staff yr ysbyty yn enwedig, a dene'r peth anodda bu'n rhaid imi ei neud ers claddu Taid a Nain. Roedd y cyfan yn tynnu ar y galon yn arw iawn. Roedd yr amser wedi bod mor hir a finne wedi teimlo'n ddiogel yn yr ysbyty. Fe ddaeth y nyrsys oedd *off duty* i mewn i ffarwelio efo fi ac un o'r pethe gore ynglŷn â'r holl beth oedd yr holl swsus ges i mewn diwrnod!

Alwyn Ambiwlans, Ilan a Teleri ddaeth i fy 'nôl a'r stop cynta oedd y tu allan i'r Plas Coch – fy nghartre cynta i, yn ôl Susan. Roedd Edwina ac Aled a hogie'r clwb rygbi ar y stryd yn aros amdana i efo potel o siampên a baner fawr ar y Plas Coch yn deud 'Croeso adre'. Roedd hi'n ddiwrnod sych braf yn nechre Tachwedd.

Yna, ymlaen am y stad ac ar ôl troi o'r ffordd fawr am Cae Croes, gweld baner fawr ar ochor y ffordd y tu allan i'r tŷ, wedi'i llunio gan blant Ysgol y Parc ac Ysgol Bro Tegid ac arni'r geirie 'Croeso adre i Yogi'. Yno, yn aros amdana i roedd Susan, Dic a Morfudd, a Sister Karen Smith o uned yr *high dependency* ym Mangor. Hi oedd yn edrych ar ôl popeth adre gan ei bod yn gweithio i'r Ymddiriedolaeth Iechyd.

Kelvin, un o'r gofalwyr, oedd yng ngofal y gader olwyn ac wrth fy nhynnu o'r fan, yn anfwriadol mi ypsetiodd o Ilan a Teleri braidd. Fo aeth â fi i mewn i'r tŷ er eu bod nhw eu dau wedi gobeithio gneud hynny – cael fy ngwthio i'r tŷ a bod y rhai cynta i ddangos y lle ar ei newydd wedd i mi. A deud y gwir roedd angen 'L' neu 'D' ar y gader pan oedd Kelvin yn ei gyrru gan iddo fo daro 'nhraed yn erbyn y railings, taro'r drws efo'r gader a'i tharo wedyn yn erbyn y soffa.

Ond roedd cymaint o newid wedi digwydd yn y tŷ fel nad oedd o'n teimlo fel 'y nghartre i o gwbwl. Y bobol a'r pethe sy'n gneud y cartre, dim yr adeilad. Roedd o fel lle hollol ddiarth; estyniad yn y blaen a'r tu ôl, y garej wedi diflannu ac yn ei lle stafell i'r gofalwyr. Mae'n anodd ei roi o mewn geirie ond roeddwn i'n teimlo ar goll am funud ac roedd dagre'n llifo i lawr fy wyneb. Yna, mynd o'r gegin, gweld y grisie a meddwl faint o weithie y bues i'n rhedeg i fyny ac i lawr, a meddwl na wnawn i mo hynne byth eto.

Dene pryd ddaru'r amgylchiade fy hitio i waetha, dwi'n meddwl. Roeddwn i'n teimlo'n wag a ddim yn nabod y lle, a phobol o 'nghwmpas i'n deud 'Ti'n iawn rŵan. Ti'n iawn – ti adre'. Ond doeddwn i ddim yn iawn.

Roedd yn anhygoel y gwaith oedd wedi ei neud ar y lle, ac roeddwn i'n methu coelio bod pobol wedi gweithio mor galed. Wn i ddim be oeddwn i'n ei ddisgwyl, ond doeddwn i rywsut ddim wedi disgwyl fawr ddim gwahaniaeth yn y lle.

Mi es i mewn i'r llofft ac roedd hi fel plasty a finne rioed wedi dychmygu stafell mor fawr. Yna, gweld y gwely arbennig 'ma wedi'i baratoi ar fy nghyfer. Mi ges i bum munud i mi fy hun yn y fan honno, ac o 'mlaen i ar y wal roedd set deledu 50 modfedd yn sbio'n ôl arna i. Mwy na thebyg mai dyma fydde'n ffrind gore i o hynny ymlaen. Dyna'r adeg y gwnes i feddwl be fydde'r dyfodol, achos roedd hi mor hawdd yn yr ysbyty, edrych ymlaen at fynd adre, a dyma feddwl be sy 'ne ar ôl – rhywbeth mwy na set deledu ar y wal? Dyna pryd y gwnes i sylweddoli be oedd o 'mlaen i mewn bywyd a be oedd y dyfodol – set deledu 50 modfedd i gadw cwmni i mi. Yn yr ysbyty, roeddwn i wedi bod yn edrych ymlaen at ddod adre, heb feddwl ymhellach na hynny.

O'r eiliad honno, mi 'nes i ddechre c'ledu y tu mewn. Yn yr ysbyty, roedd pawb mor gadarnhaol eu hagwedd, ond yma roedd hi'n fwy anodd edrych i'r dyfodol. Mi aeth y rhan fwya o'r pnawn ar goll yn fy meddwl, yn blanc hollol. Roedd sŵn siarad ym mhobman, pobol yn mynd a dod, pobol yn gosod y peirianne, sŵn cyfarch a ffarwelio.

Fin nos, gan ei bod yn bumed o Dachwedd, fe gafwyd tân gwyllt yn y cae, a finne'n eistedd yn fy llofft yn syllu allan ac yn clywed o'r patio tu allan sŵn siarad mame a thade a phlant ac aelode'r clwb rygbi oedd wedi dod yno i ddathlu. Cholles i erioed gymaint o ddagre, dwi ddim yn meddwl, ag y gwnes i'r diwrnod hwnnw, ond fedrwn i ddim sychu fy nagre fy hun. Roedd o'n amser arbennig iawn, wrth gwrs, yn ddiwrnod llawn emosiwn, a phawb yn dymuno'n dda i mi, pawb yn gneud eu gore a finne'n teimlo'n wag y tu mewn.

ii

Ar ôl priodi yn Seilo, gwledd briodas yn y Seiont Manor a mis mêl yn Tunisia, dyma setlo i lawr yn nhŷ'r heddlu yn Cerrig.

Un diwrnod, a'r ddau ohonon ni yn y tŷ, dyma'r frigâd dân heibio a throi i mewn i stad Maes Aled, ac mi ddwedodd Susan rhwng difri a chware falle bod Taid wedi rhoi ei dŷ ar dân. Mi es i fyny'r grisie i weld, ac yn wir i chi, tŷ Taid oedd o ac mi es yno ar ras. Roedd y *porch* a'r gegin gefn ar dân ond yn ffodus wnaeth o ddim lledu i unman arall. Roedd Taid yn smocio cetyn ac roedd o wedi'i roi ym mhoced ei gôt heb ei ddiffodd a rhoi ei gôt ar gefn y gader ar ôl bod am dro. Fe roddodd y cetyn y gôt ar dân a dene oedd cychwyn pethe!

Doedd Taid ddim ffit. Mi fydde'n colli baco o'i getyn ym Motegir ac yn taflu matsis i rywle rhywle cyn iddyn nhw ddiffodd yn iawn, ond doedd o'n gneud dim drwg mewn cegin lle roedd carreg las ar lawr. Roedd Maes Aled yn wahanol – hen dŷ cyngor oedd o efo carped ar y llawr ac roedd hwnnw'n llosgiade i gyd lle roedd baco a matsis Taid wedi glanio. Roedd hi'n wyrth nad oedd o wedi rhoi'r tŷ ar dân ymhell cyn helynt y cetyn a'r gôt.

Yna, un diwrnod, mi gafodd strôc. Roedd Susan wedi mynd â bwyd iddo fo a hi welodd o gynta. Mi alwodd yr ambiwlans ac mi awd â fo i'r ysbyty yn Llanelwy. Fe ddaeth ato'i hun ond doedd o ddim yn gallu siarad, ac roedd yn amlwg i ni, ac i'r staff yn yr ysbyty, ei fod o wedi colli'r awydd i fyw ac na fydde fo isio byw ac ynte'n methu siarad. Roedd o wedi bod mor iach ar hyd ei oes. Felly, yn 85 mlwydd oed, fe fu farw ac fe'i claddwyd gyda Nain ym mynwent Betws Gwerful Goch – y ddau ymhlith y bobol bwysica yn fy mywyd i, dau fuo fel tad a mam i mi.

Ar ôl marw Taid roedd y tŷ ym Maes Aled yn wag, gan fod Haydn wedi cael cariad ac wedi symud i mewn ati, ac mi gynigiais i Susan, oedd erbyn hynny wedi cael ei symud i weithio yn Rhuthun, y gallen ni symud o dŷ'r heddlu os oedd hi'n dymuno. Ond doedd hi ddim isio byw ym Maes Aled, felly dyma'i roi o ar werth a phrynu tŷ bychan, Gwynfryn, yn Cerrig. Yr adeg honno, roedd 'ne lot o sôn am bobol yn gwerthu tai cyngor i Saeson, ond mi fuon ni'n ffodus i gael y tŷ am bris teg gan Glyn Doctor a doeddwn i ddim am ei weld yn mynd i Sais. Gan fod Haydn yn cytuno, fe'i gwerthwyd i Gymro lleol oedd yn prynu am y tro cynta er imi gael cynnig £3,000 yn fwy amdano gan Sais. Felly roeddwn i'n gallu ad-dalu'r gymwynas am 'mod i wedi cael chware teg wrth ei brynu. Falle 'mod i'n un tyn, ond dydi pres ddim yn bopeth.

Yn ystod y cyfnod yma, cyn symud o dŷ'r heddlu yn wir, roedd y gwaith yn y coed yn prinhau, ac un diwrnod mi ddaeth Sais oedd wedi dod i fyw i Llwyn,

Betws Gwerful Goch, heibio a chynnig gwaith i mi. Roedd Med Fodwen eisoes yn gweithio iddo fo a'r hyn oedd o'n ei neud oedd glanhau peipie dŵr – gwaith oedd yn mynd â fo dros bob man, i'r Alban, i Loegr, ac i Dde Cymru.

Mi wnes i benderfynu cymryd y gwaith gan fod pethe'n arafu'n arw yn y coed a dim llawer o ddyfodol i mi yn y fan honno. Y drwg oedd 'mod i'n gorfod mynd ymhell oddi cartre i weithio. Roedd y gwaith yn galed ond yn ddiddorol, yr orie'n hir ond y cyflog yn dda. Ac roedd o'r math o waith lle roedden ni'n gallu mynd i ffwrdd ar y Sul, gweithio orie hir, weithie drwy'r nos yn ogystal â'r dydd, a dod adre nos Fercher, felly doedd pethe ddim mor ddrwg â hynny. Roedd y trefniant yn siwtio Med hefyd gan ei fod o'n ffarmio.

Roedd y Sais oedd yn gyfrifol am y gwaith wedi dyfeisio peiriant clyfar iawn i yrru dŵr drwy'r peipie. Peiriant â siâp fel bwled iddo fo oedd o, a'r 'Mochyn' roedden ni'n ei alw. Ein gwaith ni oedd paratoi'r beipen ar gyfer y Mochyn a rhoi popeth yn ei ôl ar iddo neud y job. Mi ddaru ni llnau peipen yr Alwen bob cam o'r llyn i'r tu draw i'r Wyddgrug, gan ganolbwyntio ar ddwy neu dair milltir ar y tro.

Y peth cynta i'w neud oedd tyllu at y beipen ac yna ynysu rhan ohoni, gollwng y dŵr trwy'r falfiau o'r rhan honno gan greu lagŵns yn y caeau, ac yna tyllu'r beipen er mwyn rhoi'r Mochyn i mewn. Wedyn, roedd yn rhaid rheoli faint o ddŵr oedd yn mynd trwy'r beipen i yrru'r Mochyn yn ei flaen, ac mi fydde hwnnw wedyn yn symud trwy'r beipen gan wneud sŵn fel trên tanddaearol. Yr hyn fydden ni'n ei neud fydde paratoi trwy'r dydd, rhoi'r Mochyn i mewn i lanhau'r beipen dros nos, rhwng deg a chwech, ac yna treulio'r diwrnod wedyn yn rhoi pethe yn eu holau.

Roedd hi'n job beryglus gan fod yn rhaid trin y falfiau dŵr a rheoli'r pwysedd yn ofalus. Gan fod y pwysedd dŵr yn aruthrol gallai'r gwaith fod yn beryg bywyd. Roedd falfiau aer bob hyn a hyn ar hyd y beipen hefyd a'r Bwrdd Dŵr oedd yn gyfrifol amdanyn nhw, i sicrhau eu bod wedi eu hagor i ollwng yr aer allan ar gyfer y gwaith o lanhau. Roedd cael y balans rhwng pwysedd dŵr a phwysedd aer yn bwysig.

Ond, a ninne wrthi rhwng Rhuthun a Bwlchgwyn, mi ddaru'r Bwrdd Dŵr fethu â sicrhau bod un o'r falfiau uwchben Loggerheads yn gweithio'n iawn ac mi aeth hi'n llanast. Roedd y beipen yn un fawr, yn un wyth modfedd ar hugien, ac mi roeson ni'r Mochyn i mewn a'i ddilyn uwchben y ddaear. Ond gan nad oedd y falf yn gweithio, mi gynyddodd pwysedd yr aer nes chwalu'r beipen ac anfon tunelli o ddŵr i fyny drwy'r ddaear a hwnnw wedyn yn llifo'n genlli anferthol i lawr y ffordd. Lwcus nad oedd yr un car ar y ffordd neu mi fydde wedi'i sgubo o'r neilltu, gymaint oedd nerth y dŵr.

Mi achoswyd dros £140,000 o niwed i'r ffordd a'r mannau o gwmpas. Lwcus mai'r Bwrdd Dŵr oedd yn gyfrifol, ac mai nhw felly oedd yn talu'r bil. Ond mi alle pethe fod wedi bod yn llawer iawn gwaeth gan fod pwysedd dŵr a phwysedd aer yn bethe peryglus dros ben.

Roedd y baw a gâi ei glirio o'r peipie yn anhygoel; deg tunnell rhwng Gwernymynydd a'r Wyddgrug – mawn gan fwya gan mai o lyn Alwen roedd y dŵr yn dod. Ond roedd rhwd ac elfennau eraill yn gymysg hefyd.

Mi fydden ni'n mynd â'r stwff yn ôl at ymyl y llyn, ac yno y câi ei storio am bum mlynedd a'i brofi bob hyn a hyn cyn ei chwalu ar y caeau.

Mi fu hogyn o'r enw Nick Baker a finne yn gweithio am chwe wythnos ar beipen yn ardal Pontrhydfendigaid; teithio bob dydd gan gychwyn am bedwar o'r gloch y bore. Roedd cyfres o bedwar llyn yno, yn llifo i'w gilydd, ac roedden ni'n llnau y tair milltir a hanner ola rhwng y llyn isa a'r gwaith trin newydd. Roedd yn rhaid sicrhau bod y peipie i dai a ffermydd yr ardal yn glir hefyd, ac i'r diben hwnnw roedden ni'n gwthio sbwng dwy fodfedd i beipen modfedd. Mi fuon ni'n gweithio'n lleol hefyd ar y beipen o'r Arenig i'r Parc.

A deud y gwir, roedden ni'n cael ein gyrru i bobman, ac unweth mi aeth Med a finne yr ochor draw i Lunden i llnau peipen oedd yn rhedeg dan lein y trên. Mewn lori roedden ni'n mynd a thractor a *winch* arno ar gyfer y gwaith. Mi gychwynnodd y ddau ohonon ni tua hanner nos nos Sul ac roedd Susan ar ddyletswydd y noson honno. Wrth deithio rhwng Corwen a Llangollen, dyma ni'n gweld car heddlu wedi'i barcio ychydig o'r ffordd.

'Drycha,' medde fi. 'Susan yn watsio am geir. Gad inni dynnu arni.' Felly dyma ddechre chware'n wirion, woblo o un ochor y ffordd i'r llall, cyflymu ac arafu, fflachio golau, canu corn a phethe felly. Dyma'r car ar ein hole ni a'r gole glas yn fflachio a'r car heibio i ni a pheri inni stopio.

Wrth gwrs, nid Susan oedd yn y car ond rhyw blismon diarth nad oedd yr un ohonon ni erioed wedi'i weld o'r blaen. Mi gymrodd dipyn o amser iddo gredu'n stori ni. Wrth lwc, roedd o'n nabod Susan ac yn y diwedd mi adawodd inni fynd gan ddeud wrthon ni am beidio â bod mor blydi gwirion y tro nesa.

Wedi cyrredd Llunden, mi fuon ni wrthi am ddeuddydd yn paratoi'r beipen er mwyn ei llnau dros nos. Roedden ni'n gorfod stopio bob deng munud pan ddeue trên ac roedden ni'n cysgu am ryw awr neu ddwy ar y tro yn y lori rhag ofn i rywun ddwyn y tractor neu'r offer arall.

Ar y ffordd adre, a ninne wedi pasio Corwen, be welson ni wrth y Goat yn Maerdy ond car heddlu. 'Susan,' medden ni eto, a dechre tynnu arni fel o'r blaen. Choeliwch chi ddim, ond yr un plismon oedd o, ond dwi'n meddwl iddo fo weld ochor ddoniol y peth – o leia mi gawson ni *get away* y tro hwnnw hefyd.

Mi ges i amser difyr iawn yn gweithio ar y peipie mewn llefydd fel Moffat ger Newcastle a Denton ger Manceinion. Yno, roedd peipen newydd yn cael ei gosod o dan y ffordd ddeuol ger maes golff ac roedd angen ei thestio i weld oedd hi'n dal. Cwmni o Ffrainc oedd wedi cael y job o weldio'r beipen a Ffrancwr bach dim mwy na phum troedfedd o daldra oedd y weldar. Mi fydde'n eistedd i mewn yn y beipen i weldio dwy ran at ei gilydd. Doeddwn i erioed wedi gweld y fath beth. Sôn am weldar – y gore weles i erioed. Roedd hi'n beipen 36 modfedd ac roedd o'n gallu ei weldio heb stopio, ond wnâi o ddim mwy na phedair peipen y dydd gan fod y *fumes* yn beryg iddo fo. Roedd o'n cael andros o gyflog mawr. Faswn i ddim wedi meindio'i job o. Roedd o'n mynd i mewn i'r peipie 36 modfedd a'u weldio o'r tu mewn, finne wedyn yn mynd trwyddyn nhw fel glöwr efo lamp ar fy het, gan deithio ar droli bach i lanhau ar ei ôl a gweld bod popeth yn iawn cyn cau'r ddau ben a'u llenwi efo dŵr i brofi eu bod yn dal. A thrwy'r amser, roeddwn i'n clywed y traffig uwch 'y mhen ar y ffordd.

Ond mi ddaeth pethe i ben yn sydyn yn y diwedd, ar ôl rhyw dair blynedd. Roedd Susan yn disgwyl erbyn hyn ac roeddwn inne'n ei chael yn anoddach i gael fy arian gan y bòs. Roedd o'n gneud rhyw esgusion o hyd, ac un diwrnod, pan es i i 'nôl 'y nghyflog, roedd o wedi diflannu – i India yn ôl y sôn, i weithio efo peipie dŵr yn fan'no – ac roedd arno fo chwe mil o bunnoedd i mi. Weles i byth mohonyn nhw.

Mi fues i'n codi siedie efo Idris Maes Tyddyn am rai misoedd ar ôl hynny, ond doedd o ddim yn waith sefydlog a doedd yr orie ddim yn sefydlog chwaith. Mi benderfynodd Susan y bydde hi, ymhen peth amser ar ôl geni'r babi, yn mynd yn ôl i weithio os bydde popeth yn iawn, ac roedd yn rhaid i minne gael rhywbeth mwy sefydlog i'w wneud. Felly mi es i weld Nedw – 'Nedw Fale', fel y bydden ni'n ei alw – rheolwr yng ngwaith trelars Ifor Williams, a gofyn iddo oedd gynno fo waith i mi, ond doedd ganddo ddim byd ar y pryd, medde fo.

Ond y bore Llun wedyn dyma alwad ffôn gan Nedw yn gofyn fedrwn i fynd yno ar unwaith, gan fod gwaith imi yno. Ac felly yr es i i weithio i Ifor Williams, a fo'i hun oedd yn rhedeg y lle bryd hynny. Ymhen rhyw wythnos, mi ddaeth heibio i gael gair efo fi a holi sut oeddwn i a sut oeddwn i'n setlo. Doedd o ddim yn meddwl y baswn i'n ei sticio hi'n hir gan 'mod i wedi arfer gweithio y tu allan ar hyd fy oes a rioed wedi gweithio dan do. Ond ei sticio hi wnes i tan y ddamwain ac roedd yn bleser gweithio dan Ifor Williams. Mi fydde'n amal yn deud

ein bod ni'n rhoi mwy iddo fo nag oedd o'n ei roi i ni.
Wedyn, pan aeth o i dipyn o oed, a'r mab yn cymryd
drosodd, mi newidiodd y cwmni yn fawr iawn.

Mi fuo'n rhaid i Susan fynd i'r ysbyty ym
Modelwyddan cyn geni'r plentyn cynta am fod ganddi
bwysedd gwaed uchel. Fe anwyd Ilan ar y pedwerydd o
Fai 1995, ac roedd popeth yn iawn. Mi fuo Susan adre
am dipyn ac yna, pan aeth yn ôl i weithio, mi ddwedes
y baswn i'n gorffen gwneud pob dim heblaw am y
rygbi. Beth bynnag fydde'n digwydd roeddwn i am gael
chware rygbi ar bnawn Sadwrn. Mi ddaru ni gyflogi
Beryl Dolhyfryd i edrych ar ôl Ilan, a doedd dim yn
ormod ganddi ei wneud iddo fo. Mi fyddwn i'n mynd â
fo i Ddolhyfryd erbyn hanner awr wedi saith bob bore
cyn mynd i'r gwaith ac yn ei 'nôl o tua hanner awr wedi
pump i chwech o'r gloch gyda'r nos.

Roedd o'n amser eitha caled arnon ni, ac yna, ymhen
amser, roedd Susan yn disgwyl unwaith eto ac fe anwyd
Teleri union ddwy flynedd ar ôl Ilan, ar y seithfed o Fai.
Gan fod gwaith Susan yn y Bala dyma benderfynu y
bydden ni'n symud i'r dre, os gallen ni gael tŷ i'n siwtio.
Roedd angen lle mwy arnon ni beth bynnag efo dau o
blant.

Gan fod Susan yn gweithio efo'r heddlu yn y Bala
roedd hi'n ymwybodol o'r hyn oedd yn digwydd yn y
dre ac o symudiade pobol, ac fe gafodd wybod fod Mr a
Mrs Roberts, oedd yn byw yn Tŷ Ni, yn bwriadu symud i
un o'r byngalos oedd yn cael eu codi gan Gwyn Roberts
a Glyn Lloyd, gan fod y grisie'n drafferthus iddyn nhw.
Ac felly mi aeth Susan i swyddfa Tom Parry a phrynu Tŷ
Ni, ac roedd o'n symudiad da gan fod bywyd yn llawer
haws i ni, er 'mod i'n gofidio am orfod gadel Cerrig.

iii

Mi ddaeth Bry yn ei ôl adre ar y pumed o Dachwedd 2008. O feddwl sut roedd o flwyddyn a hanner ynghynt, pwy fydde wedi dychmygu y galle fo fod yn ei ôl yn Tŷ Ni o gwbwl? Pan ymgasglodd y cymyle uwch ein penne ar Faes Gwyniad y Sadwrn hwnnw yn Ebrill 2007, doedd dim llygedyn o olau i'w weld, dim arlliw o obaith. Ond, wedi'r holl dreialon, roedd o adre.

Mi fues i wrthi fel lladd nadroedd, a hynny tan y funud ola, yn glanhau cyn iddo gyrredd. Roedd 'ne andros o waith ar y tŷ, ac fel pob ymwneud â'r ysbyty, rhywbeth munud ola oedd y cadarnhad ei fod yn cael dod. Roeddwn i mor brysur fel na ches i amser i feddwl yn iawn gymaint roedd hyn yn ei olygu. Ond pan weles i'r fan yn troi o Stryd y Fron alla i ddim esbonio'n iawn sut roeddwn i'n teimlo. Roeddwn i wedi ecseitio'n lân.

Dyma'r hyn y buon ni i gyd yn dyheu amdano, yn gweddïo amdano. Fe fu sawl adeg yn ystod y cyfnod hir pan oedd hi'n edrych yn debyg na fydde fo byth yn gwella'n ddigon da i ddod adre; adege pan oedd hi'n amheus a fydde fo'n byw i weld y diwrnod hwn yn gwawrio.

Ond wedi iddo gyrredd, roedd hi fel ffair yma, a finne'n teimlo'n fuan iawn 'mod i bron y tu allan i bethe. Pobol yn gofyn i mi sut oeddwn i'n teimlo rŵan bod Bry wedi dod adre, a finne'n teimlo dim byd, dim ond rhyw wacter rhyfedd y tu mewn i mi.

Roedd 'ne reswm am hynny. Nes ei fod o'n cyrredd dros y trothwy yn Tŷ Ni, yr ysbyty oedd yn gyfrifol amdano, ac roedd rhai o staff yr ysbyty wedi dod efo fo. Ond unwaith roedd o adre, cyfrifoldeb yr Ymddiriedolaeth

Iechyd oedd o wedyn, ac roedd Karen Smith o'r uned *high dependency* ym Mangor yma, a Natasja o gwmni Inclusive a'r gofalwyr, heb sôn am bobol o'r clwb rygbi a chymdogion a chyfeillion yn dymuno'n dda. Roedd pawb mor falch o'i weld.

Roedd ei ddyfodiad adre yn ddiwedd cyfnod, oedd, ond yn bwysicach na hynny, yn ddechre cyfnod newydd. Ac ar lawer ystyr, roedd y cyfnod newydd yma yn anoddach na'r hen un. Roedd hi'n ddigon o straen mynd i Southport o hyd a finne wrth gwrs yn mynnu mynd bob cyfle gawn i. Roedd hi'n straen bod heb Bry, yn straen gorfod gneud popeth fy hun, yn straen trefnu ac addasu'r tŷ, yn straen ymladd a dadle â'r gwahanol fyrdde cyn cael yr hyn roedd Bry ei angen. Ond mi ddaethon ni drwyddi, diolch i bawb fu o gymorth – llawer ohonyn nhw wedi eu henwi yng nghorff y llyfr, a llawer mwy nad oes sôn amdanyn nhw, ond dydi ein diolch iddyn nhw yn ddim llai.

Roedd hi rŵan yn gyfnod newydd a phawb mor falch o gael Bry adre ac ynte wrth ei fodd. Roedd yn brofiad rhyfedd iddo fo ar y dechre, wrth gwrs. Un peth oedd hiraethu am adre o ddiogelwch gwely mewn ysbyty lle roedd yr holl adnodde wrth law a'r staff o'i gwmpas trwy'r amser, mater arall oedd dod i arfer efo trefn newydd a llai o bobol felly llai o sicrwydd, ac mi wn iddo deimlo'n ddigon annifyr ar brydie yn y dechre. Wedi'r holl edrych ymlaen, roedd dod adre yn rhyw fath o anti cleimacs iddo am dipyn.

Mae pethe wedi newid i fi a'r plant hefyd, a'r newid mwya ydi cael yr holl beirianne yn y tŷ a'u larymau'n canu pan fydd argyfwng, a hynny ddydd a nos. Ac yn fwy na dim, cael gofalwyr yn y tŷ beder awr ar hugain y dydd, a cheisio byw bywyd teuluol mor normal ag sy'n bosib dan yr amgylchiade. Ond mae cael Bry adre yn gneud y cyfan yn werth chweil.

Mewn cader roedd yn rhaid ei gwthio y daeth o adre, ond yna mi gafodd fenthyg cader arall ac roedd o'n fwy annibynnol yn honno. Un o'r troeon cynta inni fynd allan efo hi oedd i Tesco yn Rhuthun i siopa, ac roedd o am fynd fel cath i gythrel rownd y silffoedd rhag 'mod i'n prynu gormod, medde fo. Ond mi rois i'r brêc ar y gader a 'dalle fo mo'i ollwng o'i hun wrth gwrs ac felly alle fo ddim symud. Hen gnawes, dwi'n gwybod, ond dene'r unig ffordd y gallwn i siopa a chael be oedden ni ei angen. Oes, mae mistar ar Mistar Mostyn ac mae'n rhaid rhoi troed i lawr efo fo weithie, yn enwedig pan fydd o yn ei gader ac yn gallu mynd heb help neb. Mae Bry a sbîd yn gymdeithion peryglus tu hwnt! Mae'n rhyfeddol fel mae o'n rheoli'r cyfan efo'i ên.

Sôn am gadeirie, roedd adege lawer yn ystod ei gyfnod yn yr ysbyty yn ymwneud â chadeirie, a'r gwahanol fathe gafodd o. Does yr un ohonyn nhw, hyd yn hyn, wedi bod yn rhai parhaol, ond mi fydd y nesa.

Mae dros flwyddyn ers iddo gael hanes un gan un o'r nyrsys, a honno wedi'i gweld ar y we. Y 4x4 roedd rhyw ddyn o Telford yn ei gwerthu – cader *state of the art*. Mae saga pwy sy'n talu amdani yn ddigon erbyn hyn i lenwi cyfrol bron. I ddechre, mi ddwedodd y Bwrdd Iechyd y bydden nhw'n talu amdani, ac o'r herwydd mi ddaru ni wario'r arian oedd wedi'i gynilo ar ei chyfer ar y tŷ. Yna, mi ddaru nhw wrthod, er gwaetha llythyru diddiwedd gennym ni a sawl un arall. Mi fuo Elfyn Llwyd, yr Aelod Seneddol, yn gweithio ar ein rhan, ac yn y diwedd mi benderfynodd y Bwrdd Iechyd y bydden nhw'n talu £10,500 tuag ati ac y bydde'n rhaid i ni ddod o hyd i'r £5,500 oedd yn weddill. Mi fydd Bry fel plentyn efo tegan newydd pan ddaw hi.

Y drafferth fwya o ddigon gawson ni ers i Bry ddod adre ydi'r helynt efo'r cwmni sy'n gofalu amdano – cwmni Inclusive o Gaer, fydd, ddiwedd Medi, yn rhoi'r gore iddi, diolch am hynny. Mae'r cyfan wedi bod yn hunlle a deud y gwir, ac ar wahân i bopeth arall mae o'n ypsetio Bry ac yn ei yrru oddi ar ei echel. Ryden ni'n gobeithio y bydd dechre newydd ar bethe ar ôl mis Medi. Mae Bry yn adrodd peth o'r hanes felly dyma nodi'n unig yr hyn sgrifennais i ar y we ddiwedd Mehefin:

Mae'r cwmni sy'n gofalu am Bry yn tynnu allan cyn bo hir (NEWYDDION DA I NI), ac ryden ni'n edrych ymlaen yn fawr at gychwyn newydd. All pethe ddim bod cynddrwg, coeliwch chi fi.

Mae'r holl sefyllfa ers pan ddaeth Bry adre wedi bod yn gwbwl annerbyniol, a dydi'r cwmni presennol ddim fel tase fo'n gallu gwerthfawrogi'r ffaith ein bod yn deulu a bod Bry a'r plant yn haeddu parch a sefydlogrwydd. Wna i ddim manylu yma, dim ond diolch i Kate, Mair, Ann a Paula am eu hymroddiad a'u ffyddlondeb, gan obeithio y byddan nhw yma efo ni am flynyddoedd lawer.

11
'Ond ti yw Yogi, ynde?'

i

MI FUES I'N GRANC anniolchgar ar ôl dod adre, dwi'n gwybod, a dwi ddim yn esgusodi fy hun am hynny, ond roedd pethe mor wahanol i'r breuddwydion a ges i yn yr ysbyty. Yr holl edrych ymlaen, yr holl blanie, gweld fy hun yn dod yn fwy annibynnol, fy nheulu o 'nghwmpas i, a finne'n gallu mynd lawr i'r dre bob dydd ac yn y man yn gallu ailddechre hyfforddi ieuenctid y clwb rygbi.

Ond nid felly roedd hi. Roedd hi'n anodd dygymod efo'r tŷ gan ei fod o mor wahanol, roedd hi'n anodd dygymod efo'r distawrwydd a'r llonyddwch wedi holl fynd a dod yr ysbyty, ac er bod 'y nheulu o 'nghwmpas i a finne adre efo nhw, roedd i hynny ei rwystredigeth hefyd. Unweth, mi ddaeth Teleri adre o'r ysgol wedi brifo'i choes, ac roedd hi'n reddfol rywsut yn disgwyl y tendans arferol gen i, y tendans roedd arni hi ei angen. Geneth un ar ddeg oed oedd hi wedi'r cyfan, a chanddi feddwl mawr o'i thad. Ond roeddwn i'n methu â gneud dim i'w choes, dim i'w chysuro, dim hyd yn oed roi cydl a sws iddi fel y byddwn i'n arfer. Mi fydde'r plant yn dod i mewn fel tase dim byd yn bod, fel tase dim byd wedi newid, a finne'n mynd yn fwy diflas o ddydd i ddydd. Yna, Susan yn mynd yn ôl i'w gwaith ar ôl tair wythnos a dim ond y fi a'r gofalwyr ar ôl. Wel, roedd yn rhaid i rywun gadw'r blaidd o'r drws, a dim ond y hi alle neud hynny.

Ar ben hynny, roedd yn rhaid cynefino efo'r gofalwyr a nhwthe efo finne, a chynefino efo'r lle. Roedd hi'n cymryd amser i mi i ddod i'w nabod nhw ac iddyn nhw fy nabod inne. Roedd 'ne drafferthion efo rhai ohonyn nhw ac mi fuo'n rhaid deud wrth un am adael o fewn yr wythnos. Un o'r rhai oedd wedi bod yn Southport oedd hwnnw, ond doedd o fawr callach be i'w neud ar ôl chwech wythnos o ymarfer. Roedd Susan wedi deud hyn wrth Natasja, nyrs y cwmni oedd yn rheoli'r gofalwyr, ond doedd y cwmni ddim yn cymryd unrhyw sylw; yn gwrando ond yn gneud dim.

Y broblem fwya oedd prinder staff, er bod y cwmni wedi addo'n wahanol. Roedd pedwar yn trïo'u gore ac isio gneud y gwaith a'i neud yn iawn, ac roedd hynny'n rhoi mwy o bwyse arnyn nhw. Chawson nhw ddim help gan y cwmni, dim rhestr o be i'w neud a be i beidio, na chael gwybod sut i ddod i delere â bod yn nhŷ rhywun arall, ac roedden nhw'n ei chael hi'n anodd i weithredu ar y dechre.

I neud pethe'n waeth, mi ges blwc drwg ar fy mrest o fewn pythefnos i ddod adre a doedd hynny'n ddim help i'r gofalwyr nac i fy ysbryd inne. Wrth gwrs, doedd y teulu ddim wedi 'ngweld i fel hyn chwaith; mi fydden nhw'n gweld yr ochor ore i bethe pan fydden nhw'n ymweld â'r ysbyty, a finne'n cuddio llawer ac yn gorffwys cyn iddyn nhw ddod er mwyn bod ar 'y ngore. Ond doedd dim modd cuddio dim unweth y cyrhaeddes i adre ac roedd 'y ngweld i fel roeddwn i ambell dro yn ddigon i'w dychryn a'u digalonni nhw.

Dwi'n meddwl imi golli un o'r gofalwyr yn y diwedd

oherwydd hyn, sef Cheryl, neu 'Blondie' fel roeddwn i'n ei galw, y ferch o Wrecsam, ac roedd colled fawr ar ei hôl. Gweithio'r nos y bydde hi, ac un noson yn ystod yr haint ar fy mrest mi ges i blwc drwg ac mi fu'n rhaid galw am ambiwlans, a doedd gan bobol yr ambiwlans fawr o glem be i'w neud. Sut y gallen nhw wybod a nhwthe heb erioed gael profiad o drin rhywun tebyg i mi mewn argyfwng? Ar y bws y bydde Blondie'n teithio 'nôl a blaen o Wrecsam, a threulio awr a hanner ar y bws fore a nos roddodd hi fel rheswm dros adel, ond dwi'n meddwl falle mai cael braw wnaeth hi wrth i mi gael pwl drwg a wela i ddim bai arni am hynny.

Mi gafodd un arall o'r chwech gwreiddiol fynd yn fuan hefyd – un oedd, dwi'n meddwl, yn siomedig yn y gwaith, wedi meddwl y byddwn i allan bob dydd, yn crwydro lawr i'r dre ac yn mynd am dro o hyd, ac roedd canfod 'mod i'n gaeth gartre yn siom iddo fo, a doedd ei waith o ddim yn foddhaol.

Beth bynnag am hynny, mi ges i blwc drwg un noson ac roedd yn rhaid bagio, sef rhoi gwynt yn fy sgyfaint efo'r bag. Mi aeth y gofalwr ati i neud hynny ac roedd Teleri'n eistedd ar y soffa yn edrych arno fo. Doedd o ddim yn gneud y job yn iawn ac mi ddwedodd Teleri hynny wrtho fo a dangos iddo fo sut i neud. Mi droiodd arni a deud wrthi am gau ei cheg, ac mi wyllties inne a deud na châi o siarad efo 'merch i fel ene, yn enwedig a hithe yn ei chartre ei hun. Fe ddwedwyd wrth Natasja nad oedd ei waith o'n foddhaol, ac mi gafodd fynd.

Does neb o reolwyr Inclusive wedi bod yma heblaw am Natasja. Roedd hi i fod yma bob dydd, ond fydde hi ddim, a bellach dim ond pedwar o ofalwyr oedd ar ôl wedi i ddau adel. Roedd hi'n andros o galed arnyn nhw gan fod y cwmni wedi addo wyth o ofalwyr. Un arall adawodd dan gwmwl oedd un o'r merched, un y galwn i hi'n 'Jekyll and Hyde' gan fod ei gwaith yn dda ond ei hagwedd at y gofalwyr erill yn anffodus a deud y lleia. Doedd hi ddim yn cyd-dynnu efo Natasja chwaith. Roedd dwy ar ddyletswydd yma ddiwrnod Dolig a hithe i fod i ddod i mewn yn hwyr i weithio'r nos. Mi ffoniodd i ddeud na fydde hi'n dod, a doedd hynny'n da i ddim i'r lleill.

Yr hyn wnaeth y cwmni wedyn oedd cael asianteth arall i drefnu'r gofalwyr – cwmni Allied o Fae Colwyn, a'u gofalwyr nhw. Y drafferth efo rheini oedd eu bod yn gweithio mewn llefydd erill hefyd a doedd wybod faint o orie oedden nhw wedi bod wrthi cyn dod ata i. Fe ddaeth dwy ferch yn sgil y cwmni newydd, un o Fôn a'r llall o Landygái. Mi fu Laura, yr un o Landygái, yma o fis Tachwedd tan yn ddiweddar ac roedd hi'n andros o hogan dda wrth ei gwaith.

Mi ddaeth y Dolig ac mi aeth. Dwi ddim yn foi Dolig a deud y gwir a diwrnod digon od oedd o. Roedd pawb i lawr y grisie ond fi; Susan, Ilan a Teleri, a'r gofalwyr yn eu tro. Pawb yn cael hwyl yn chware gême a finne yn fy llofft, yn mynd i'r gwely'n gynnar ac yn gwylio ffilm John Wayne. Dwi'n tynnu coes pawb a deud iddyn nhw 'ngadel i ar 'y mhen fy hun, ond a bod yn onest, dene oeddwn i isio. Doeddwn i ddim yn 'y mhethe, ddim yn teimlo'n dda, ac mi wn ei fod o'n ddiflas i Susan achos roedd hi'n dallt be oedd yn bod ac yn 'y ngweld i'n mynd ar i lawr ar y pryd yn lle gwella. Roedden ni wedi cytuno i fod yn agored efo'n gilydd ers y dechre, ond mae'n anodd weithie deud yn union be sy ar eich meddwl chi. Ond dwi ddim yn meddwl bod y plant wedi dallt dim, mi naethon nhw fwynhau eu hunen yn iawn.

Mi godes i gael cinio ac aros i lawr am beth amser, ond doedd dim hwyl arna i. Roeddwn i'n mynd yn fwy penstiff a mwy digalon, yn methu gneud dim a ddim yn gweld fy hun yn datblygu o gwbwl, a doedd y drafferth efo'r gofalwyr a'r cwmni ddim yn gwella pethe.

Mi addawodd Natasja staff newydd i mi ar ôl y Dolig ac mi ddaeth un am gyfweliad, sef Paula o Benrhyndeudraeth. Roedd hi wedi gofyn i gwmni Inclusive am waith o'r blaen ond doedden nhw heb neud dim. Mi ddaeth mewn ymateb i hysbyseb er nad oedd hi erioed wedi gweini ar neb sâl, gan mai helpu ei thad yn y becws roedd hi.

Mi ddaeth Karen Smith, y nyrs *high dependency* o Fangor, a Natasja o Inclusive i roi cyfweliad iddi ac roeddwn inne yno. Gan 'mod i'n cal mŵds ac yn gallu troi ar y gofalwyr, mi ofynnes iddi be fase hi'n neud taswn i'n deud wrthi nad oeddwn am gael 'y nhrin ganddi hi, a dyma'i hateb: 'Taset ti'n deud wrtha i am *piss off*, mi faswn i'n *pissio off.*'

Roedd Natasja a Karen Smith yn geg agored pan glywson nhw hi'n ateb felly, ond mi ddwedes i y baswn i'n fodlon ei chymryd hi'n ofalwraig gan fod angen rhywun na fydde'n cymryd popeth gen i, un oedd yn barod i ateb yn ôl, gan 'mod i'n un drwg am dynnu coes ac am fynd dros ben llestri.

Mae hi'n dal yma, fel mae Kate o Gorwen a Mair o'r Bala. Mae gen i enwe gneud i'r tair: 'Dyson' (hŵfer) ydi Kate gan ei bod yn ardderchog efo'r *suction pump* ac yn well na neb am glirio'r beipen pan fydd wedi blocio; 'News of the World' ydi Mair – ganddi hi y bydda i'n cael newyddion y Bala i gyd; a 'Penrhyn Yanker' ydi Paula gan ei bod yn tynnu'n galed yn y dillad pan fydd hi'n tacluso ac yn gneud y gwely nes bod y blancedi ym mhob man.

Mae'r tair yn anhygoel, does dim gair arall i'w disgrifio.

Wel, mi ffoniodd y cwmni Karen Smith ym Mangor i ddeud eu bod isio tynnu allan o'r cytundeb i ddarparu gofalwyr, ac mi ddwedodd hi wrthyn nhw am anfon rhywun yma i ddeud wrthon ni wyneb yn wyneb. Ond roedd yn rhaid iddyn nhw ddal ati am chwe mis, ac yn ystod yr amser hwnnw, mi hysbysebwyd am gwmni newydd ac mi gafwyd pump yn deud bod ganddyn nhw ddiddordeb. Yna, mi benderfynodd y Bwrdd Iechyd y bydden nhw'n rhedeg pethe eu hunen, a nhw sy wrth y llyw ers diwedd Medi er bod eu sefyllfa a'u henw nhw wedi newid erbyn hyn hefyd.

Yn fuan ar ôl datganiad y cwmni, rywbryd ym mis Chwefror, mi gafodd Karen Smith ddamwain fawr ym Mhentrefoelas pan aeth car yn ei herbyn *head on*. Dydi hi ddim wedi bod yn gweithio ers hynny.

Tua'r un adeg, mi gafodd Mair brofedigeth fawr pan fu farw Ifor, ei gŵr, ac wrth gwrs mi golles i hi am gyfnod. Colli'r *king pin* gan ei bod yma o naw tan dri ac felly'n cysylltu rhwng y rhai sy yma yn y bore cynnar a'r rhai sy'n dod fin nos. Ond Mair 'di Mair, ac roedd hi'n ei hôl mor fuan byth ag y galle hi fod. Yna, mi adawodd Natasja'r cwmni a ddaeth neb yn ei lle ac mi fuo'n rhaid i mi gymryd drosodd i drefnu rota'r gofalwyr a sortio popeth allan.

Damwain Karen a phrofedigeth Mair: dau ddigwyddiad a wnaeth dwll mawr yn 'y mywyd i ac a effeithiodd yn fawr arna i, dau ddigwyddiad wnaeth fi'n galetach tu mewn nag oeddwn i cynt. Ac mi ges fy hun fwy nag unweth yn gofyn pam fod Ifor wedi gorfod mynd, wedi *cael* mynd, yn wir, a finne'n dal yma. Pam na ches i fynd yn lle gorfod diodde fel hyn? Dwi'n dal i gael plycie felly, ac yn meddwl weithie y base'n llawer llai o straen ar Susan a'r plant taswn i'n marw.

Ond y nhw ydi'r prif resyme dros fyw hefyd, y nhw a gweddill y teulu a'r ffrindie. Does wybod faint o ddyfodol sy imi, ond dwi'n edrych ymlaen rŵan at gael y gader newydd, y 4x4 sy ar ei ffordd o Awstralia erbyn hyn. Pan ddaw honno, siawns y caf i ailddechre hyfforddi'r timau ieuenctid eto a dychwelyd i Faes Gwyniad.

ii

Roeddwn i'n 43 yn y flwyddyn 2000, pan symudes i a'r teulu i'r Bala, a'm bywyd fwy neu lai wedi dilyn afonydd. Cychwyn yng Nghorwen ar lannau'r Ddyfrdwy, i lawr dyffryn afon Clwyd wedyn i Landyrnog, i fyny'r Alwen i Lanfihangel ac yna i Gerrig y Drudion, cyn dychwelyd at y Ddyfrdwy a'i tharddiad, fel afon fawr beth bynnag, yn y Bala.

Ond roedd y rygbi wedi bod yn chware rhan yn 'y mywyd i ymhell cyn hynny wrth gwrs, o leia bymtheng mlynedd cyn imi symud i fyw i'r dre. Doeddwn i ddim yn sylweddoli hynny ar y pryd ond pan chwaraeais i 'y ngêm gynta i'r Bala doedd y clwb ddim wedi bod mewn bodoleth ond am beder blynedd. Yn 1981 y sefydlwyd o ac roeddwn i'n chware yn 1985.

Clwb ifanc iawn oedd o felly, heb ddim profiad o rygbi o gwbwl y tu ôl iddo fo na neb profiadol yn aelod ohono. Dysgu wrth fynd ymlaen wnaeth o fel clwb a ninne fel criw o chwaraewyr. Roedden ni'n ymarfer yn gyson, oedden, ond ymarfer ffitrwydd oedd o'n fwy na dim, nid ymarfer sgiliau'r gêm. Trïo dysgu trwy brofiad wnes i beth bynnag a doeddwn i ddim yn deall rheole'r gêm hyd yn oed. Mae rhai o'r aelode'n 'y nghofio i'n dod i chware mewn shorts ffwtbol neilon oedd yn gneud imi edrych yn wahanol i bawb arall, fel roeddwn i yn Ysgol Brynhyfryd yn nillad Ysgol y Berwyn ers talwm.

Fy nhuedd i oedd mynd am y dyn bob amser, er imi ddod i ddeall mai'r unig amser i neud hynny oedd pan oedd y bêl ganddo! Ond, er gwybod y rheol, fy natur oedd mynd ar ôl y dyn – unrhyw un oedd yn digwydd bod o gwmpas. Mi fues i'n euog fwy nag unweth o fagio rhai o'n hochor ni hefyd. Doeddwn i ddim yn dallt chwaith na ddyle'r ddau ganolwr sefyll yn lefel efo'i gilydd ar y cae ond fod un dipyn bach y tu ôl i'r llall. Ond, er gwaetha hyn, mi ges i wobr ar ddiwedd 'y nhymor cynta am fod y chwaraewr mwya addawol a hynny trwy bleidlais aelode'r clwb.

Dyma farn Dilwyn Morgan amdana i fel chwaraewr:

Roedd hi'n anodd cael i'w ben o mai dim ond y boi efo'r bêl oedd o i fod i'w daclo, ac ar ôl llwyddo i'w berswadio fo o hynny, roedd o'n mynnu taclo bois oedd yn chware ar yr un ochor â fo hefyd. Bydde rhywun oedd rhyngddo fo a'r bêl yn cael ei symud o'r ffordd yn eitha diseremoni!

Mi fyddwn i'n amal yn chware pêl-droed i Cerrig yn y bore a rygbi i'r Bala yn y pnawn, ac roedd 'ne, yn naturiol, dynfa ddwy ffordd. Roedd pawb yn 'y mhen i isio imi fynd yn ôl at y ffwtbol o un ochor, a phawb o'r ochor arall yr un mor daer am imi gadw at y rygbi. Un o'r pethe drodd y fantol o blaid y rygbi oedd bod nifer o hogie Cerrig a Llangwm wedi dechre chware i'r clwb: Defaity a Lynch, Huw Dylan ac Ian Cefnbrith, a llawer un arall. Ac fel y crybwylles i o'r blaen, roedd y gymdeithas yn llawer mwy clos, yn llawer cynhesach nag yn y bêl-droed. Roeddwn i wedi bod lawer ar y glanne ac yn Nyffryn Conwy ac yn gweithio ar y dryse yn Llandudno, ond roedd y rygbi yn mynd â fi i leoedd gwahanol iawn, ac roedd llawer mwy o Gymraeg yn y gymdeithas wrth gwrs, a doedd fy Saesneg i ddim yn dda iawn!

Doedd yr ail dîm ddim wedi'i sefydlu yn y dechre un, a wnes i erioed chware iddyn nhw. Colli'n drwm y bydden ni yn erbyn timau fel y Blaenau a Bethesda a doedden ni ddim digon da i Bwllheli na Bangor iddyn nhw gytuno i chware yn ein herbyn! Clybie fel Dolgelle a Harlech oedd ein safon ni.

Heb yn wybod i mi ar y pryd, roedd mwy nag un perthynas i mi yn y clwb, ac un oedd Hefin Roberts, gweithiwr efo'r Bwrdd Dŵr, fu farw pan oedd o ychydig dros ei hanner cant. Y fo oedd yn gyfrifol am yr ail dîm pan sefydlwyd o, yn hyfforddi ac yn cael y bois at ei gilydd. Roedd ei dad yn frawd i Taid. Un arall oedd

Brian Lloyd, Llanfor, gan fod ei daid o a 'nhaid inne'n ddau frawd.

Efo Brian roeddwn i'n chware ar y dechre – y ddau ohonon ni yn y canol, ac yno y bues i am dri neu bedwar tymor cyn mynd, fel y crybwylles i ynghynt, i blith yr wyth blaen. Doeddwn i mo'r canolwr cyflyma ar y cae, ond roeddwn i'n gyflym fel blaenwr gan fod y rheini gymaint arafach fel arfer, ac roedd cyflymder yn y blaen yn fantes fawr. Roedden ni'n griw da o flaenwyr pan wnes i ymuno, er mai fi sy'n deud: Arfon Dalgetty yn fachwr, fi yn brop pen rhydd a How Rhys Bryn Gwyn yn brop pen tyn, Porcyn ac Arwel Gwern Biseg yn yr ail reng, Bryn Defaity ac Euros Puw yn ddau flaen asgellwr ac Emyr Gwern Biseg yn wythwr.

Bob yn dipyn, roedd y tîm yn gwella a ninne, o'r diwedd, yn gallu curo'r Blaenau ac yn cael mynd i ffwrdd i'r sowth ar adege i chware yn erbyn time de Cymru. Roedd y teithie hyn yn ein tynnu ni'n nes at ein gilydd, ond roedden ni'n credu'n siŵr fod pob tîm o'r sowth yn dîm da, ac mi gymrodd dipyn o amser i ni sylweddoli bod y rheini yno i'w curo hefyd.

Mi chwaraeon ni ddwyweth un flwyddyn yn erbyn tîm Glyn Coch, tîm o gyffinie Pontypridd, a'u curo y ddeudro. Tîm budur ar y naw oedd o a lle ryff ofnadwy oedd Glyn Coch bryd hynny, lle yng nghanol stad o dai yn uchel yn y mynydd. Mi fydde merched y clwb yn codi twrw ar ôl y gêm a'r plant yn lluchio cerrig at y bws. Ddim yn licio colli oedden nhw, debyg.

Pan fydden ni'n mynd i lawr i'r sowth, mi fydde'r penwythnos yn amal yn dechre fore Sadwrn ac yn gorffen nos Sul. Yna, yn Awst, roedd y cystadlaethe saith bob ochor ac mi fyddwn i'n yfed peintie lawer cyn y gêmau hynny. Fy niod cyn gêmau'r clwb oedd peint o Guinness ac un wisgi, ac roedd gan amal i chwaraewr arall ei arferiad hefyd – Huw Bryngwyn, y mewnwr, er enghraifft, yn yfed tot o rym efo dŵr ar ei ben.

Roedd aelode'r tîm cynta yn mynd efo'i gilydd i bobman a phawb yn cadw yn un criw ac yn ffyddlon i'w gilydd, a phan frifodd Gar Lloyd mi gytunes i bropio yn ei le. Mantes bod yn brop oedd y cawn i grwydro i rywle liciwn i ar y cae a dilyn y bêl. Mi fues i'n propio am rai blynyddoedd cyn gneud y symudiad tyngedfennol i fod yn fachwr.

Lle bynnag y bydden ni'n mynd ar ymweliad, cyn gadel y clwb mi fydden ni'n ffurfio rhes, yn mynd ar ein glinie ac yn canu 'Hi ho, hi ho, it's off to work we go', sef cân y saith corrach – dim ond bod pymtheg ohonon ni yn lle saith, a doedd yr un ohonon ni'n gorrach! Doedden ni ddim yn gneud hyn pan oedden ni'n chware yn y Bala – na, roedden ni'n llawer mwy parchus gartre! Dwi'n meddwl mai Rhys Jones – Rhys Llandrillo – gychwynnodd yr arfer wedi iddo fo fod yn chware i Landudno pan oedd o'n gweithio ar y glanne. Ie, dynion yn ein hoed a'n hamser oedden ni, yn cael hwyl fel tasen ni'n blant.

Doedd clwb y Bala ddim yn aelod llawn o'r undeb am flynyddoedd, ond roedd gynnon ni ryw gysylltiad, rhywbeth fel *junior affiliated*. Yna, yng nghanol y nawdege, mi gawson ein hasesu gan yr undeb a phobol o Gaerdydd yn dod i'n gweld ni i weld oedden ni'n barod ar gyfer *senior status*. Doedden ni ddim, tase dim ond am fod lliw ein sane ni'n wahanol heb sôn am weddill ein *kit*! Gosodwyd rheol fod pawb i brynu *kit* arbennig fel bod pawb yr un fath, a'n bod i dalu dwy bunt yr un am bob gêm roedden ni'n chware ynddi. Yn Ysgol y Berwyn y bydden ni'n newid bryd hynny a theithio i Faes Gwyniad yng ngherbyde Euros Puw a Gwern Biseg – hwnnw efo'i landrofer a' baw ci yn y ffrynt ym mhobman a'r cerbyd yn drewi drwyddo.

Mi gawson ni ein derbyn yn y diwedd ac roedden ni'n gwella o flwyddyn i flwyddyn, ac erbyn canol y naw dege, mi aethon ni am ddau dymor heb golli gêm gynghrair ac ennill Cynghrair Gwynedd beder gwaith. Mi aethon ni i'r Brewers' Cup a chyrredd y rownd gynderfynol unweth. Roedden ni felly o fewn un gêm i chware ar Barc yr Arfau, ond mi gollson ni yn erbyn tîm o Lanymddyfri, Cambrian Welfare – tîm oedd wedi cael ei roi at ei gilydd yn arbennig i chware yn y cwpan, ac oedd yn cynnwys rhai chwaraewyr proffesiynol. Roedd y Brewers' Cup yn cael ei chware o dan SWALEC ac fe gawson ni ein hasesu cyn bod yn rhan o'r gystadleueth.

Roedd yr ochor gymdeithasol yn bwysig iawn ac ar wahân i fynd i'r gêmau mi fydden ni'n trefnu rhyw ddigwyddiad bron bob mis. Mi fydde rhai aelode yn priodi ac yn gadel; eraill, fel fi a Dilwyn, yn priodi ac yn dal ati. Roeddwn i'n wyth ar hugien yn ymuno â'r clwb ac yn 32 yn priodi, llawer hŷn na'r rhan fwya. Pan briododd Defaity mi briododd amryw o'r aelode erill tua'r un pryd a gadel y clwb.

Pan oeddwn i'n gweithio i ffwrdd ar y peipie dŵr, mi fyddwn i'n teithio adre o Lunden ambell dro ac o lefydd fel Newcastle ganol wythnos er mwyn chware. Yr unig dro imi fynd dros y môr efo'r clwb oedd i Iwerddon. Roedden nhw wedi bod yn Amsterdam yn 1982, cyn i mi ymuno, neu mi fase hwnnw wedi bod yn brofiad!

Dwi'n cofio cyrredd y gwesty yn Iwerddon tua hanner awr wedi dau y bore a Dei Peters yn rhedeg i mewn a gweiddi bod cast Coronation Street tu allan gan ei fod o wedi gweld ceir efo Granada wedi'i sgrifennu ar eu hochre. Mi ruthrodd rhai allan i weld, ond yr heddlu oedden nhw a Garda oedd y gair ar y ceir nid Granada! Roedd y bws i Iwerddon yn llawn dop – tua hanner cant i gyd, a digon i ffurfio tîm rygbi ychwanegol tase rhaid.

Oedd, roedd cymdeithasu'n bwysig iawn, iawn, bryd hynny, a chyfarfod merched hefyd. Yn y gwesty yn Iwerddon yn 1990 mi ddois i'n gyfeillgar efo merch oedd yn gweini ac yn glanhau yno. Fi wedi bod ar 'y nhraed trwy'r nos a hithe'n gneud brecwast, ac mi wnes ei danfon i'w llety ar ôl iddi orffen ei gwaith. Heb yn wybod i mi, roedd 'ne lygid yn gweld mwy nag oeddwn i'n ei ddychmygu. Dyma sut mae Dilwyn Morgan yn disgrifio'r achlysur:

> Roedd rhai ohonon ni wedi mynd allan yn gynnar y bore i chware *pitch and putt* ar y cwrs bychan oedd yn ymyl y gwesty. Be welson ni ond drws cefn yr adeilad lle roedd y staff yn byw yn agor yn llechwraidd a Yogi yn dod allan a hogan yn codi llaw arno yn y drws! Roedd y peth fel golygfa mewn ffilm. Roedd o'n meddwl nad oedd neb wedi'i weld!

Wel, doeddwn i ddim yn briod nac yn canlyn bryd hynny, felly roeddwn i'n *free agent*, a dwi ddim yn meddwl imi fod yn 'y ngwely fy hun unweth yn ystod y daith honno!

Trafferth arall ges i oedd yn y gwesty yn Wicklow pan godes i'r polyn oedd yn dal baner yn glir o'i angor ar y lawnt a'i gario i lawr y llwybr am y maes parcio, a'r ceir oedd yno mewn peryg o gael eu taro. Mi fethes â'i gael yn ôl i'w le ac mi fuo'n rhaid imi ddeffro Brian Lloyd a Robin Penlan i gael help gan ei fod yn drymach polyn nag oeddwn i wedi'i feddwl.

Mi fydde criwie mawr yn dod efo'r tîm i bobman, ac mi roedd pawb isio rhywbeth gwahanol gan y clwb. Y peth pwysica i mi oedd ennill; doedd colli, neu gêm gyfartal hyd yn oed, ar ôl chware'n dda ddim yn cyfri – ennill oedd popeth. Ond roedden ni i gyd yn gneud ffrindie heb sylweddoli hynny bron. Dwi wedi fy synnu gymaint o bobol sy wedi dod ata i i siarad ers pan ges i'r ddamwain, a finne heb fod yn eu cofio, ond ffrindie yn mynd yn ôl ugien mlynedd neu fwy ydyn nhw bron bob tro.

Mi fydde'r bws oedd yn mynd â ni i gême yn llawn, yn enwedig ar dripie i'r de, ond mi fydde'n hyfforddwyr ni, Robin Penlan, Bob Tomos, a Rhys Jones, yn deud be allen ni ei fwyta, a thra oedd y cefnogwyr yn mwynhau brecwast llawn yn y gwesty roedden ni'n gorfod bodloni ar fwyd iachach fel *muesli* a phethe tebyg! Bob Tomos oedd y prif hyfforddwr a fo oedd yn gosod y rheole, ond gan ein bod yn ffit ac yn ennill roedden ni wedi dod i gredu ein hunen yn y diwedd fod y bwyd iach yn gneud lles i ni. Yna, yn y man, mi ddechreuodd y tîm cynta deithio mewn bws ar wahân i'r cefnogwyr.

Mi ddaeth rygbi yn ffordd o fyw i mi am gyfnod. Mi rois i'r gore i'r darts a mynd rownd y tafarne i yfed; byw rygbi roeddwn i, a phan briodes i, yr unig beth wnes i ddim gorffen ag o oedd y rygbi. Popeth arall yn diflannu a gwaith, rygbi a dyletswydde teuluol yn llenwi fy amser i gyd.

Dwi wedi gweld yn y blynyddoedd d'wetha 'ma fod yr agwedd at y gêm wedi newid; dydi'r ymroddiad ddim yno fel y bydde fo. Yn ystod wythnos galed o ddeuddeg awr y dydd, mi fyddwn i'n rhedeg wyth i naw milltir i drênio, ar wahân i ddod adre o bell i chware, weithie ganol wythnos, ond yn amlach ar y Sadwrn. Teithio adre yn hwyr nos Wener neu'n gynnar fore Sadwrn, teithio wedyn i Fachynlleth neu Bwllheli neu'r Blaenau i chware rygbi ar y Sadwrn ac yna'n ôl ddydd Sul bob cam i Lunden neu Moffat neu Newcastle.

Mi fyddwn i ac amryw o rai erill, megis Dilwyn, yn gwrthod mynd i briodase os oedd 'ne gêm yr un diwrnod; priodas Euros Puw, er enghraifft, er inni alw heibio ar ein ffordd adre!

Mae system y cynghreirie wedi newid pethe a'r safon yng Ngogledd Cymru yn gyffredinol wedi disgyn. Dydi'r clybie ddim mor gymdeithasol ag y bydden nhw chwaith a'r syniad o deulu bach clos wedi mynd a'r agwedd gymdeithasol wedi dirywio fel mae'r rygbi wedi dirywio. Felly dwi'n ei gweld hi beth bynnag. Mi fydde'r clybie ym Methesda a'r Blaenau a llefydd erill yn llawn am orie ar ôl gêm, ac felly'r Plas Coch yn y Bala. Ond dim rhagor; mae'r criwie'n chwalu yn llawer cynt nag y bydden nhw.

Ond, wrth edrych yn ôl, mae'n braf gallu cofio ac ail-fyw yr hwyl gawson ni – yr unig beth y galla i ei neud erbyn hyn. Ac mi gawson ni hwyl! Mi fydde'n arfer gynnon ni bob amser i chwilio am ryw *souvenir* i ddod adre efo ni a dwi'n cofio dwyn y *menu board* o'r tu allan i restaurant Eidalaidd lle cawson ni fwyd ar ôl inni fod yn chware yn erbyn Llanelli Wanderers, a dod â fo i'r Bala. Y noson honno, rhaid bod y restaurant wedi ffonio cyn i ni gyrredd y Bala, a phwy oedd yn aros amdanon ni ond PC Susan Davies, oedd yn gariad os nad yn wraig i mi erbyn hynny. Ond chafodd hi ddim gafel ar yr arwydd, ac o flaen y Plas Coch y buo fo am flynyddoedd. A deud y gwir, dwi ddim yn ame mai'r un arwydd ydi o rŵan, ond ei fod wedi'i beintio. Doedd Susan ddim callach pwy oedd yn gyfrifol am ei ddwyn, ond mi fydd pan ddarllenith hi hwn!

Na, fydde neb am gyfadde nac am brepian ar neb arall chwaith. Teulu bach oedden ni, ac mi fydde Rhys Jones, ein bòs ar y pryd, bob amser yn deud 'Cofiwch am y teulu bach.'

Wel, mi aeth y teulu bach i le rhyfedd iawn yng Nghaerdydd unweth. Pur anamal y bydden ni'n mynd efo'n gilydd i gêmau rhyngwladol, ond un tro dyma fynd ac aros mewn gwesty reit posh yn y Bae. Mi ddaeth 'ne lond bysied arall o bobol i'r gwesty a dyma heijacio'r bws a gofyn i'r dreifar fynd â ni i rywle difyr yn y ddinas gan fod y lle'n ddiarth i ni. Mi wnaethon ni gasgliad anrhydeddus iddo fo am ei drafferth. Dyma fo'n stopio y tu allan i dafarn a deud ei fod o'n lle da. 'Have a good time there, boys,' medde fo wrth ein gadel, ac i mewn â ni i dafarn oedd yn llawn o hoywon yn gwisgo lleder ac *earrings* a phob math o bethe. Roedden nhw'n gyfeillgar iawn – yn rhy gyfeillgar braidd – a doedden ni, o Benllyn ac Uwchaled, erioed wedi gweld y ffasiwn beth. Mi roedden ni wedi dychryn am ein bywyde. Oddi yno yr aethon ni'n reit sydyn heb ein 'Hi ho' arferol, yn diawlio'r dreifar roedden ni wedi bod mor garedig â chasglu arian iddo.

Mi fuo rhai ohonon ni o glwb y Bala yn chware dros

Wynedd yng nghwpan y Districts, a'i hennill hefyd. Mi ddaethon ni â'r cwpan efo ni i'r Bala gan fod hanner dwsin ohonon ni yn y tîm – llawer mwy nag o unrhyw dîm arall yng Ngwynedd, a ninne'n rhyw feddwl mai ni ddyle ei chael. I Fangor roedd hi i fod i fynd, lle bydde 'ne ddynion pwysig efo blasers yno i'w derbyn, ond yn y Bala y landiodd hi. Mi fuo cymaint â saith ohonon ni o'r clwb yn chware i Wynedd. Unweth, mi gollodd Dilwyn ei grys – rhif 4 oedd o a finne'n rhif 1. Mi ddaeth syb ar y cae yn ei le ac wrth i'r holl newid cryse ddigwydd ar ddiwedd y gêm, rywsut neu'i gilydd, mi aeth rhif 4 ar goll ac mi fuo'n rhaid i Dilwyn fodloni ar rif 24 nad oedd yn golygu dim byd. Doedd Dilwyn ddim yn gwylltio'n amal, ond roedd o wedi gwylltio'r tro yma, ac roedd hi'n olygfa gwerth ei gweld!

Erbyn meddwl, roedd o a finne yn tynnu at ein deugien oed pan oedden ni'n chware i Wynedd. Diolch bod gynnon ni wragedd oedd yn deall – os deall hefyd. Mi fyddwn i'n rhoi'r bai ar Dilwyn wrth siarad efo Susan ac roedd Dilwyn yn rhoi'r bai arna i wrth siarad efo Nia. Na, doedden ni ddim yn ofni'n gwragedd, dim fel rhai o'r lleill oedd yn y clwb!

Beth bynnag am hynny, chawson ni erioed helynt rhwng yr aelode, roedd 'ne ddisgyblaeth ryfeddol a'r *pecking order* yn datblygu'n naturiol rywsut. Os bydde un mewn trafferth, mi fydden ni'n gneud yn siŵr ei fod yn cyrredd adre'n saff fel pawb arall, a'r *top dog*, Rhys Jones, yn cadw pawb mewn trefn.

Fel y dwedes i, roedd rygbi yn ffordd o fyw, a phan ddois i a'r teulu i'r Bala, mi sylweddoles i gymaint oedd y manteision. Oddi allan i bethe roeddwn i yn Cerrig, ond yma yn y Bala roeddwn i'n rhan o'r trefniade a chan 'mod i'n gweithio i Ifor Williams, gwta ddeng milltir i ffwrdd, roedd gen i hefyd ddigon o amser ar 'y nwylo.

Fel arfer, roeddwn i'n gorffen gweithio am chwarter wedi pedwar, a fydde oferteim ddim yn mynd yn hwyrach na chwech o'r gloch. Digon o amser gen i felly i fynd i lawr i Faes Gwyniad. Ac os oeddwn i'n dod adre'n gynt i edrych ar ôl Ilan a Teleri pan fydde Susan yn gweithio'n hwyr, mi fyddwn i'n mynd â nhw efo fi i lawr i'r cae. Roeddwn i wrth 'y modd yn torri'r glaswellt ac yn glanhau adeilad y clwb tra bydde'r ddau yn chware ar y cae.

Yn y man, roedd y ddau'n awyddus i chware rygbi ac felly mi ges fy rhaffu i mewn i hyfforddi ac roedd hi'n bleser cael dod i nabod y plant ifanc a'u rhieni. A deud y gwir, roedd y sesiyne hyfforddi yn fwy o *crèche* nag o ddim arall ar y dechre gan y bydde'r rhieni'n diflannu ar ôl dod â'u plant i'r cae, ond bob yn dipyn, mi lwyddes i'w tynnu nhw i mewn – i drefnu ac i ddod efo ni ar ymweliade â chlybie erill. Roedd hyn yn gweithio'n iawn efo plant o dan dair ar ddeg oed, ond doedd y rhai hŷn ddim isio'u rhieni efo nhw!

Roedd Alan drws nesa yn trefnu hyfforddiant pêl-droed i'r ieuenctid yn y dre, ac mi fyddwn i'n ei helpu o, a fynte wedyn yn ei dro yn fy helpu i. Fel roedd y plant yn tyfu'n hŷn, roedd mwy a mwy o dime yn cael eu ffurfio, nes bod gynnon ni yn y diwedd bum tîm, yr ieuenga dan naw a'r hyna dan un ar bymtheg.

Roedd pethe'n mynd yn dda a finne wrth 'y modd yn gallu rhoi i'r genhedleth oedd yn tyfu rai o'r manteision na chefais i mohonyn nhw pan oeddwn i'r un oedran â nhw. Ac yna, ar bnawn braf o Wanwyn yn Ebrill 2007, o fewn deng eiliad neu lai, fe ddaeth y cyfan i ben i mi ac fe newidiodd fy mywyd, a bywyd 'y nheulu, yn llwyr.

iii

Y digwyddiad mawr cynta ar ôl i Bry ddod adre oedd y Dolig, ac yn 2007 roeddwn i wedi addo diwrnod i'w gofio iddo yn 2008. Hwn fydde'r cyfle mawr i ddathlu'r ffaith ei fod wedi gwella'n ddigon da i gymryd ei le yng nghanol ei deulu unwaith eto.

Ond, fel y gwyddoch chi o ddarllen am brofiade Bry ar ddechre'r bennod, nid felly y buo hi o gwbwl. Craidd y broblem oedd ei gyflwr. Doedd o ddim mewn hwylie sbesial, a doedd noswyl Nadolig ddim yn noson dda iddo fo. Mi wyddwn i ei fod yn ymdrechu, yn ymlafnio i ymddangos yn iawn, a hynny er 'y mwyn i ac er mwyn y plant. Dwi'n meddwl ei fod o'n teimlo braidd hefyd wrth 'y ngweld i'n gneud pethe megis paratoi anrhegion y plant, pethe y bydde fo'n arfer eu gneud cyn iddo gael y ddamwain, ac roedd sylweddoli ei fod o'n methu yn mynd at ei galon.

Doedd o ddim yn teimlo'n dda ar ddiwrnod yr Ŵyl ac ymdrech fawr ar ei ran oedd dod i lawr i ginio, ond Bry 'di Bry a doedd o ddim isio siomi'r plant. Ymdrech a'i blinodd yn llwyr oedd codi ac fe aeth i'w wely'n gynnar.

Ond, at bethe mwy cadarnhaol, ac un o ryfeddode'r ddwy flynedd ddiwetha ydi'r gronfa ddechreuwyd gan y clwb rygbi ac a dyfodd nes ei bod yn nesu at chwarter miliwn – cronfa gwbwl hanfodol.

Dwi wedi sôn amdani sawl tro erbyn hyn, a rhaid i chi fadde i mi am hynny, ond mae hi wedi gneud cymaint o argraff arnon ni i gyd heb sôn am fod yn hanfodol i gael Bry adre. Mae ei maint yn adlewyrchu'r ewyllys da anhygoel sy'n bod tuag ato ym mhob cyfeiriad, ac mi esgorodd, dros gyfnod o ryw ddwy flynedd, ar bob math o weithgaredde: yn dair naid efo parasiwt, yn redeg marathonau di-ri a theithiau beics, yn gyngherdde ac ocsiyne addewidion, yn gême a theithie cerdded, heb sôn am y cyfraniade personol mawr a bach ddaeth gan unigolion. Fe gyfrannodd ysgolion a chapeli a thafarne, clybie a chymdeithase a sefydliade ledled Cymru a thu hwnt at y gronfa a 'dallwn ni fel teulu byth gydnabod yn ddigonol y caredigrwydd rhyfeddol hwn.

Fe soniais o'r blaen fod ariannu gofal a thrinieth Bry yn cael ei rannu rhwng yr Awdurdod Iechyd a Chomisiwn Iechyd Cymru, ond yn ddiweddar, fe newidiodd y strwythur yng Nghymru ac fe ffurfiwyd nifer o ymddiriedolaethe, yn cynnwys Ymddiriedolaeth Betsi Cadwaladr sy'n gyfrifol am yr ardal hon. Wyddon ni ddim eto pa newidiade fydd hyn yn ei achosi.

Ond y gronfa dalodd am yr holl waith adeiladu ac addasu ar y tŷ, gan gynnwys gosod y lifft, ac fe wariwyd dros £200,000 ar hynny. Mi fydde'r gost wedi bod yn llawer uwch oni bai am waith gwirfoddolwyr gyfrannodd yn helaeth at y dasg. Glyn Lloyd o Cerrig, Gwyn Roberts, Rhosygwaliau, a Llion Lôn Llanuwchllyn yn toi am ddim fel mai am y llechi'n unig y bu'n rhaid talu. Roedden ni'n gyfrifol am dalu am y gwaith trydan ac mi wnaeth cwmni Faulkener y gwaith am ddim. Cyfrannodd Cwmni Gro'r Sarnau lwythi o sment, gwnaeth Travis Perkins ostwng eu prisie, a chafwyd sawl enghraifft hael arall.

Ac mae'r ymdrechion i godi arian yn parhau a'r arian yn dal i ddod i mewn, diolch am hynny, gan fod y bilie'n dal i ddod hefyd. Mae insiwrans y fan dros £600 y flwyddyn, gwasanaeth iddi yn £450, insiwrans ei gader bresennol yn £50 – mi fydd yn gannoedd ar ei gader newydd – ac, yna, gan fod cadw ei dymheredd yn rheolaidd ar 37 gradd yn hanfodol, mae'r bilie cynhesu wedi mwy na threblu.

Yn dilyn stori yn y *Daily Post* yn ddiweddar, a sgwrs ges i efo Jonsi ar ei raglen o, mi dderbyniwyd rhagor o arian, a rhaid imi gyfeirio at ddau gyfraniad. Roedd un am £200 gan ŵr o Ddinbych, Emrys Evans, sydd erbyn hyn yn 95 oed, a'r llall hefyd am £200 gan wraig o Fangor.

Flynyddoedd yn ôl, pan oeddwn i'n bedair ar ddeg oed, mi fues i yn yr Almaen efo criw Coleg y Bala. Dafydd Owen oedd yr arweinydd, y diweddar erbyn hyn ysywaeth, ac un o'r hogie oedd efo ni, un dwi'n ei gofio'n dda, oedd Dafydd Arthur Jones o Fangor. Rai blynyddoedd yn ôl, fe fu farw gŵr ifanc oedd yn cerdded yng nghyffinie Trefriw ac roedd ei lun yn y papur. Mi adnabyddes i o, Dafydd Arthur oedd o, a'r wraig o Fangor anfonodd y £200 i mi oedd ei fam. Yn hytrach nag anfon ati i ddiolch mi rois i ganiad iddi ac mi gawson ni dri chwarter awr o sgwrs. Doedd hi bellach, medde hi, ddim yn anfon cardie Nadolig ond yn cyfrannu'r arian at elusen, ac roedd hi am i gronfa Bry gael cyfraniad ganddi. Roedd hi wedi cael colled fawr, colli ei hunig blentyn, a hwyrach am 'mod i wedi'i nabod o pan oeddwn i'n iau, mi wnaeth y sgwrs fi'n reit emosiynol. Fel mae Bry yn deud, mae'n rhyfedd fel mae'r hen olwyn yn dod rownd.

12
'Mi Weli
Drwy'r Cymyle'

Mae pawb yn cael deud ei ddeud yn tŷ ni, a 'di o ddim
ond yn iawn fod hynny'n digwydd yn y llyfr yma hefyd.
Felly dyma gyfle i bawb, ac mi ga inne'r gair ola!

Teleri

Y tro cynta weles i Dad yn yr ysbyty mi wnes i redeg
allan yn sgrechian gan 'mod i wedi dychryn o'i weld o,
ond dim ond y tro cynta oedd hynny. Wedyn, roeddwn
i'n edrych ymlaen at ei weld o bob dydd Sadwrn, ac
weithie ar y Sul hefyd. Roedd hi'n anodd yn amal ffitio
popeth i mewn, oherwydd galwade gwaith cartre ac
ymarferion o bob math, y delyn a'r piano yn enwedig.
Ond roedd hi'n llawer haws yn ystod y gwylie.

Mi wnes i ffrindie efo amryw byd o aelode'r staff
yn Southport, ac mi fydden ni'n cael hwyl efo nhw
ac efo rhai o'r cleifion erill hefyd, a dwi'n dal mewn
cysylltiad â rhai ar y we. Roeddwn i'n edrych ymlaen
at jôcs Dad hefyd, achos mi fydde ganddo fo wastad
rywbeth doniol i'w ddeud.

Un peth oedd yn anodd ar ôl iddo fo ddod adre,
yn enwedig yn y dechre, oedd pobol yn gofyn o hyd
sut roedd Dad, yn gofyn fel tase fo'n sâl ac yn mynd i

wella. Ond dydi o ddim yn sâl, wedi cael damwain mae o, a wnaiff o ddim gwella, yr un fath fydd o tra bydd o byw. Ond mae llai a llai o bobol yn gofyn erbyn hyn, dim ond un neu ddau falle lle bydde llawer iawn.

Pan ddaeth o adre roedd hi'n anodd cynefino efo'r gofalwyr er bod ganddyn nhw stafell iddyn nhw eu hunen. Roedden nhw yn y tŷ drwy'r amser, rownd y cloc, ac roedd hi'n anodd i mi fod yn fi fy hun. Roedd rhai'n mynd dan 'y nghroen i a ddim yn gadel imi fod fy hun efo Dad, ddim yn sylweddoli chwaith bod Ilan a fi yn gwybod be i'w neud a sut i'w drin pan fydde angen am hynny. Mi fyddwn i'n gorfod deud wrth ambell un 'mod i isio amser fy hun efo Dad a 'mod i'n ddigon cyfrifol. Mi 'den ni'n nabod ein gilydd yn well erbyn hyn a'r gofalwyr gore sy ar ôl: Mair, Kate, Ann a Paula. Ond mae 'ne rai newydd yn dod i mewn rŵan efo'r cwmni newydd, ac mi gymrith amser i ni ddod i gynefino efo nhw, a nhw efo ni.

Roedd hi'n anodd cynefino efo'r holl beirianne sy yma hefyd, yn arbennig pan fydden nhw'n gneud sŵn os oedd rhywbeth yn mynd o'i le. Dwi'n cysgu'n eitha ysgafn ac yn deffro bob tro mae un ohonyn nhw'n blipian yn ystod y nos. Os ydi o'n dal ati'n hir dwi'n gwybod bod Dad mewn poen ac mae'n rhaid i mi gael mynd ato fo.

Mae'n braf iawn 'i gael o adre, yn braf peidio â gorfod teithio i Southport o hyd, ond yn brafiach ei gael i'n cysuro ni pan 'den ni 'i angen o, a'i gael i fy helpu i ac Ilan efo gwaith cartre. Mae o'n codi'n c'lonne ni, yn ein hatgoffa o bethe i'w gneud, yn rhoi tips i ni. Bydd o'n f'atgoffa i i ymarfer y delyn a'r piano, y sax a'r gitâr. Fel arfer, 'den ni'n dau'n ei weld o rhwng chwarter i wyth a chwarter wedi bob bore, cyn inni gychwyn am yr ysgol, ac mae hi'n haws rŵan ar ôl i'r cwmni newydd ddechre rheoli.

Fin nos, mi gawn fynd i mewn ac allan fel y mynnwn ni, a'r rhan amla 'den ni'n cael swper efo'n gilydd yn y llofft a hynny tua saith gan 'i fod o'n mynd i'w wely'n gynnar. Weithie mae o'n aros yn 'i wely'n hwy yn y bore ac yn mynd yn ôl yn hwyrach. Bryd hynny, falle y daw o i lawr grisie ac mi gawn ni'n swper yn y fan honno. Ond ble bynnag y byddwn ni'n cael swper mi fydd o'n gyfnod i'n teulu ni, i fod efo'n gilydd, i rannu profiade a newyddion, deud pwy welson ni, a be ddigwyddodd yn ystod y dydd. Ac er mai yn ei stafell mae Dad wedi bod drwy'r dydd yn amlach na pheidio, a ni'n tri wedi bod allan, y fo sy'n siarad fwya!

Dwi'n teimlo 'mod i wedi gorfod tyfu i fyny'n gynt na rhai erill o'r un oed â fi, am 'mod i wedi gorfod cymryd mwy o gyfrifoldeb. Mae'r rhan fwya o'r hyn mae Ilan a fi'n 'i neud yn talu 'nôl am bopeth mae o wedi 'i neud i ni. Fo oedd yn arfer rhedeg i ni, rŵan ni sy'n rhedeg iddo fo. A rhaid i mi neud i mi fy hun y pethe y bydde fo'n eu gneud, fel rhedeg bath, sortio pres cinio, mynd i'r dre i siopa, y pethe bob dydd mae'n rhaid i rywun eu gneud.

Mae gen i ddiddordeb mawr mewn rygbi, dene'r diddordeb mwya sy gen i, a gen Dad dwi 'di 'i gael o. Dydi'r ddamwain ddim wedi newid 'y marn i am y gêm o gwbwl, a dwi isio dod o hyd i dîm y galla i chware ynddo fo. Dwi'n ymarfer yn gyson a'r cyfan mae Mam yn ei ddeud ydi imi fod yn ofalus. Mae gen i ddiddordebe erill hefyd, a dwi'n hoffi pêl-droed, ond rygbi 'di'r prif ddiddordeb.

Mae Bala yn un gymuned glos a 'den ni'n lwcus ein bod ni'n byw yma. Ond weithie mae 'ne rai'n mynd dan 'y nghroen i pan fyddan nhw'n cwyno am bethe bach, fel teimlo'n stiff ne rywbeth. Yr adeg honno dwi isio deud nad ydi Dad yn cwyno, a bod ganddo fo le i gwyno, ac am iddyn nhw drïo dychmygu sut beth ydi bod yn methu symud o gwbwl. Weithie dwi'n deud ac yn difaru wedyn, ond weithie dwi'n gallu brathu 'nhafod.

Ond mae gen i ffrindie da sy'n agos ac wedi bod efo fi trwy bopeth fel Elin Hedd, fy ffrind gore. Mi alla i fynegi 'nheimlade iddyn nhw ac maen nhw'n barod i wrando ac i roi eu cefnogeth i mi.

Ilan

Wnes i ddim rhedeg allan pan weles i Dad am y tro cynta yn yr ysbyty, er ei bod yn sioc ei weld o efo'r tiwbie o'i gwmpas, yn enwedig yr un yn ei geg. Yn Wrecsam roedd o'r adeg honno.

Roeddwn i wrth 'y modd yn mynd i Southport a gneud ffrindie efo'r staff. Mi ges i fynd i nofio efo plant un o'r nyrsys ac mi fase Teleri wedi cael dod hefyd pe na bai wedi cau drws y car ar ei bys. A hi ei hun wnaeth hynny hefyd, fel y bydda i'n edliw iddi o hyd. All hi feio neb arall. Braf iawn oedd cael mynd i'r Richmond, gwesty yn ymyl yr ysbyty, i gael bwyd. Roedd bwyd neis yno a doedd dim rhaid i mi dalu; Mam oedd yn talu – ar y slei efo cerdyn Dad!

Mi fyddwn inne'n blino ar bobol yn gofyn sut roedd Dad fel tase fo'n sâl. Ond dwi'n gwybod be oedden nhw'n drïo'i ofyn, dim ond bod eu geirie ddim yn swnio'n iawn. Mae'r rhai sy wedi bod yn dod i weld Dad yn gwybod yn iawn be 'di'r sefyllfa, a dydyn nhw ddim yn gofyn 'di o'n well.

Un peth oedd yn gneud imi deimlo dipyn bach yn genfigennus ar y dechre oedd gweld tade plant erill yn gallu dod â nhw i'r rygbi, a doedd neb efo fi. Dad fydde'n arfer dod wastad.

Pan ddaeth o adre, roedd hi'n anodd ar y dechre, yn enwedig efo'r gofalwyr o gwmpas y lle. Ond y peth anodda oedd derbyn ei fod o gartre ac eto'i fod o'n methu chware pêl-droed a reslo efo fi. Lle bydde fo gynt yn gneud alle fo rŵan ddim ond deud. Y fo'n deud a finne'n gneud.

Dwi wedi newid 'y meddwl amdano. Cyn y ddamwain roeddwn i'n meddwl ei fod o weithie'n ddwl fel postyn, ond dwi'n gwybod rŵan nad ydi o ddim. Mae o'n gwybod llawer iawn, ac mae llawer iawn yn 'i ben o, ac mae o'n andros o help i fi a Teleri efo'n gwaith ysgol. Dwi'n gneud Technoleg yn yr ysgol a doedd gen i, na Mam chwaith, ddim syniad be oedd pethe fel *dove tail joints*, ond roedd Dad yn gwybod ac yn gallu esbonio i mi.

Dwi wedi arfer efo'r gofalwyr erbyn hyn. Mae dau yma drwy'r amser, ac yn y nos mae un yn cysgu a'r llall yn effro. Mae hi'n gallu bod yn anodd i ni fel teulu am eu bod o gwmpas o hyd, ond mae hi'n anodd iddyn nhw hefyd – yn anoddach falle.

Os oes rhywbeth bach yn digwydd mae un gofalwr yn gallu datrys y peth, ac weithie bydd Mam yn helpu, ond os ydi pethe'n ddrwg mae'n rhaid deffro'r gofalwr arall hefyd. Dwi byth yn clywed sŵn y peirianne'n blipian gan 'mod i'n gysgwr trwm. Un noson, mi roedd dau ambiwlans tu allan yn ystod yr orie mân a rhywun yn gofyn i mi yn yr ysgol y diwrnod wedyn be oedden nhw'n da tu allan i'n tŷ ni, a finne'n gwybod dim amdanyn nhw, wedi cysgu drwy'r cyfan.

Pan fydd Dad mewn poen mae o'n actio'n tyff ac yn cymryd arno nad ydi pethe mor ddrwg ag ydyn nhw. Dwi'n parchu hynny, ond yn poeni 'run pryd.

Mae'n braf peidio gorfod mynd i Southport o hyd, ond yr hyn mae Dad yn falch ohono ydi bod llai o arian yn cael ei wario ar betrol! Ar yr un pryd, mae o'n poeni bod y bil trydan mor uchel ac yn cwyno am hynny. Ond mae'n rhaid cadw'r tŷ ar y tymheredd iawn.

Mae Teleri a fi yn gorfod gneud llawer mwy droson ein hunen, er bod Mam yn gneud mwy i ni hefyd. Ond mae hi'n brysur iawn, yn gweithio'n llawn amser, yn cadw tŷ, yn llywodraethwr yn yr ysgol, ac yn canu efo'r côr gwerin. Pan fydd ganddi hi gyfarfodydd min nos rhaid i ni gymryd mwy o gyfrifoldeb am y swper, gofalu ei gnesu neu bilio tatws neu ferwi pasta, pethe fel 'ene. Ac os bydd Mam yn rhy brysur i fynd â fi i'r cae rygbi, dwi'n cerdded, fel y bydda i bob amser i'r Ganolfan Hamdden ac mae hynny'n beth da ac yn gneud lles i mi.

Pan fyddwn i'n sâl yn 'y ngwely ers talwm mi fydde Dad yn tendio arna i ac yn gneud pethe syml fel agor y ffenest ac estyn diod i mi. Dwi'n gallu talu'n ôl rŵan drwy neud yr un pethe iddo fo.

Mae diddordeb Dad mewn rygbi gymaint ag erioed. Mae o isio mynd yn ôl i hyfforddi ac mae pawb isio fo yn ei ôl hefyd. Mae o wedi bod â ni i Bwllheli yn ddiweddar pan oedden ni'n chware yn erbyn ieuenctid yr ardal honno – timau Pwllheli a Botwnnog.

Pan ddaru Dad frifo mi ddwedodd Mam wrth y ddau ohonon ni am beidio â chware rygbi. Ond roedd hi wedi ypsetio, ac rŵan mae hi'n deud mai ein dewis ni ydi o, ac yn ein cefnogi ym mhob ffordd. Alla i ddim peidio bod â diddordeb mewn rygbi – rygbi, rygbi, rygbi ydi popeth. Ar y teledu, Clwb y Bala, tîm Cymru. A'r peth mwya alle ddigwydd i mi fase cael chware dros Gymru.

Mae Dad bob amser wedi meithrin agwedd iawn tuag at y gêm ym mhob chwaraewr y bu'n ei hyfforddi. Mi fydde'n deud wrthon ni'r ieuenctid nad ydi o ots be 'di'r sgôr, mai trïo'n gore sy'n bwysig a bod yn rhaid dysgu colli hefyd. Mae angen dysgu colli heb ddigio na gwylltio ac ennill heb ymfalchïo gormod a'i 'rwbio fo mewn'. Ar ôl pob gêm, mi fydde'n gofyn 'Ydech chi wedi dysgu rhywbeth'?

Mae rhai time'n gwylltio ar ôl colli, ond dydi'r Bala ddim. Mae agwedd y tîm wedi bod yn dda, ac i Dad mae llawer o'r diolch am hynny. Mae'n bwysig bod yn ffrindie efo'r tîm arall, a phob gelynieth ar y cae yn cael ei anghofio unweth mae'r gêm drosodd. Roedd ganddo fo bob amser ddywediad Saesneg pwysig iawn: 'Whatever happens on the pitch stays on the pitch.' Mae Dad wedi pregethu hyn erioed.

Pan ddaeth o adre, roeddwn i'n teimlo'n negyddol braidd am bopeth, yn meddwl na alle Dad neud dim bellach, ac y bydde fo'n hollol wahanol i'r hyn oedd o cyn y ddamwain. Mae hynny'n wir i radde, ond mae o'n gallu gneud llawer iawn mwy nag y gwnes i feddwl y galle fo, ac mae o wedi rhoi llawer o hyder i mi. Cyn y ddamwain, roedd ei gyfraniad mwya yn un corfforol, erbyn hyn mae o'n un meddyliol, ac mae o mor werthfawr i ni ag erioed.

Dwi wedi bod yn ffodus iawn yn fy ffrindie hefyd, maen nhw wedi bod tu ôl i mi gant y cant, a dwi'n gallu deud wrthyn nhw sut dwi'n teimlo.

Mae Teleri a fi yn lwcus iawn o Mam; hebddi hi, be wnaen ni? Mae rhai erill o'r teulu wedi bod yn gefnogol hefyd, yn enwedig Taid a Nain Caernarfon – Dick a Morfudd. Maen nhw wedi bod yn ffantastig, ac yn dal i fod felly. Joyce, chwaer Dad, a'i gŵr Dei hefyd; maen nhw wedi bod yn ardderchog ac yn dal i ddod yma'n rheolaidd. Yn ystod y ddwy flynedd a hanner diwethaf mae Dad wedi bod trwy uffern, ond mae o wedi paffio yn erbyn yr amgylchiade i gyd, ac mae o'n dal i baffio.

Susan

Pan oedd Bry yn hanner cant mi gafodd o gerdyn gan Gwion Lynch ac arno roedd yr englyn hwn:

> A'r haul wedi mynd i rywle – drwy'r haf
> Nid yw'r hwyl fel bydde,
> Ond ti yw Yogi, ynde?
> Mi weli drwy'r cymyle.

Wn i ddim byd am gynghanedd yr englyn, ond i mi mae o'n englyn perffaith, ac yn disgrifio ein sefyllfa i'r dim. Do, mi aeth yr haul o'n bywyde ni ar Faes Gwyniad yn Ebrill 2007 ac mae mwy o gymyle nag o heulwen wedi bod yn ein hanes ni ers hynny. Ond ymladdwr ydi Bry, ac er ei fod o'n cael cyfnode digalon, debyg iawn, mae o'n ymladd ei ffordd drwyddyn nhw am mai fo ydi o.

Ryden ni bellach yn setlo i fywyd teuluol rheolaidd unwaith eto, a fi 'di'r unig un sy'n ennill cyflog erbyn hyn. Mae'r plant yn ddisgyblion yn Ysgol y Berwyn ac yn tyfu trwy bopeth – yn enwedig eu dillad! Maen nhw'n dod yn fwy a mwy o gwmni ac o gynhalieth i mi a'u tad, ac maen nhw'n hynod o aeddfed eu hagwedd. Mae Bry gartre ac yn aelod hanfodol o'r teulu, ac er na all wneud dim yn gorfforol, mae ei feddwl mor iach ac mor siarp ag erioed. Mi fydda i'n dyheu weithie, pan mae pethe'n ddu, am iddo allu rhoi ei freichie amdana i i'm cysuro. Dwi'n colli hynny'n fwy na dim ond mae o yma i ddisgyblu, i wrando, i awgrymu, i gynghori. Mae'r ffaith iddo oroesi damwain mor erchyll yn wyrth. Ryden ni'n dal i afael yn y wyrth honno.

Fi

Ar y nawfed ar hugien o Fedi, ddwy flynedd a hanner wedi'r ddamwain, mi fues i i lawr ym Maes Gwyniad ar noson ymarfer. Roedd 14 o blant o wahanol oedranne yno a Llinos Gwanas yn eu hyfforddi. Mi roeddwn i fy hun wedi bod yn hyfforddi rhai o'r plant hyna, felly roedden nhw'n fy nabod i'n iawn. Ond roedd y rhai ieuenga yn edrych mewn syndod arna i, a finne'n gofyn iddyn nhw be oedden nhw'n feddwl ohona i mewn cader olwyn. Doedden nhw'n deud dim, ond ymhen chwarter awr, fe ddechreuon nhw anghofio'u hunen a dechre siarad a holi am y gader a phethe erill.

Mi ges i lot o bleser bod yno, ond roedd fy llais i'n

wan a bydd yn rhaid imi ddysgu gweiddi eto neu gael megaffon neu rywbeth. Mi fydd hi'n haws pan fydd gen i'r gader newydd, y 4x4, hefyd.

Erbyn hyn, mae o leia saith o bobol yn hyfforddi: Dr John a Huw Dylan o Langwm, Alan drws nesa, Bethan a Martin o Frongoch, Gethin Caerau a Llinos Gwanas, a Tony ei hun wrth gwrs. Mae o'n dal yno mor frwd ag erioed. Falle 'mod i wedi cyfeirio at Tony dan fwy nag un enw – wel, Tony Parry ydi o fel cadeirydd y clwb, Tony os ydi o wedi gneud rhywbeth o'i le, a TP pan fydd gofyn iddo roi ei law yn ei boced wrth y bar! Mae o wedi bod yn un o'r rhai mwya ffyddlon i mi ar hyd yr amser.

Chwe mis ar ôl y ddamwain, mi dderbynies i lythyr gan Brendan McNutt oedd wedi bod yn bennaeth Bryn Melyn, Llandderfel, sefydliad ar gyfer plant â phroblemau ymddygiad oherwydd iddyn nhw gael eu camdrin a llawer ohonyn nhw wedi troseddu. Mi fuo fo'n chware i dîm cynta'r Bala tra oedd yn yr ardal. Dyma ran o'i lythyr:

… Of course you had a strong, fit and able body, but so did all the other players. What set you apart was your attitude; the strength, not only of your muscles, but of your character, your unstoppable spirit. That spirit has always been inside you and it will always be there… it is who you really are.

Mae'r ysbryd yn isel ar adege, ydi, yn enwedig pan fydd 'ne drafferth efo'r gwddw, ond mae'n siŵr ei fod o'n deud y gwir gan imi gael 'y nerbyn yn Southport ar yr amod 'mod i'n ymladd i wella, a dwi 'di gneud hynny ar hyd yr amser. Dwi wedi cael digon o amser i feddwl hefyd a falle fod Brendan McNutt yn gallu mynegi fy meddylie yn well na fi fy hun:

> One of the toughest things for every man to learn in life is to be compassionate with himself... to forgive himself for sometimes not being his best... Being kind to ourselves is part of being great and is also essential if we are to be kind to the others in our life. Yogi, I have no idea what life is like for you, but I hope that you create a life that you enjoy and that enables you to express yourself without reserve.

Mae'n beryg i baragraff ola'r llyfr yma fod fel anerchiad diolchiade, ond mae gen i gymaint o bobol rydw i'n ddiolchgar iddyn nhw: Susan a'r plant yn anad neb, sy wedi 'nghynnal i trwy bopeth a'r prif reswm dros imi ddal ati i frwydro; eraill o'r teulu, sydd eisoes wedi eu henwi; yr holl gyfeillion, cydnabod, a chymwynaswyr sy'n rhifo yn y cannoedd, ddaru dywallt eu hewyllys da a'u hymdrechion codi arian i 'nghyfeiriad; staff anhygoel yr ysbytai; y gofalwyr; a phawb sydd wedi fy nghynnal ac sy'n dal i wneud.

Be sy gan y dyfodol ar fy nghyfer i? Pwy a ŵyr, ond mae llythyr Brendan McNutt yn mynegi'r gobaith 'mod i'n creu i mi fy hun fywyd y galla i ei fwynhau a thrwyddo fo fynegi fy hun. Efo help yr holl bobol o 'nghwmpas i, dwi'n trïo.

£9.95

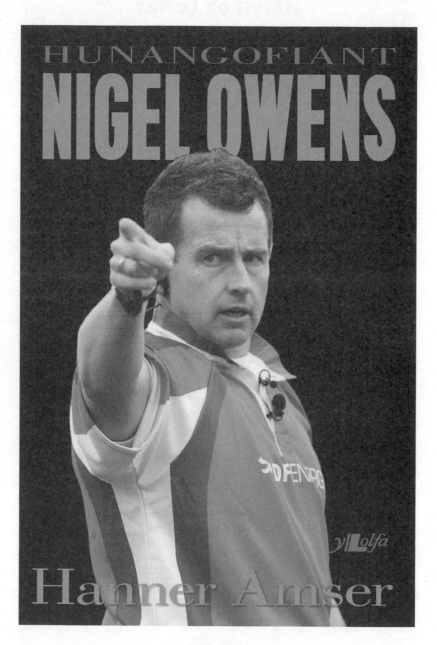

£9.95

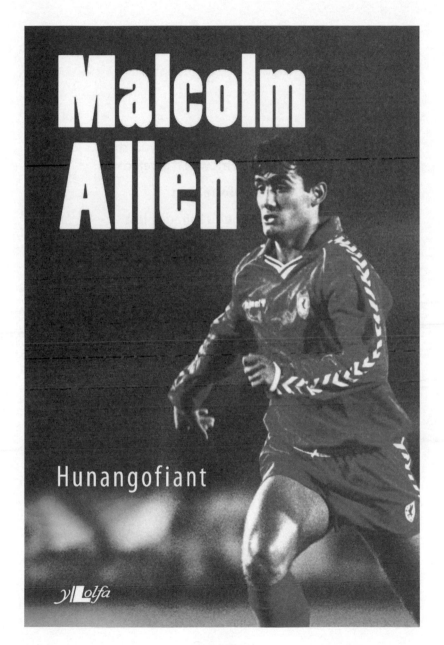

Malcolm Allen

Hunangofiant

yLolfa

£9.95

Am restr gyflawn o lyfrau'r Lolfa,
mynnwch gopi o'n catalog newydd, rhad
neu hwyliwch i mewn i'n gwefan

www.ylolfa.com

lle gallwch archebu llyfrau ar lein.

TALYBONT CEREDIGION CYMRU SY24 5HE
ebost ylolfa@ylolfa.com
gwefan www.ylolfa.com
ffôn 01970 832 304
ffacs 832 782